« Ma mère me préparait du bouillon de poulet pour me donner des forces et m'encourager à aller mieux. Ce bouillon me rendait tout chaud en dedans. Aujourd'hui, je sais que c'étaient à la fois le bouillon et l'amour de ma mère qui étaient à l'œuvre. C'est pourquoi Un 5e bol de Bouillon de poulet pour l'âme *inspirera chaque lecteur. Dans ces pages, vous trouverez force, encouragement et amour. »*

JIM TUNNEY
conférencier professionnel et ex-arbitre de la NFL

« Une autre excellente chaudronnée de bouillon de poulet pour l'âme! »

JEFF BRIDGES, acteur

« La série Bouillon de poulet pour l'âme *nous encourage à créer le meilleur monde possible. »*

LEVAR BURTON, acteur/réalisateur

« Un 5e bol de Bouillon de poulet pour l'âme *est un livre qui sera apprécié par toute la famille. Ses histoires vous mettront au défi, vous changeront ou vous feront tout simplement rire. Lisez-le d'un trait ou un peu à la fois. Ça n'a aucune importance — c'est un bon livre, quelle que soit la façon dont vous le lirez. »*

PORTER WAGONER, Grand Ole Opry

« Encore et encore, Bouillon de poulet *nous abreuve d'histoires délicieuses sur le don divin de l'amour. »*

JAMES REDFIELD, auteur
de *La prophétie des Andes* et de *The Celestine Vision*

« Il y a toujours de la place pour un peu plus de Bouillon de poulet. *Pendant une tournée à travers l'Amérique, j'ai récemment "bouffé" les* 3e *et* 4e bol de Bouillon de poulet. *Ils ont gardé mon cœur à la bonne place pendant tout le voyage. Merci pour la nourriture de l'âme. »*

KENNY LOGGINS, chanteur, parolier
et coauteur de *The Unimaginable Life*

« *La série* Bouillon de poulet *connaît un énorme succès parce que chaque livre nous donne ce que nous désirons tous — le bonheur, l'espoir, la sécurité, le courage et l'inspiration. Ces livres et ces histoires touchent notre cœur et font ressortir ce qu'il y a de mieux dans la nature humaine.* »

DENNIS WHOLEY,
animateur de la série *This is America* de la PBS
et auteur de *The Miracle of Change*

« *La série* Bouillon de poulet pour l'âme *réveillera votre plus ardente passion pour la vie dans toutes ses couleurs éclatantes. Les histoires toucheront votre cœur et nourriront votre âme.* »

CATHY LEE CROSBY
actrice et auteure de *Let the Magic Begin*

« Bouillon de poulet pour l'âme *est une série phénoménale !* »

SIDNEY SHELDON, auteur à succès

« *Vous méritez le plus grand respect pour avoir redonné à l'Amérique sa grandeur. Merci !* »

DICK DEVOS
Président, Amway Corporation

« *La série* Bouillon de poulet pour l'âme *est remarquable ; elle a apporté un stimulant émotif à des millions de personnes partout dans le monde, en nous faisant rire et pleurer. Mark et Jack ont aussi découvert le principe universel du partage des richesses financières en donnant un pourcentage de leurs ventes à des œuvres de charité méritoires. Je suis convaincu que vous aimerez ces histoires merveilleuses.* »

BARRY BORTHISTLE
Président, Enrich North America
et ambassadeur international

Un 5e Bol de Bouillon de Poulet pour l'Âme

SÉRIE
« BOUILLON DE POULET POUR L'ÂME »

PUBLICATIONS RÉCENTES

Un **1er** bol de Bouillon de poulet pour l'âme
Un **2e** bol de Bouillon de poulet pour l'âme
Un **3e** bol de Bouillon de poulet pour l'âme
Un **4e** bol de Bouillon de poulet pour l'âme
Un **5e** bol de Bouillon de poulet pour l'âme

Bouillon de poulet pour l'âme de la **femme**
Un **concentré** de Bouillon de poulet pour l'âme
Bouillon de poulet pour l'âme des **ados**
Bouillon de poulet pour l'âme d'une **mère**
Bouillon de poulet pour l'âme des **chrétiens**
Une **tasse** de Bouillon de poulet pour l'âme
Bouillon de poulet pour l'âme **au travail**
Bouillon de poulet pour l'âme de l'**ami des bêtes**
Bouillon de poulet pour l'âme du **golfeur**
Bouillon de poulet pour l'âme des **ados — JOURNAL**
Bouillon de poulet pour l'âme de l'**enfant**
Bouillon de poulet pour l'âme du **survivant**

PROCHAINES PARUTIONS

Bouillon de poulet pour l'âme du **couple**
Bouillon de poulet pour l'âme des **ados II**
Bouillon de poulet pour l'âme de la **femme II**

PROJETS

Bouillon de poulet pour l'âme du **célibataire**
Un **6e** bol de Bouillon de poulet pour l'âme
Bouillon de poulet pour l'âme des **parents**
Bouillon de poulet pour l'âme de la **femme enceinte**
Bouillon de poulet pour l'âme à l'**âge d'or**

Jack Canfield
Mark Victor Hansen

Des histoires
pour ouvrir le cœur
et raviver l'âme

Traduit par Fernand A. Leclerc
et Lise B. Payette

SCIENCES ET *CULTURE*
Montréal, Canada

L'édition originale de cet ouvrage a été publiée sous le titre
A 5TH PORTION OF CHICKEN SOUP FOR THE SOUL :
101 MORE STORIES TO OPEN THE HEART AND REKINDLE THE SPIRIT

Health Communications, Inc., Deerfield Beach, Floride (É.-U.)
ISBN 1-55874-543-2

Réalisation de la couverture : ZAPP

Dépôt légal : 1er trimestre 2001
Bibliothèque nationale du Québec
Bibliothèque nationale du Canada

ISBN 2-89092-267-7

Éditions Sciences et Culture
5090, rue de Bellechasse
Montréal (Québec) Canada H1T 2A2
(514) 253-0403 Fax : (514) 256-5078
Internet : www.sciences-culture.qc.ca
Courriel : admin@sciences-culture.qc.ca

Nous reconnaissons l'aide financière du gouvernement du Canada par l'entremise du Programme d'Aide au Développement de l'Industrie de l'Édition pour nos activités d'édition.

IMPRIMÉ AU CANADA

Table des matières

3. L'apprentissage et l'enseignement

4. La mort et les mourants

Les citations

Pour chacune des citations contenues dans cet ouvrage, nous avons fait une traduction libre de l'anglais au français. Nous pensons avoir réussi à rendre le plus précisément possible l'idée d'origine de chacun des auteurs cités.

Nous nous racontons des histoires pour nous aider à supporter la vie.

Joan Didion

Nous dédions ce livre avec amour et gratitude
aux plus de 20 millions de personnes
qui ont acheté, lu et partagé les quatorze livres de
Bouillon de poulet pour l'âme
avec leur famille, leurs amis, leurs associés,
leurs employés, leurs étudiants
et leur communauté,
et aux plus de cinq mille lecteurs
qui nous ont envoyé des histoires, des poèmes,
des caricatures et des citations
pour inclusion éventuelle dans
Un 5e bol de Bouillon de poulet pour l'âme.
Même si nous n'avons pas pu utiliser
tout ce que vous nous avez envoyé,
nous avons été profondément touchés
par votre intention sincère de partager
votre vie et vos histoires
avec nous et nos lecteurs.

Nous vous aimons!

Remerciements

Il a fallu plus d'un an pour écrire, assembler et réviser *Un 5e bol de Bouillon de poulet pour l'âme.* Ce fut une tâche joyeuse, malgré les nombreuses difficultés, et nous désirons remercier les personnes suivantes dont la collaboration a rendu ce livre possible.

Nos femmes, Georgia et Patty, et nos enfants — Christopher, Oran, Kyle, Elisabeth et Melanie — qui, une fois encore, se sont privés de nous pendant des mois pour nous permettre d'écrire ce livre.

Patty Aubery qui a travaillé de très près avec nous à toutes les phases de ce livre, qui a surveillé toutes les étapes de la fabrication, qui a dirigé le personnel de The Canfield Training Group et de Self-Esteem Seminars — tout cela en emménageant dans sa nouvelle maison, en plus d'être enceinte de quatre mois!

Nancy Mitchell qui a réussi à découvrir les perles parmi les milliers d'histoires que nous avons lues et qui a trouvé les citations. Nous la remercions aussi pour son incroyable efficacité et pour sa persévérance dans l'obtention de toutes les autorisations dont nous avions besoin.

Heather McNamara, notre rédactrice en chef, qui fut coordonnatrice de projet pour ce livre. Elle a été présente à chaque étape — rédaction, révision, ordonnancement, choix des citations — et elle a gardé ce projet bien en selle malgré le chaos qui régnait.

Kimberly Kirberger, notre directrice de la rédaction, pour avoir lu et commenté le manuscrit à chacune de ses incarnations, et pour nous avoir précieusement aidés à obtenir des histoires additionnelles lorsque nous en avons eu besoin à la fin du projet.

Leslie Forbes, pour avoir consacré des semaines entières à lire et à évaluer des centaines d'histoires.

Ro Miller, notre adjointe exceptionnelle, pour s'être occupée d'une grande partie de la correspondance et des communications téléphoniques avec nos nombreux collaborateurs.

Veronica Romero, Teresa Esparza, Lisa Williams et Laurie Hartman, pour avoir gardé le fort pendant que d'autres écrivaient et révisaient.

Rochelle M. Pennington, qui nous a soumis quantité d'histoires, de poèmes et de citations.

Mark Colucci, Sharon Linnéa, Patricia Lorenz, Penny Porter et Stephanie Sneddon, pour leur excellent travail de révision malgré les délais trop courts.

Larry et Linda Price, qui, tout en voyant au bon fonctionnement de la Foundation for Self-Esteem de Jack, ont continué de gérer le projet Soup Kitchens for the Soul [La soupe populaire pour l'âme] où on distribue chaque année des milliers de livres *Bouillon de poulet pour l'âme* à des détenus, dans des centres de transition, des refuges pour les sans-abri et pour les femmes battues, et dans les écoles des quartiers défavorisés.

Peter Vegso et Gary Seidler de Health Communications, Inc., pour leur vision soutenue de l'orientation et de la valeur de ces livres, et pour leur appui indéfectible dans la distribution de ces histoires à travers le monde.

Christine Belleris, Matthew Diener, Allison Janse et Lisa Drucker, nos éditeurs chez Health Communications, Inc., qui donnent à notre travail la plus grande qualité possible avant sa publication.

Randee Goldsmith, le chef de produit de *Bouillon de poulet pour l'âme* chez Health Communications, Inc., pour son soutien et ses paroles d'encouragement continuels.

Lisa Aurello, pour avoir tapé le manuscrit et donné ses impressions sur chacune des histoires.

Trudy Klefstad de OfficeWorks, pour son travail habile et rapide de dactylographie chaque fois que nous avons eu besoin d'elle.

Anna Kanson de *Guideposts*, qui n'a cessé de se donner de la peine pour nous aider.

Katherine Burns de *Reader's Digest*, qui nous a généreusement donné de son temps et qui nous a fourni les informations nécessaires pour localiser les auteurs difficiles à retracer.

Steve Parker et Patrick D'Acre, pour leur connaissance de l'Internet et pour nous avoir aidés lorsque nous en avions tant besoin.

Arielle Ford, Kim Weiss et Ronni O'Brien, nos agents de publicité aussi créatifs qu'efficaces, qui continuent de nous aider à garder nos livres sur la liste des best-sellers.

Terry Burke, Irene Xanthos, Jane Barone, Lori Golden, Kelly Johnson Maragni, Karen Bailiff Ornstein et Yvonne zum Tobel, qui, chez Health Communications, sont responsables de la vente et du marketing de nos livres *Bouillon de poulet*.

Claude Choquette de Montréal-Contacts/The Rights Agency, qui, année après année, réussit toujours à faire traduire chacun de nos livres dans plus de trente langues autour du monde.

John et Shannon Tullius, John Saul, Mike Sacks, Bud Gardner, Dan Poynter, Bryce Courtney, Terry Brooks et tous nos amis de Maui Writers Conference and Retreat, qui nous inspirent et nous encouragent chaque année.

Merci également aux personnes suivantes qui, malgré leurs nombreuses occupations, ont lu plus de 250 histoires finalistes pour ce livre et nous ont donné leur évaluation, leurs commentaires et leurs suggestions pour les améliorer. Sans eux, nous n'aurions jamais pu approcher de la qualité du livre que nous avons publié. Merci à : Terry Altwies, Sandra Anderson, Rosa Arlington, Chell et Lisa Atchley, Sheri Austin, Pamela Bice, Liz Brendel, Julie Brookhart, Sandy Brooks, Harrah Brown, Dave et Marsha Carruthers, Diana Chapman, Nance Cheifetz, Svea et Maja Christensen, Caryn Colgan, Patrick Collins, Patrick D'Acre, Helen Dannatt, Joyce Davis, Lisa Drucker, Honora Evans, Mary Factor, Frank Fedak, Randee Goldsmith, Sherry Grimes, Gail Harris, Allison Janse,

Richard Kraemer, Robert Lackamayer, Robert MacPhee, Karen Matz et Annie Slawik.

Nous désirons aussi remercier les cinq mille personnes et plus qui ont pris le temps de nous soumettre des histoires, des poèmes et autres documents. Vous vous reconnaissez tous. Bien que la plupart des histoires soumises aient été magnifiques, elles ne convenaient pas toutes à la structure d'ensemble de ce livre. Cependant, plusieurs seront utilisées dans les prochains livres de la série *Bouillon de poulet pour l'âme*, dont *Bouillon de poulet pour l'âme du parent, l'âme du couple amoureux, l'âme des enfants, l'âme des divorcés, l'âme rieuse, l'âme juive, l'âme de l'homme, l'âme des enseignants, l'âme des écrivains et l'âme des amateurs de sport* (tous des titres français provisoires), pour n'en nommer que quelques-uns.

Comme ce projet est énorme, il est possible que nous ayons oublié les noms de certaines personnes qui nous ont aidés en cours de route. Si c'est le cas, nous nous en excusons. Sachez que nous vous apprécions tous.

Nous sommes franchement reconnaissants à toutes les mains et à tous les cœurs qui ont rendu ce livre possible. Nous vous aimons tous!

Introduction

Sans les histoires, nous ne sommes rien.

Bryce Courtney

De notre cœur au vôtre, nous sommes enchantés de vous offrir *Un 5e bol de Bouillon de poulet pour l'âme*. Ce livre contient des nouvelles histoires qui, nous en sommes certains, vous inspireront et vous inciteront à aimer plus pleinement et inconditionnellement, à vivre avec plus de passion et de compassion, et à poursuivre vos rêves les plus profonds avec plus de conviction, d'action et de persévérance. Nous croyons que ce livre vous soutiendra dans les moments difficiles, de frustration et d'échec, et vous réconfortera dans les cas de confusion, de peine et de perte. Nous espérons qu'il deviendra un véritable compagnon vous procurant compréhension et sagesse continuelles dans plusieurs domaines de votre vie.

Comment lire ce livre

Nous avons eu le bonheur de recevoir les commentaires de lecteurs du monde entier. Certains lisent nos livres du début à la fin; d'autres choisissent un chapitre qui les intéresse davantage. Certains ne peuvent tout simplement pas poser le livre avant de l'avoir terminé, tout en vidant une grosse boîte de mouchoirs de papier. Nous avons été particulièrement touchés par les lecteurs qui ont rétabli des liens avec des êtres chers ou de vieux amis, inspirés par une des histoires.

Souvent, des lecteurs nous ont abordés — lors de conférences ou d'apparitions en public — pour nous dire comment une ou plusieurs histoires leur avaient été d'une aide inestimable pendant des périodes difficiles comme la mort d'un être cher ou une grave maladie. Nous sommes reconnaissants d'avoir eu l'occasion d'aider un si grand nombre de personnes. Certains lecteurs nous disent qu'ils gardent leur *Bouillon de poulet* sur leur table de chevet, lisant une histoire chaque soir ou relisant une de leurs préférées. Plusieurs font de ces livres une expérience familiale en lisant une histoire à haute voix alors que les parents et les enfants sont réunis dans la soirée.

Vous pouvez faire comme les lecteurs qui vous ont précédés ou lire ce livre sans méthode précise, laissant chaque histoire entraîner vos pensées dans de nouvelles directions. Trouvez la manière qui vous convient le mieux mais, surtout, amusez-vous!

Une lectrice nous écrit

[NOTE : Nous avons reçu le poème qui suit de Karen Taylor, qui l'a écrit après avoir terminé la lecture de *Un 3e bol de Bouillon de poulet pour l'âme*.]

BOUILLON DE POULET

Un jour d'hiver, je me suis retrouvée au lit,
malade, éternuant, crachotant, toussant
avec le pire rhume de ma vie.
J'entends les pas de ma mère,
et je fais semblant de dormir
pour éviter qu'elle essaie de me nourrir
alors que je ne veux pas manger.

« J'allais te préparer une crème glacée,
mais je n'ai pas trouvé la cuillère.
Tu devras donc te contenter d'un bol
de bouillon de poulet à la place. »
Je me suis assise. Elle a remonté mes oreillers,
a mis sa main fraîche sur mon front…
puis elle a déposé le plateau sur mes genoux.
« Mange tout, sans en laisser. »
Malgré mes articulations sensibles
et mon corps raide comme un bâton,
je dois dire que le bouillon de poulet
était, ma foi, très, très bon.
Maintenant que je suis plus grande,
j'éprouve des maux différents.
Quand je suis découragée et fatiguée,
et que la douleur est trop grande,
je me blottis sur le canapé
avec un livre, et non un bol,
et je me délecte d'un autre
Bouillon de poulet pour l'âme.

Karen Taylor

1

L'AMOUR

La pire maladie n'est ni la tuberculose ni la lèpre;
c'est d'être abandonné, rejeté et laissé à soi-même.
Nous pouvons guérir les maladies physiques
par la médecine,
mais l'amour est le seul remède
contre la solitude et le désespoir.
Bien des gens sur terre meurent faute de pain,
beaucoup plus meurent faute d'un peu d'amour.

Mère Teresa

Le pot de semences

Cadette de quatre filles, c'est à moi que revenait le soin de m'occuper de grand-maman Lou pendant les réunions de famille. Lucinda Mae Hamish — grand-maman Lou — était une grande femme mince, avec une longue tresse grise et des traits saillants. Elle était sans conteste la Jardinière Maîtresse de la famille. Elle avait grandi durant la Dépression et avait appris à tout utiliser plus d'une fois. Lorsque quelque chose était usé, elle l'utilisait encore, dans son jardin.

Lorsque grand-maman Lou nous rendait visite, elle apportait des sachets de ses semences, contenues dans des bouts d'enveloppes pliées et étiquetées avec les instructions. Son écriture était précise et droite. Chacun de nous recevait une plante différente. Habituellement, mes sœurs recevaient des graines de tomates, de carottes et de tournesols — des semences à toute épreuve, car mes sœurs étaient des jardinières impatientes et négligentes. Elle me réservait les espèces les plus fragiles.

Au moment du mariage de la troisième de mes sœurs, grand-maman Lou avait quatre-vingt-quatre ans et elle vivait seule, s'occupant toujours de désherber ses platebandes. Comme elle l'avait fait pour mes autres sœurs aînées, grand-maman Lou donna à Jenny un pot Mason contenant des semences de son jardin.

Les semences formaient une spirale colorée dans le pot à large ouverture. Au fond, il y avait des lourds grains de haricots, aux riches couleurs de terre, qui assuraient la stabilité du pot. Puis, les grains de maïs, patiemment polis dans la gaze jusqu'à ce qu'ils luisent comme de l'or. Par-dessus, il y avait des graines plates de concombres et de melons d'eau, à travers lesquelles perçaient les graines rondes et douces de tournesol. Tout en haut, séparées par de la gaze, se trouvaient les délicates graines de fines herbes, tels la menthe et le basilic. Le pot était couronné d'un couvercle de laiton étincelant, garni d'un gai ruban. Ce pot contenait assez de semences pour une vie entière — un plein jardin de nourriture pour le jeune couple.

Deux ans plus tard, grand-maman Lou subit une attaque qui la força à aller vivre dans un centre d'hébergement. Même si elle n'a pu assister à mon mariage cette année-là, je fus contente d'apercevoir un pot Mason parmi les cadeaux de mariage.

Contrairement à ceux d'avant, mon pot ne présentait pas de motifs harmonieux de semences. On aurait plutôt dit qu'on avait mis toutes les semences dans un sac avant de les verser dans le pot. Même le couvercle semblait avoir été négligé, usagé et un peu rouillé. Considérant l'état de santé de grand-maman Lou, j'étais heureuse qu'elle se soit rappelé cette douce tradition.

Mon mari, Mark, a trouvé du travail en ville et nous avons emménagé dans un petit appartement. Il nous était impossible de faire un jardin et je me suis consolée en rangeant le pot de semences dans notre salon. Il trônait comme une promesse de jardin à venir.

Grand-maman Lou est décédée l'année où les jumeaux sont nés. Quand nos fils ont commencé à faire leurs premiers pas, j'ai placé le pot sur le réfrigérateur pour le soustraire à leurs petites mains curieuses.

Puis, nous avons emménagé dans une maison, mais il n'y avait pas assez de soleil dans notre cour pour y faire un véritable jardin. Le gazon se battait pour se tailler une place entre les pissenlits et je ne pouvais que l'arroser et le tondre à l'occasion.

Les garçons ont grandi rapidement, comme la mauvaise herbe que j'arrachais sans arrêt. Bientôt, ils ont fait leur vie et Mark envisageait la retraite. Nous passions nos soirées à faire des plans pour notre petite maison à la campagne où Mark pourrait aller à la pêche et où je pourrais avoir un vrai jardin.

L'année suivante, Mark fut frappé par un conducteur ivre et il se retrouva paralysé du cou jusqu'aux pieds. Toutes nos économies ont été consacrées à sa réadaptation physique de sorte que Mark a pu regagner une faible mobilité de ses mains et de ses bras. Pour les besoins quotidiens, il lui fallait absolument une infirmière.

Les visites à l'hôpital et les soucis financiers m'épuisaient. Mark allait bientôt rentrer à la maison et être confié à mes soins. Je faisais à peine la moitié de son poids et je ne serais même pas capable de le soulever pour le mettre au lit. Je ne savais que faire. Nous n'avions pas assez d'argent pour payer une infirmière de jour, encore moins une aide à temps plein, et les centres d'hébergement étaient trop chers pour nos moyens.

Abandonnée à mon sort, j'étais tellement épuisée que je ne me nourrissais plus. Ma sœur Jenny, qui habitait dans le quartier, me rendait visite tous les jours et me forçait à manger un peu. Un soir, elle arriva avec un plat de lasagnes. Elle bavardait joyeusement pendant que nous mettions la table. Lorsqu'elle me demanda des nouvelles de Mark, je fondis en larmes. Je lui dis qu'il reviendrait bientôt à la maison et combien nous manquions d'argent. Elle m'a offert ses maigres économies — elle m'a même proposé d'emménager avec nous pour m'aider — mais je savais que Mark refuserait par fierté.

Je fixai mon assiette, ayant perdu l'appétit. Dans le silence qui suivit, le désespoir s'installa à la table comme un vieil ami. Enfin, je me suis reprise et je lui demandai de m'aider à la vaisselle. Jenny accepta et se leva pour ranger le reste des lasagnes. En se refermant, la porte du réfrigérateur fit cogner le pot de semences contre le mur. Jenny, alertée par le bruit, se retourna et dit : « Qu'est-ce que c'est? » en prenant le pot.

Je levai les yeux de l'évier et je dis : « C'est seulement le pot de semences de grand-maman Lou. Nous en avons toutes reçu un en cadeau de mariage, tu te souviens? » Jenny me regarda puis examina le pot.

« Tu ne l'as jamais ouvert? » demanda-t-elle.

« Je n'ai jamais eu assez de bonne terre pour faire un jardin. »

Jenny, le pot sous un bras et ma main savonneuse dans son autre main, me dit, tout excitée : « Viens! »

En me tirant, elle s'installa à la table. Après trois essais, elle ouvrit finalement le couvercle et renversa le pot sur la table. Les semences bondirent dans toutes les directions! « Que fais-tu? » lui demandai-je, en tentant de les récupérer. Parmi le tas de semences brun décoloré et terre de sienne se trouvait une vieille enveloppe jaunie. Jenny la prit et me la tendit.

« Ouvre », dit-elle. Dans l'enveloppe, je trouvai cinq certificats de 100 actions chacun. Nos yeux se sont écarquillés en lisant le nom de la société. « As-tu idée de ce que cela vaut aujourd'hui? » demanda-t-elle.

Je pris une poignée de semences que je portai à mes lèvres et je dis une prière silencieuse de gratitude pour grand-maman Lou. Pendant toutes ces années, elle avait entretenu un jardin pour moi et elle avait scellé une provision inépuisable d'amour dans ce vieux pot Mason.

Dee Berry

M. Gillespie

En première du secondaire, je fus une jeune bénévole à l'hôpital de ma ville. Pendant les vacances d'été, je consacrai de trente à quarante heures par semaine à cette tâche. Je passais la plupart de mon temps avec M. Gillespie. Personne ne venait jamais lui rendre visite et personne ne semblait se soucier de sa santé. Je passai plusieurs jours à lui tenir la main, à lui parler et à répondre à ses besoins. Il devint un de mes amis intimes, même s'il ne me répondait que par un serrement de main occasionnel. M. Gillespie était dans le coma.

Je suis partie en vacances pendant une semaine avec mes parents. À mon retour, M. Gillespie avait disparu. Je n'ai pas eu le courage de demander où il était, de peur d'apprendre qu'il était décédé. Sans réponse à mes questions, j'ai poursuivi mon bénévolat tout au long de ma deuxième secondaire.

Plusieurs années plus tard, j'étais en fin de secondaire, j'ai aperçu un visage familier à la station-service. Quand je l'ai reconnu, les larmes me sont montées aux yeux. Il était vivant! J'ai eu le courage de lui demander s'il ne s'appelait pas M. Gillespie et s'il n'avait pas été dans le coma cinq ans auparavant. D'un air incertain, il m'a dit oui. Je lui ai expliqué comment je l'avais reconnu et que j'avais passé des heures à lui parler à l'hôpital. Les larmes aux yeux, il m'a donné la plus chaleureuse étreinte que j'avais jamais reçue.

Il m'a raconté que, comateux, il m'entendait lui parler et sentait que je lui tenais la main. Il avait cru que j'étais un ange, et non une personne, à ses côtés. M. Gillespie était convaincu qu'il devait sa vie à ma voix et à mon toucher.

Il m'a ensuite raconté sa vie et les circonstances de son coma. Nous avons tous deux pleuré pendant quelque temps, puis nous avons échangé une étreinte et nous nous sommes séparés.

Je ne l'ai jamais revu depuis. Pourtant, chaque jour, il remplit mon cœur de joie. Je sais que j'ai fait une différence entre sa vie et sa mort. Mais, mieux encore, il a contribué à changer ma vie de façon incroyable. Jamais je ne l'oublierai, ni ce qu'il a fait pour moi : il a fait de moi un ange.

Angela Sturgill

Chaque ami représente un monde en nous, un monde qui ne verra possiblement le jour qu'à l'arrivée de ces amis, et ce ne sera que par cette rencontre qu'un nouveau monde naîtra.

Anaïs Nin

Garde de nuit

Ce n'est pas celui qui possède beaucoup qui est riche, c'est celui qui donne beaucoup.

Erich Fromm

« Votre fils est là », dit l'infirmière au vieillard. Elle a dû répéter plusieurs fois avant que l'homme n'ouvre les yeux. Il était fortement médicamenté et avait à peine conscience après l'importante crise cardiaque qu'il avait subie la nuit précédente. Il pouvait distinguer la silhouette floue d'un jeune homme dans un uniforme du Marine Corps qui se tenait à côté de son lit.

Le vieil homme a tendu la main. Le Marine a mis ses doigts solides autour de la main frêle du vieil homme et l'a doucement serrée. L'infirmière a apporté une chaise et le militaire las s'est assis à son chevet.

Toute la nuit, le jeune Marine est resté assis dans l'unité mal éclairée, tenant la main du vieil homme en lui disant des mots de réconfort. Le mourant ne disait rien mais serrait légèrement la main du jeune homme. Ignorant le bruit du réservoir d'oxygène, les plaintes des autres malades et le va-et-vient du personnel de nuit qui entrait et sortait de l'unité, le Marine est demeuré au chevet du vieil homme.

Lorsqu'elle venait de temps à autre voir son patient, l'infirmière entendait le jeune Marine murmurer des propos réconfortants au vieil homme. Plusieurs fois au cours de la nuit, elle a suggéré au Marine d'aller se reposer quelque temps. Chaque fois, le jeune homme refusait.

Le vieil homme est mort à l'approche de l'aube. Le Marine a replacé la main sans vie du vieil homme sur le lit et s'en est allé retrouver l'infirmière. Il a attendu pendant que l'infirmière enlevait le corps et faisait le nécessaire. Lorsque l'infirmière est revenue lui offrir ses condoléances, le Marine l'a interrompue.

« Qui était cet homme? » demanda-t-il.

Étonnée, l'infirmière répondit : « C'était votre père. »

« Non, reprit le jeune homme. Je ne l'ai jamais vu auparavant. »

« Alors, pourquoi n'avez-vous rien dit lorsque je vous ai amené à son chevet? »

« Je savais qu'il y avait eu erreur de la part de ceux qui m'ont accordé une permission d'urgence. Nous sommes deux à avoir des noms semblables, nous venons de la même ville et nos matricules se ressemblent. Ils m'ont envoyé par erreur », a expliqué le jeune homme. « Je savais par contre qu'il avait besoin de son fils et que celui-ci n'était pas là. Je voyais bien qu'il était trop malade pour savoir si j'étais son fils ou non. Quand j'ai compris à quel point il avait besoin de quelqu'un, j'ai simplement décidé de rester. »

Roy Popkin

La petite voiture rouge

Mon amie Gayle « vivait » depuis quatre ans avec un cancer qui s'aggravait progressivement. En parlant à une autre amie, Gayle lui avait dit qu'un de ses souhaits d'enfant avait été de posséder une voiture Radio Flyer rouge. Enfant, elle ne l'avait jamais reçue en cadeau, car elle croyait que lorsqu'on annonçait ses souhaits d'anniversaire, ils ne se réalisaient pas. Un jour, à un bar laitier, j'ai aperçu une version miniature de la voiture Radio Flyer rouge, qu'on offrait en prix à un tirage hebdomadaire. Chaque achat vous donnait une chance de gagner. Après plusieurs semaines et moult cornets de crème glacée, je n'ai pas gagné. J'ai pris mon courage à deux mains et je suis allée voir le responsable pour lui demander si je ne pourrais pas en acheter une. Au comptoir, j'ai raconté mon histoire. Je sentais ma gorge se serrer et les larmes me monter aux yeux. J'ai tant bien que mal réussi à expliquer pourquoi je désirais acheter cette voiture et, après avoir payé par chèque, je suis partie avec la voiture. Le jour suivant, j'ai apporté la voiture à Gayle pour qui c'était la réalisation d'un rêve. Le lendemain, j'ai reçu une lettre qui disait :

Chère Bonnie,

Nous avons parfois l'occasion de poser un geste de pure bonté, sans se questionner. Mes parents sont morts du cancer à six mois d'intervalle. Je me suis occupée d'eux du mieux que j'ai pu, mais cela m'aurait été impossible sans l'amour et la générosité d'amis — des amis compatissants.

Meilleurs vœux,

Norma

La lettre venait de la propriétaire du bar laitier. Il y avait aussi mon chèque, non encaissé.

Bonita L. Anticola

John

La charité voit le besoin, non la cause.

Proverbe allemand

Depuis plusieurs années, je me débats avec mon destin, car je travaille dans un quartier à haut taux de criminalité. J'ai vu des prostituées se livrer à des actes sexuels avec leurs clients dans la ruelle alors que je sortais les ordures. D'autres commerçants et moi avions eu des discussions animées avec la Ville pour faire respecter les ordonnances de santé publique, car les itinérants laissaient leurs matières fécales dans les poubelles et aux alentours. J'ai manifesté et même rencontré le Conseil municipal, les priant de fermer les commerces de livres pour adultes dans le quartier. J'ai vu la corruption et la destruction que peut amener la pornographie chez les gens, particulièrement chez les enfants de notre quartier. À plusieurs occasions, j'ai pleuré en me rendant au travail, demandant à Dieu : « Que suis-je censée faire ici? »

Il y a environ un an, j'ai rencontré John. Il est ce que plusieurs appellent un itinérant, un mendiant. La plupart croient qu'il est fou.

J'ai vu John pour la première fois alors qu'il était passé par le bureau pour vendre des briquets, deux pour un dollar. Je l'aurais probablement oublié s'il n'était revenu quelques jours plus tard pour demander s'il pouvait boire à notre fontaine. Nous avons parlé quelque temps. En partant, il s'est excusé d'avoir pris tellement de mon temps.

John venait d'une famille aisée. À une certaine époque, il avait tout ce qu'on peut désirer : une maison, un bateau, une entreprise, et il pilotait même un avion. Il devait hériter d'une fortune assez importante pour lui permettre de prendre sa retraite confortablement n'importe où dans le monde. Ce qui était triste à propos de John, c'est qu'il ne s'était jamais senti aimé. Il est certain qu'il n'avait jamais connu l'amour inconditionnel auparavant. Adulte, il avait souffert d'un syndrome de stress post-traumatique (suite à son service militaire au Vietnam) et de dépression (causée par une série d'événements qui avaient conduit sa fillette adorée loin de lui). John avait décidé de quitter le monde tel qu'il l'avait connu.

À le voir aujourd'hui, vous pourriez croire que je suis idiote de lui faire confiance, car il n'a plus grand-chose à offrir à la société. Vous auriez tristement tort. En plus de me donner des conseils sur la manière de ne pas perdre la raison, ses visites me remplissent de confiance en moi et de fierté. C'est une des meilleures personnes que je connaisse. Il a emprunté de l'argent pour acheter du lait à une femme et ses enfants qu'il avait croisés sur la rue, et nous avons découvert comment nous avions aidé le même vieillard qui se tient à une intersection du voisinage avec une affiche sur laquelle il est écrit : « Je travaillerais pour de la nourriture ». (Le pauvre homme a de la difficulté à se tenir debout avec sa canne, il ne peut certes pas travailler.)

John me dit qu'il trouve très triste que les gens ne mangent pas le midi, lui qui mange gratuitement chaque jour dans le parc. Quand les autobus scolaires repartent en emmenant les enfants venus en excursion, il retire leurs berlingots de lait et leurs repas non entamés du bac à ordures. Il a aidé une prostituée à entrer dans un refuge pour femmes battues et il lui a écrit une lettre de recommandation pour l'aider à retrouver la garde de sa fille.

Il m'est facile de savoir quand John est aux prises avec sa dépression, car il disparaît pendant des jours. Puis, il réapparaît, les traits tirés, mais il a toujours une histoire à raconter à propos d'un livre qu'il a lu, d'une personne qu'il a rencontrée dans la rue ou même sur le fait qu'il a été tabassé par quelqu'un.

Le 15 juin, la prunelle de ses yeux graduera avec grande distinction de l'université d'État de la Californie, à Santa Barbara. Il a retenu un taxi pour le conduire. Le chauffeur de taxi (qui le connaît) utilisera sa voiture personnelle pour que John ne porte pas ombrage à sa fille. John prendra un bain, il se rasera et endossera un vieux costume pour aller voir sa fille recevoir son diplôme. Je suis à la fois heureuse et triste pour lui, car je me suis imaginé ce qu'il ressentira lorsqu'il la verra monter sur le podium pour recevoir son diplôme. Je peux ressentir l'amour et l'orgueil se heurter à la souffrance et au regret. Je prie que le moment venu, Dieu le soutienne et l'aide à traverser cette épreuve. Je supporterai mon ami en pensée et, une fois de plus, mon cœur se brisera avec le sien.

« Vous savez qu'ils disent que je suis fou? »

Je souris : « Je ne crois pas que tu sois fou, John. »

Parfois, j'envie une certaine partie de la vie de John. Il n'est pas attaché aux biens matériels — seulement au désir d'aimer les autres et d'être aimé, peut-être un jour, peut-être même inconditionnellement.

Demain, en route vers le travail, une fois de plus je demanderai à Dieu : « Quel est mon rôle ici-bas, Seigneur? » Probablement qu'il m'enverra une autre personne dont je ne suis pas digne d'essuyer les chaussures, et je ferai de mon mieux pour l'aimer.

Terry O'Neal

Dieu s'intéresse-t-Il aux chiens perdus?

Le grand froid avait forcé le gros chien roux à se lover serré, le nez caché sous ses grosses pattes boueuses. Old Red vivait dehors, devant le salon de barbier de Larry, où il dormait sur un vieux bout de tapis. Le chien bâtard avait haleté durant un été chaud, regardant avec espoir les enfants qui sortaient de la petite épicerie attenante au salon de barbier. Plusieurs partageaient leurs gâteries avec lui. Le jour de la Saint-Valentin, quelqu'un avait mis une poignée de petits cœurs en bonbon rouges sur le tapis de Old Red.

Old Red avait eu un ami pendant quelque temps — un chien noir décharné. Compagnons inséparables, ils dormaient lovés l'un sur l'autre. Pendant une période de grand froid, le petit chien a disparu. Old Red a fait le deuil de son ami en refusant de bouger sa queue habituellement frétillante. Quand des amis s'arrêtaient pour le flatter, Old Red ne levait même pas la tête.

Un jour, quelqu'un abandonna un chiot et Old Red l'a immédiatement adopté. Il suivait le chiot comme une mère poule. Pendant les nuits froides, Old Red partageait son tapis avec le petit chiot enjoué, le laissant dormir contre le mur. Old Red dormait au froid du côté extérieur.

Bientôt, ce chiot disparut lui aussi et le vieux chien se retrouva seul une nouvelle fois.

Je l'aurais volontiers amené chez moi. J'étais prête à offrir mon amitié à tout chat ou chien errant contre un regard plein d'espoir, mais mon mari m'avait expliqué à plusieurs reprises que nous ne pouvions pas adopter d'animaux errants. Je savais qu'il avait raison, mais il arrivait que mon cœur l'oublie. Bien déterminée, j'essayais de me retenir de regarder dans les yeux tout chat ou chien errant ou affamé. Mais Old Red n'avait pas l'air affamé, alors je me suis dit qu'il n'y avait pas de mal à établir une relation avec lui.

Un jour, j'appris par hasard de la femme du barbier que celui-ci le nourrissait chaque jour. « Il refuse d'acheter de la nourriture bon marché », dit-elle en riant. « Il n'achète que ce qu'il y a de plus cher. »

Je me suis arrêtée au salon de barbier pour dire à Larry combien j'appréciais qu'il nourrisse le chien. Il a refusé mes remerciements et m'a dit avec insistance qu'il n'éprouvait rien pour le chien. « Je pense à le faire enlever », a-t-il dit d'un air bourru.

Je n'ai pas été dupe.

Pendant une tempête de neige, Old Red disparut. J'ai hanté le salon de barbier. « Larry, où peut-il bien être? » demandais-je.

« Je suis content qu'il soit parti. Il m'embêtait et il finissait par me coûter cher en nourriture. » Larry continua de couper les cheveux de son client sans me regarder.

Plus tard, sa femme m'a dit qu'il avait parcouru des kilomètres en automobile à la recherche du chien.

Le troisième jour, le chien est réapparu. Je me suis précipitée vers lui et je lui ai flatté la tête. La grosse queue sale n'a même pas bougé. Il n'a même pas relevé la tête. J'ai touché son museau, il était chaud et sec. J'ai foncé dans le salon de barbier en criant : « Larry, Old Red est malade! »

Sans arrêter son travail, il a dit : « Je sais, il ne mange pas. »

« Où croyez-vous qu'il soit allé? »

« Je n'ai pas de preuves, mais je crois que quelqu'un a porté plainte et qu'on l'a amené à distance. Avez-vous vu ses pattes? Il semble qu'il ait marché pendant des jours pour revenir ici. »

En baissant la voix, j'ai dit : « Larry, faites-le entrer. »

Les clients semblaient s'amuser de notre conversation.

« Je ne peux pas, c'est une place d'affaires ici. »

J'ai quitté le salon et pendant des heures, j'ai tenté d'obtenir de l'aide pour Old Red. La Société protectrice des animaux a dit qu'elle prendrait bien le chien mais ils étaient à une heure de route, à l'autre bout d'Atlanta, et je ne savais pas comment m'y rendre. De toute façon, personne n'adopterait un chien malade et ils l'endormiraient. Un vétérinaire que j'ai appelé s'est empressé de dire qu'il ne prenait pas de cas de charité. La police, les pompiers et le directeur du centre commercial ne pouvaient m'aider. Aucun de mes amis n'en voulait.

Je savais que j'allais rapporter Old Red à la maison malgré l'interdiction de mon mari. Il y avait longtemps que je n'avais fait une chose pareille.

J'étais plutôt silencieuse en préparant le souper. Finalement, mon mari me demanda sur un ton sévère : « Aimerais-tu que j'aille voir ce chien avec toi? » En clair, cela voulait dire : « Je veux bien m'en occuper un peu, mais nous ne pouvons pas garder ce chien. »

J'ai couru au grenier pour y prendre un grande boîte et une couverture. Après avoir pris de l'aspirine et un antibiotique qu'un des enfants prenait, puis après avoir réchauffé du lait, j'ai finalement annoncé : « Je suis prête. » Nous avons entassé les quatre enfants dans la voiture et sommes partis en direction du centre commercial. Il y avait de la neige au sol. *Tiens bon, Old Red, nous arrivons.*

En arrivant au centre commercial, j'ai perdu espoir, il n'était pas là. « Il est parti pour mourir », ai-je gémi. Nous avons cherché et appelé, mais le chien n'est pas venu.

Le lendemain, j'ai emmené les garçons pour une coupe de cheveux. Old Red était revenu ! Mais il avait l'air plus mal en point que jamais. Après avoir touché son museau chaud, je suis entrée en vitesse chez le barbier : « Larry, le chien va mourir devant votre boutique. »

Larry aimait bien me taquiner, même à ce sujet. Il n'a pas levé les yeux : « Je crois qu'il est déjà mort. Je ne l'ai pas vu bouger de la matinée. »

« Larry », m'écriai-je. « Vous devez faire quelque chose ! »

Le cœur gros, je suis sortie du salon de barbier. Il a fallu toute ma volonté pour résister à l'envie de faire monter le chien dans notre voiture. Il semblait résigné à son sort. J'étais presque en larmes. Un des jumeaux me demandait quelque chose. Pour la troisième fois, il a répété sa question.

« Dieu s'intéresse-t-Il aux chiens perdus, maman? »

Je savais que je devais répondre à Jeremy, même si Dieu me semblait bien loin. Je me sentais aussi un peu coupable, car il ne m'était jamais venu à l'esprit d'embêter Dieu avec un tel sujet. « Oui, Jeremy. Dieu s'intéresse à toutes ses créatures. » Je redoutais sa question suivante.

« Alors, demandons-Lui de guérir Old Red. Pouvons-nous, maman? »

J'ai répondu, avec une pointe d'exaspération : « Bien sûr, Jeremy. » Que dire d'autre à un enfant de cinq ans?

Jeremy a baissé la tête, joint ses mains, fermé ses yeux et a dit : « Mon Dieu, je veux te demander de guérir Old Red. Et, s'il te plaît… envoie un petit garçon pour l'aimer. Amen. »

Jeremy attendait patiemment ma propre prière. J'avais envie de lui expliquer qu'il y avait partout des animaux qui souffraient. J'ai plutôt prié : « Seigneur, merci de vous occuper de toutes vos créatures. S'il vous plaît, envoyez quelqu'un pour s'occuper de Old Red. Faites vite, je vous en prie. »

Jon a ajouté sa prière aux nôtres et j'ai démarré la voiture. Je pleurais, mais Jeremy et Jon ne semblaient pas s'en apercevoir. Jeremy a baissé la vitre et a crié joyeusement : « Salut, Old Red. Tout ira bien pour toi. Quelqu'un s'en vient te chercher. »

Le vieux chien las a levé légèrement la tête alors que nous nous éloignions.

Deux jours plus tard, Larry a appelé : « Devinez quoi? » dit-il.

Je redoutais la réponse.

« Votre chien va mieux. »

« Quoi… comment… »

Larry ne pouvait dissimuler l'excitation dans sa voix. « Hier, un vétérinaire est venu se faire couper les cheveux et je lui ai demandé d'examiner le chien — parce que vous étiez en train de me rendre fou. Il a fait une injection à Old Red et il va mieux. »

Des semaines ont passé et Old Red vivait toujours devant le salon de barbier. Je me demandais parfois s'il remarquait même les autres chiens qui accompagnaient les familles au centre commercial. Souvent, les chiens sortaient la tête par les vitres des voitures et aboyaient après Old Red, ou se contentaient de le regarder. Old Red n'y prêtait aucune attention.

Jeremy parlait toujours de la personne que Dieu enverrait pour aimer Old Red.

Un jour, en passant devant le salon de barbier, nous avons vu que Old Red n'y était plus. Je suis entrée et j'ai demandé à Larry où il était.

Larry afficha un large sourire dès mon entrée. « Une chose étrange s'est produite hier. Une femme a emmené son petit garçon pour une coupe de cheveux. Je ne les connaissais pas. Ils semblent nouvellement arrivés ici. Elle s'est informée du chien. Son petit garçon avait fait une crise à cause de lui. Quand je lui ai dit qu'il n'appartenait à personne, elle l'a emmené à la maison. »

« Larry, ne me taquinez pas. »

« Je ne vous taquine pas. Je vous donnerai son numéro de téléphone. Je l'ai. Elle devait emmener le chien chez le vétérinaire pour des vaccins et un bon bain. Vous auriez dû voir Old Red assis sur la banquette avant de la Buick. Si je ne savais mieux, je vous dirais qu'il souriait. C'est le chien le plus heureux que j'ai jamais vu. »

Je suis sortie précipitamment du salon de barbier. Je ne voulais pas que Larry me voie pleurer.

Marion Bond West

Rufus

Nous avions un basset nommé Rufus. Nous l'appelions « ding dong », mais je ne sais pas pourquoi. C'était la gentillesse même. Il n'a jamais mordu qui que ce soit, homme ou bête. Lorsque le vétérinaire coupait ses griffes de trop près et qu'il saignait, il criait et léchait le vétérinaire. Les chiens méchants se liaient d'amitié avec Rufus et devenaient gentils à son contact.

Rufus est mort hier. Il avait quatorze ans.

Aujourd'hui, je suis allée marcher dans le parc. Le monde me semblait différent. Changé. Il y avait une bonne âme en moins. Il manquait une pièce au puzzle. Ce n'était pas seulement *mon* monde qui était différent, c'était le monde entier… le monde de tous. Les gens que je croisais ignoraient le changement. Ils semblaient si… absorbés, si normaux. Ils ignoraient que le monde avait changé. Je me sentais tellement petite et seule à savoir.

Lorsque je dirai à mes clients que je ne suis pas allée travailler hier parce que mon chien est mort, cela leur paraîtra petit, insignifiant. Tout le monde a perdu un chien à un moment ou à un autre. Pourtant, il me semble que personne n'a jamais… ne ressentira jamais… ce que je ressens aujourd'hui.

Quelqu'un a déjà dit que l'amour nous fait nous sentir… uniques. C'est peut-être ça. Je ressens peut-être l'amour.

Je me sens comme si j'avais une aura. Et si cette aura irradie des tons de bleu, il y a un éclair rouge qui traverse la partie bleu pâle… droit vers mon cœur.

Je t'aime Rufus, tu es un ange. C'est à regret que je t'envoie vers ta nouvelle aventure.

J'espère qu'elle sera pleine de champs verdoyants, d'os à ronger et de toutes les gâteries que tu pourras avaler, et que tes pattes seront fortes, sans arthrite, pour courir dans les champs verdoyants.

Carmen Rutlen

Où il y a l'amour, il y a aussi Dieu.

Léon Tolstoï

Improvisation

Un matin, alors que nous dévalions un sentier sinueux sur notre ranch à bestiaux de l'Arizona, nous avons aperçu des milliers de tourterelles. Elles étaient perchées comme des épingles à linge sur des kilomètres de fils téléphoniques, leurs yeux brillant comme des perles fixés sur notre camion chargé de grain.

« Ce sont les oiseaux les plus idiots de la terre », marmonna Bill en se garant près de la mangeoire des bestiaux.

« Papa, pourquoi tu dis toujours qu'elles sont idiotes? » demanda Jaymee, notre fille de huit ans.

« Parce qu'elles font tout pour se faire tuer », dit Bill. « Elles se cassent le cou en se frappant aux fenêtres. Elles penchent trop, tombent dans les réservoirs d'eau et se noient. De plus, leurs nids sont tellement pleins de trous qu'une balle de ping-pong n'y tiendrait pas, encore moins un œuf. »

« Alors, comment se fait-il qu'il y en ait autant? » demanda Jaymee pendant que Bill ouvrait un sac et commençait à le verser dans la mangeoire. Il n'eut pas le temps de répondre.

Alertées par le bruit du grain, des dizaines de tourterelles se sont ruées dans une chasse frénétique. Certaines se sont perchées sur les cornes des vaches, d'autres sur leur dos. La plupart se sont posées près des sabots de nos bêtes.

« Papa! » cria Jaymee. « Il y a une vache qui écrase l'aile d'une tourterelle! »

Bill se précipita vers la vache et lui tordit la queue jusqu'à ce qu'elle se déplace.

« Stupide oiseau! » marmonna-t-il. La tourterelle était libérée, mais une de ses ailes gisait au sol, coupée à l'épaule.

La pauvre créature agita son autre aile et tourna en rond puis, par bonheur, elle s'immobilisa. *Dieu merci,* pensai-je. *Elle est morte.* Il n'y avait rien à faire avec un oiseau qui n'avait qu'une aile.

Puis, Bill toucha l'oiseau du bout de son pied et celui-ci se tourna sur le dos, les yeux écarquillés de douleur.

« Papa, elle est vivante! » cria Jaymee. « Fais quelque chose! »

Bill se pencha, enveloppa la petite créature brisée dans son mouchoir rouge et la donna à Jaymee.

« Qu'allons-nous faire, maman? » demanda-t-elle, rongée par l'inquiétude.

Elle passait son temps à récupérer des chatons, des lapins ou des écureuils. Mais cette fois-ci, c'était différent : il s'agissait d'un oiseau grotesquement blessé.

« Nous la mettrons dans une boîte et lui donnerons de l'eau et des graines », répondis-je. « Dieu s'occupera du reste. »

En arrivant à la maison, Jaymee a déposé l'oiseau dans une boîte à chaussures pleine d'herbe séchée et elle mit la boîte près du poêle à bois pour lui donner de la chaleur.

« Comment l'appelleras-tu? » demanda Becky, sa sœur de dix ans.

« Olive », répondit Jaymee.

« Pourquoi Olive? »

« Parce que la tourterelle de Noé est revenue à l'arche avec une branche d'olivier — et ce n'était pas si bête. »

Plus tard, pendant que les filles étaient à l'école, j'ai lavé la plaie hideuse avec une solution antiseptique. *Pauvre petite*, pensai-je en regardant la créature chétive. Certaine qu'elle allait mourir, j'ai fermé le couvercle. Nous avions fait tout ce qui était possible.

Le lendemain matin, nous avons entendu bouger dans la boîte.

« Olive mange! » cria Jaymee. « Et c'est une fille. Je le sais parce qu'elle est toute grise avec un peu de rose. »

Nous avons placé l'oiseau dans une cage en treillis métallique remplie de feuilles et de brindilles. Soudain exposée à la lumière et à l'espace, Olive s'est crue en liberté et a battu de son aile, se frappant à répétition sur le treillis. Finalement, elle s'est arrêtée et erra partout hors d'équilibre, comme un demi-oiseau, mais prenant tout de même le temps de lisser ses plumes comme pour mettre une pélerine sur le trou béant. Le soir venu, elle enroula ses serres roses autour d'une petite branche de manzanita que nous avions mise dans un coin. Elle était perchée là, comme en transe — rêvant, j'imagine, à la vie dans le ciel.

Quelques jours plus tard, tôt le matin, Jaymee cria : « Olive a pondu un œuf! Venez voir! »

Telle une grosse perle elliptique, l'œuf roulait parmi quelques brindilles dans le coin favori de la tourterelle. « Pourquoi n'a-t-elle pas construit un nid? » demanda Jaymee.

« Trop paresseuse », répondit Bill. « Elles entassent trois brindilles et appellent ça un nid. »

Il avait raison. Les nids de tourterelles sont de petites plates-formes fragiles qui semblent avoir été lancées au hasard dans les buissons. J'avais souvent vu à mes pieds les coquilles vides et brisées d'œufs qui en étaient tombés. Malgré cela, ces oiseaux continuaient de pondre dans les mêmes misérables nids.

Voilà donc que Olive, piteusement blessée, pondait un œuf chaque jour ou presque. Comme elle n'avait pas de compagnon, ses œufs étaient infertiles. Mais pour Jaymee, c'était magique. Elle a commencé à recueillir les œufs dans une tasse.

Au début, Bill ne portait pas vraiment attention à la tourterelle. Puis, un jour, il remarqua que la tasse de Jaymee était pleine et il s'est alors enfermé dans son atelier. Quand il en est sorti, il donna à Jaymee une boîte à œufs qu'il avait fabriquée. Il y avait quarante compartiments de cinq centimètres de côté, doublés de feutre noir. « C'est un coffre aux trésors », lui dit-il. « Il y a une place spéciale pour chaque œuf. »

« Oh! Merci papa! » dit Jaymee en lui sautant au cou. « Je pourrai peut-être faire un projet des 4-H avec Olive et ses œufs. »

Cette année-là, la foire agricole de Cochise tenait un concours spécial pour les 4-H sur le thème de la faune de l'Arizona. Les projets des enfants seraient jugés selon l'originalité, l'effort et le dossier. « Qui sait? Je pourrais peut-être remporter un Ruban Bleu! » dit Jaymee. C'était son grand rêve.

Olive s'apprivoisait. En voyant Jaymee, elle roucoulait doucement et mangeait des graines et des morceaux de pomme dans sa main. Quand Jaymee la sortait de sa cage, la tourterelle, heureuse, se perchait sur son doigt et partageait un cornet de crème glacée. Elle aimait particulièrement prendre sa douche, une douce aspersion d'un vaporisateur.

Nous aimions penser qu'elle était heureuse. Pourtant, quand nous avons placé sa cage dans la véranda vitrée d'où elle voyait les autres oiseaux passer, l'aile de Olive tressaillait et sa petite tête grise s'agitait anxieusement.

Incroyablement, la ponte se poursuivait : seize, dix-sept, dix-huit. *Combien de temps encore?*, me demandais-je.

C'est à ce moment qu'une terrible tempête s'abattit sur notre ranch. Des vents effrayants arrachaient les nids des arbres, projetant les œufs et les oisillons au sol. Jaymee a recueilli plusieurs espèces d'œufs, miraculeusement intacts, et elle les a mis dans son coffre aux trésors. Puis, elle est entrée en courant dans la cuisine tenant un oisillon tout rose dans ses mains. « Peut-être que Olive pourrait être sa maman? » s'écria-t-elle.

Et pourquoi pas?, ai-je pensé. Ma poule couveuse avait bien élevé des canards, des faisans et des cailles. De plus, si ça réussissait, Olive ne s'ennuierait plus.

« Nous allons commencer par lui faire un beau nid, dis-je. Un nid solide comme devraient les construire les tourterelles, doux et profond pour que le petit ne tombe pas. » Les filles ont trouvé un nid endommagé par la tempête et l'ont doublé de crin de cheval et de plumes de poules. Nous avons déposé le nouveau-né dans le nid que nous avons mis dans la cage. « Peut-être que Olive croira que ce bébé est vraiment le sien », dit Jaymee.

Pendant la nuit, j'ai été éveillée par des sons étranges, un rappel que les oiseaux sauvages devraient être dans la nature et non dans ma cuisine. Redoutant le pire, je suis accourue. Le nid avait été détruit. Mais, tapie dans un coin sur trois petites brindilles, Olive nichait, les yeux brillants, le petit sous son aile.

La ponte a cessé et Olive est devenue une mère fière et protectrice. Elle piaillait d'anxiété chaque fois que nous sortions le bébé de la cage pour le nourrir et l'examinait minutieusement quand nous le remettions. Il était évident qu'elle l'aimait.

L'oisillon grandissait et bientôt on vit apparaître des plumes argent et noires, d'abord sur ses moignons d'ailes, puis partout sur son corps. Le court bec courbé fut bientôt surmonté d'un minuscule masque de bandit. Notre livre sur les oiseaux nous apprit qu'il s'agissait d'un petit passereau des bois. Jaymee l'a baptisé Bandit. Très bientôt, il s'est perché sur le doigt de Jaymee, dévorant morceaux de spaghetti, de Bologne et de pepperoni. Il adorait les mouches vivantes que Jaymee lui donnait avec des pinces à épiler.

Le jour redouté arriva quand Bandit a découvert qu'il pouvait voler. Nous l'avons trouvé suspendu, la tête en bas au haut de la cage, agitant ses ailes avec impatience. Olive s'était réfugiée dans son coin, les plumes ébouriffées. « Tu dois le laisser sortir », dit Bill à Jaymee. « Il effraie la tourterelle. »

Quand Jaymee sortit Bandit de la cage, la jeune pie s'envola immédiatement vers le lustre. « Tu ferais mieux de l'emmener dehors », dit Bill. « Je ne veux pas de plumes dans mon café. » À présent, Olive pépiait d'inquiétude.

Je déposai Bandit sur la branche d'un cotonnier pour lui permettre de s'exercer à voler. Nous l'avons regardé voleter d'une branche à l'autre et nous le ramassions lorsqu'il tombait. Mais dès l'instant où nous avons fait mine d'entrer, il fila à toute allure par la porte et se posa de nouveau sur le lustre. En entendant Olive, il plongea dans la cage.

Bandit volait de mieux en mieux et il entrait et sortait par la porte à toute vitesse, à volonté. Bientôt, il voletait entre les toits de granges, les arbres et les clôtures barbelées. Notre petite pie grandissait et elle volait de plus en plus loin. Un jour, nous l'avons observée se dirigeant vers la rivière. C'est la dernière fois que nous l'avons vue.

Peu de temps après le départ de Bandit, Olive a commencé à dormir toute la journée, perchée, les plumes hérissées anormalement sur sa branche de manzanita. Au petit matin, elle émettait une plainte « oooh-ah-hoo-hoo-hoo », comme le triste cri d'une âme perdue qui cherche du réconfort. Puis, elle s'est mise à perdre ses plumes.

Nous avons ajouté du sucre à son eau et une veilleuse à sa cage. Je faisais jouer des chansons joyeuses à la radio. Rien n'y fit.

Puis, un jour, Bill est revenu du comptoir de moulée avec un petit flacon de « régime spécial pour canaris indisposés ». Penaud, il dit : « J'ai cru que quelques vitamines pourraient aider Olive. » À notre grande surprise, elle sembla prendre du mieux.

Dans son journal des 4-H, Jaymee ajouta un paragraphe sur le bébé de Olive, dressa une liste des dépenses diverses reliées à son projet et inscrivit des informations sur les tourterelles. Pendant ce temps, Becky comptait les œufs. « Tu n'en as que trente et un, dit-elle. Il y a donc neuf trous vides. » Si Jaymee ne réussissait pas à emplir la boîte de quarante œufs, Becky craignait que les juges décident que le projet n'était pas terminé.

Malgré ses vitamines, Olive ne se remit jamais totalement de son chagrin. Elle était devenue frêle, elle avait l'air d'un spectre. Pourtant, le lendemain, elle avait pondu un nouvel œuf. L'espoir illuminait les yeux de Jaymee. « Encore huit », dit-elle en partant à la recherche de mouches vivantes.

Olive se rétablit et pondit six autres œufs. Puis, trois jours avant la foire et deux œufs encore à pondre, notre petite tourterelle fatiguée se percha sur sa branche de manzanita pour la dernière fois. Nous l'avons trouvée au matin, sans vie, comme un petit morceau de bois rejeté sur le sable.

« Crois-tu que Olive a été heureuse en cage? » a demandé Jaymee pendant que Bill enveloppait la tourterelle dans son vieux mouchoir rouge.

« Évidemment qu'elle l'a été », répondit-il maladroitement. Puis, dans un flot de paroles qu'un homme ne peut que dire à un enfant, il a ajouté : « Tu as pris soin d'elle, tu l'as nourrie, tu l'as lavée et tu lui as donné un bébé. Et tu lui as dit combien elle était futée. » Après une pause, il ajouta : « Elle était futée parce qu'elle savait que tu l'aimais. »

« Et elle m'a donné ses œufs parce qu'elle m'aimait aussi? »

« Ses trésors », dit-il. « Tout ce qu'elle possédait. »

Il regarda Jaymee ramasser deux pincées de plumes rose pâle et grises et emplir les deux nids de velours vides. « Même si Olive est morte », murmura-t-elle, « je vais quand même montrer ma collection d'œufs. »

Il a souri et l'a prise dans ses bras. « Je gage que tu remporteras un ruban bleu. »

Et c'est ce qui s'est produit.

Penny Porter

Nonny

Une simple pensée de gratitude élevée vers le Ciel est la plus parfaite des prières.

Gotthold Ephraim Lessing

Johnny était de trois ans mon aîné, presque jour pour jour. J'étais née un 28 août, lui, le 29. « Tu as été mon cadeau d'anniversaire, Sal ! » me disait-il. Seul mon frère pouvait m'appeler Sal et s'en tirer.

Comme nos deux parents travaillaient, Johnny s'occupait de moi après l'école. En hiver, il s'assurait que j'étais habillée chaudement. Les jours de pluie, il mettait des disques et nous dansions dans la maison.

Quand Johnny fut en dernière année du secondaire, il m'a demandé de l'accompagner au bal des finissants. Nous avons dansé toute la nuit ! Même s'il ne me l'a dit que des années plus tard, je savais qu'il était gay. Tout ce que je souhaitais à Johnny, c'était d'être heureux et aimé.

Mes enfants lui ont donné beaucoup d'amour. Les jumeaux, Nicholas et Matthew, ne se lassaient pas de lui. De leurs petites voix, ils l'appelaient « Nonny » et le surnom lui est resté.

Mon mari, Howard, et moi adorions notre maison si pleine de joie et nous voulions voir un enfant dans chacune des cinq chambres. Mais il y eut un problème. Au moment où nous étions prêts à avoir d'autres enfants, je n'ai pu devenir enceinte. À trente-deux ans, j'étais en ménopause précoce.

Nous avons donc posé notre candidature sur la longue liste d'attente de l'adoption. Parfois, au milieu de la nuit, incapable de dormir, je téléphonais à Johnny. « Je n'aurai jamais un autre enfant », disais-je en sanglots. La douce voix de Johnny me consolait. « Tu en auras », disait-il. « Ne perds jamais espoir, Sal. »

En 1990, mon monde s'est écroulé. Johnny m'a annoncé qu'il était atteint du SIDA. « Non! », ai-je crié, la figure noyée de larmes. Je l'ai pris dans mes bras et nous nous sommes bercés en pleurant. J'aurais aimé le retenir pour toujours et le protéger...

Johnny habitait à quelques rues de notre maison, et j'étais constamment chez lui après que la maladie eut commencé à se manifester. Parfois, une lueur au fond des yeux, il me prenait dans ses bras et nous dansions dans la pièce. Mais ce bon temps achevait.

À l'automne 1992, nous savions que la fin était proche. Par un après-midi de septembre, papa, maman et moi nous sommes réunis autour de son lit. « Tu me manqueras plus que tout! » dis-je en me penchant pour l'embrasser. « Quand tu verras la lumière brillante, tu pourras partir. Tout est en ordre. » Dans un dernier soupir, il est parti.

Assommée de chagrin, je pris le petit médaillon religieux que Johnny avait conservé à son chevet pendant sa maladie, je l'ai serré contre mon cœur et j'ai pleuré. De retour à la maison, j'ai placé le médaillon sur une étagère.

Comment pourrais-je passer le reste de ma vie sans lui? Je pleurais et je serrais le médaillon en priant. Mon grand frère était parti. Plus de danse. Plus de « Sal! »

Puis, un matin, quelques semaines plus tard, Nicholas et Matthew sont accourus dans la cuisine en criant : « Nonny est là! »

Les jambes tremblantes, j'ai dit : « Quoi? »

« Il est venu nous voir », dirent-ils. « Il avait une chemise rouge. »

Comme je voulais y croire! Mais je savais que les garçons s'ennuyaient de lui et que c'était leur façon de l'exprimer.

Les « visites » se sont poursuivies pendant des mois jusqu'à ce qu'un jour, les garçons cessent d'en parler. *Ils vont maintenant mieux*, pensai-je. La vie continuait, mais c'était une vie triste. « Il nous faut un enfant », criai-je à Howard une nuit. « Nous avons besoin d'espoir dans notre vie. »

Nous avons donc accéléré nos démarches, cette fois auprès d'une agence internationale d'adoption. Les semaines sont devenues des mois sans nouvelles, pendant que mon cœur avait de plus en plus besoin de donner à un enfant l'amour que je ne pouvais plus donner à Johnny. Aux heures sombres, quand l'espoir devenait désespoir, j'entendais les paroles de Johnny : *Ne perds jamais espoir, Sal.*

Je n'ai jamais perdu espoir. Deux ans plus tard, nous avons eu un appel. Une petite fille russe, prénommée Anna, cherchait une famille. Le temps de le dire, j'étais à bord d'un avion. Malgré une vie difficile, Anna était en santé et elle se développa auprès de nous. Elle ne parlait pas notre langue, mais elle communiquait par ses sourires et ses baisers.

Elle était chez nous depuis quelques mois lorsqu'un après-midi, revenant de faire les courses, j'ai vu Howard qui m'attendait impatiemment à la porte. Il m'a prise par le bras et m'a menée vers Anna. Dans ses mains, elle tenait le médaillon que j'avais pris du lit de Johnny mourant. En me regardant, Anna tendit le médaillon et prononça « Nonny » avant de le déposer à mes pieds. Howard m'a dit : « Elle a répété son nom tout l'après-midi. »

Les larmes me sont montées aux yeux et mon esprit s'emballa devant ce miracle. En tremblant, j'ai déposé mes colis. « Nous ne lui avons jamais parlé de lui. Elle comprend à peine ce que nous disons! » criai-je. Même si elle avait entendu les garçons parler de Johnny, comment pouvait-elle savoir que le médaillon lui appartenait?

Johnny lui aurait-il rendu visite aussi? Ici, dans notre maison? Peut-être qu'en Russie, il l'a protégée jusqu'à ce que nous puissions la prendre dans nos bras? Johnny était peut-être l'ange gardien d'Anna et elle l'aurait vu. Ce serait pour cela qu'elle aurait prononcé son nom. J'avais cru avoir perdu Johnny à tout jamais. Il semblait maintenant que j'avais eu tort de le croire.

Hier soir, Anna a déposé ses jouets et elle s'est lancée sur moi pour me prendre dans ses bras. J'ai regardé son beau petit visage et, pendant un instant, j'ai vu Johnny dans sa nature joyeuse. Les liens de l'amour ne meurent jamais. Johnny sera toujours auprès de nous — même si ce ne serait que dans le beau sourire d'Anna.

Eva Unga
Reproduit du Woman's World Magazine

Il y avait de la lumière

L'amour de son prochain dans toute sa plénitude, c'est de simplement pouvoir lui dire : « Comment va ta vie? »

Simone Weil

Lorsque j'exerçais comme pédiatre, ma vie était remplie. Les jours et les nuits se confondaient souvent. Je me retrouvais habituellement à mon cabinet tard dans la nuit, en train de mettre la paperasse à jour. Ces instants de solitude m'apportaient la paix. Ils me permettaient de penser en toute tranquillité à mes patients et à leurs problèmes. Je pouvais aussi réfléchir à ma propre vie.

Un soir, après avoir mis ma famille au lit, j'étais revenu au bureau pour étudier des dossiers. Pendant que j'étudiais le dossier d'un patient, on a frappé à ma porte. J'ai cru que c'était mon associé, car il était de garde à ce moment-là.

En ouvrant la porte, j'ai vu Brian, un de mes patients âgé de seize ans. J'avais vu Brian assez fréquemment au cours des dernières années pour connaître son nom. Je lui ai demandé ce qu'il faisait à errer à deux heures du matin. « Je prenais une marche pour réfléchir », répondit-il. Je l'ai invité à entrer et à prendre un chocolat chaud pour « parler et réfléchir ensemble ».

J'ai mis l'eau à bouillir et nous avons commencé à bavarder. À mesure que la conversation s'engageait, nous parlions un peu plus de nous-mêmes, de nos inquiétudes et de nos frustrations. Brian était clairement habité par de la peur et de l'anxiété qu'il devait à tout prix extérioriser.

Brian m'a parlé de sa petite amie qui venait tout juste de le quitter, et de ses résultats scolaires qui n'étaient pas aussi bons qu'il l'aurait voulu. Il voulait devenir architecte, mais il craignait d'être refusé à cause de ses notes. Il m'a dit que ses parents se querellaient souvent et qu'il avait l'impression que c'était à cause de lui. Il m'a dit qu'il ne savait pas si Dieu existait et, s'Il existait, l'aimait-Il?

J'ai tenté de me limiter à écouter et à offrir quelque encouragement quand je le pouvais. Je connaissais certains architectes. J'ai donc dit à Brian que j'aimerais qu'il les rencontre pour en apprendre plus sur cette profession. Brian et moi avons aussi parlé des choses positives que nous souhaitions faire pour calmer certaines de nos inquiétudes et de nos peurs. Nous avons parlé pendant deux heures. Finalement, j'ai reconduit Brian chez lui où je l'ai vu se glisser par une fenêtre du rez-de-chaussée.

Après ce jour, Brian s'arrêta souvent à mon cabinet (à des heures plus raisonnables) pour me tenir au courant de ses progrès dans divers domaines de sa vie. C'était un jeune homme très aimable et sociable, et il s'est rapidement lié d'amitié avec mon personnel.

Quelque six mois après ma première conversation avec Brian, j'ai déménagé mon cabinet. Un an après mon déménagement, j'ai reçu un avis de graduation de Brian. Dans l'invitation officielle se trouvait une note manuscrite.

Cher Dr Brown,

Je voudrais vous remercier de vous être occupé de moi cette nuit-là. Je ne crois pas que vous l'ayez jamais su, mais j'étais tellement désespéré que j'envisageais le suicide. Tout semblait aller si mal dans ma vie et je ne savais que faire. En marchant dans la rue, j'ai vu votre cabinet et j'ai remarqué que la lumière était allumée. Pour une raison que j'ignore, j'ai décidé de vous parler.

Toutes ces paroles, votre écoute, m'ont fait comprendre qu'il y avait beaucoup de bon dans ma vie. Les quelques idées et quelques choix dont vous m'avez parlé m'ont vraiment aidé. Je termine mon collège et j'ai été accepté à l'École d'architecture de l'université. Je ne pourrais pas être plus heureux. Je sais qu'il y aura encore des moments difficiles, mais je sais aussi que je réussirai à les traverser. Je suis très, très reconnaissant que votre lumière ait été allumée cette nuit-là.

Sincèrement,

Brian.

Je ne crois pas que cette note soit le résultat d'un geste extraordinaire que j'aurais posé pour Brian. Notre conversation avait été banale. Par contre, en réfléchissant à ma relation avec Brian, je suis obligé de croire qu'il s'est passé quelque chose d'exceptionnel.

On pourrait dire que c'est un hasard que j'aie été au bureau, la lumière allumée, la nuit où Brian envisageait le suicide. Je crois pour ma part que le monde fonctionne de manière différente.

Il y a une lumière, ou une énergie, qui nous éclaire et émane de nous pour nous guider et nous encourager personnellement, ainsi que nos congénères. C'était cette lumière qui brillait de tous ses feux la nuit où Brian a frappé à la porte de mon cabinet.

James C. Brown, M.D.

Nous ne pouvons éclairer le chemin d'un autre homme sans éclairer le nôtre par la même occasion.

Ben Sweetland

L'épouvantail

« Hé! les Os », me demanda mon frère Parker, « quel costume porteras-tu à l'Halloween? »

La fête de l'école primaire débutait à 19 heures. Le gagnant du costume le plus original remportait deux billets gratuits pour la matinée de cinéma. Parker était costumé et prêt à partir.

Je l'ai regardé parader devant le miroir dans son costume de pirate. *Il est si beau*, ai-je pensé. Toutes les filles de cinquième et sixième années étaient follement amoureuses de lui. J'avais passé l'après-midi à me défendre contre son poignard en caoutchouc.

« Je n'y vais pas! » répondis-je.

« Pourquoi? »

« Pas de costume. »

« C'est idiot », dit-il. « Tu n'as pas vraiment besoin de costume, tu es déjà l'épouvantail parfait! »

Je m'étais habituée à ces remarques. De plus, il disait vrai. À douze ans, je mesurais déjà 1,80 m et mon poids était de 40 kilos. Ajoutez des cheveux roux et des taches de rousseur, et voilà : j'étais un épouvantail.

Chaque journée à l'école apportait son cortège de propos virulents. « Assis, devant! » « Quel temps fait-il là-haut? » « Tu portes des skis ou des chaussures? » Il m'était difficile de répondre avec le sourire et encore plus de me faire des amis.

J'ai essayé de gommer mes cheveux bien plat sur ma tête et d'enlever les talons de mes chaussures. J'ai pris des bains d'eau très chaude en espérant rétrécir. Le soir, dans mon lit, j'appuyais mes pieds sur le panneau de pied, mettais mes mains sur le panneau à la tête et je poussais en espérant me refouler. Rien n'y faisait. J'économisais donc mes sous pour payer le futur chirurgien qui deviendrait célèbre par la publication de son récit dans le *Ripley's Believe It or Not*, lui qui aurait coupé de quinze centimètres les os des jambes de la plus grande fille du monde afin de lui donner une taille normale.

« Quand je serai adulte », dis-je à mon frère Parker, pendant qu'il brandissait son épée devant le miroir, « j'irai vivre sur une île déserte où personne ne me dévisagera. »

Mon frère a relevé le bandeau de son œil et m'a regardée fixement. « Ça me semble affreux », dit-il avant de partir pour la fête.

Seule, j'écoutais la nuit triste et j'imaginais les costumes que mes camarades de classe avaient achetés. J'en avais essayé quelques-uns, mais rien n'était à ma taille.

J'imaginais mes camarades costumés et s'amusant ferme. En errant dans la maison, je me suis souvenue de temps plus heureux — avant que maman et papa ne se séparent. Quand papa vivait avec nous, il me faisait toujours sentir aimée et désirée. Rien n'était plus pareil depuis que je ne le voyais que pour de courtes visites.

Plus je broyais du noir, plus je m'apitoyais sur mon sort. C'est alors que j'ai aperçu un manche à balai dans un coin de la cuisine. Je pourrais peut-être me confectionner un costume, pensai-je. Dehors, un drap et une taie d'oreiller flottaient au vent sur la corde à linge. Je pourrais me déguiser en sorcière ou en fantôme. Mon regard s'arrêta alors sur l'arrière de la porte de la cave. Une vieille chemise de travail à carreaux de mon père, des salopettes défraîchies, une veste et une casquette étaient là où il les avait laissées.

« Je pourrais me déguiser en clochard », murmurai-je en enfouissant mon visage dans les vêtements poussiéreux. Mais je ne pensais qu'à la taquinerie de Parker. « Tu es un épouvantail. » Malgré moi, je devais bien admettre qu'il avait raison. Soit, je serais donc un épouvantail.

Plus j'approchais de l'école, plus les cris se faisaient entendre, et plus ma peur grandissait. Et s'ils se moquaient de moi? Pire, et s'ils n'avaient aucune réaction?

Cachée derrière la remise près du gymnase, j'ai retiré ce que j'avais mis dans la taie d'oreiller et j'ai commencé à m'habiller. Comme j'étais très grande, je pouvais voir par la fenêtre tous les participants se présenter tour à tour sur la scène à la conquête du prix tant convoité. Fantômes, princesses, monstres, cow-boys, soldats, mariées — ils étaient tous là drapés dans leurs costumes achetés au magasin, frêles rêves d'un soir. Je claquais des dents. M'applaudiraient-ils? Ou, me siffleraient-ils en dérision? J'en avais mal à l'estomac.

Je vais m'enfuir à la maison!, ai-je décidé. Personne ne saurait que j'étais là. C'est alors que Parker monta sur la scène et jeta un coup d'œil vers la fenêtre. Trop tard, il m'avait vue. Si je partais maintenant, il me traiterait de poule mouillée.

Je l'ai regardé saluer la foule et j'ai entendu les cris perçants des filles pendant qu'il sautait de chaises en tables en brandissant son épée. Ensuite, un petit gorille grimpa à une échelle et mordit dans une banane. Lincoln prononca un bref discours. Cléopâtre dansa en tenant un serpent en caoutchouc et un soldat marcha au pas en maniant son arme. Il ne restait que Tarzan.

Je me suis faufilée prudemment dans l'entrée en retenant mon souffle et en priant : *Mon Dieu, faites que je ne fasse pas une folle de moi.*

On a applaudi le Roi de la jungle si fort quand il lança son cri et se balança à une corde de rideaux que personne n'a semblé remarquer que je m'avançais lentement vers le milieu de la scène. J'avais une taie d'oreiller sur la tête. Mes bras étaient étendus et mes mains tenaient le manche à balai inséré dans les manches d'une vieille chemise à carreaux. Je portais un chapeau de feutre et de vieilles salopettes remplies de paille. La salle s'est soudainement tue.

Personne n'a applaudi. Personne n'a crié. Je n'entendais rien d'autre que le battement de mon cœur. *Je vais mourir*, pensai-je, *ici même devant tout le monde*. L'univers chavirait et mes oreilles tintaient quand la cagoule a glissé sur mon nez, juste assez pour me permettre de voir par les trous.

C'est là que, pour la première fois, j'ai vu mes camarades de classe tels qu'ils étaient. Les petites fées blondes et leurs baguettes dorées — et des broches sur les dents. Un héros de baseball avec son bâton et son gant — et des lunettes épaisses comme des fonds de bouteilles. Un boxeur et ses gants — assis dans un fauteuil roulant.

Quelqu'un a crié : « Qui est-ce? »

« La sœur de Parker! »

Ils se sont regardés, leur visage s'illuminant par la surprise. La salle a résonné d'applaudissements et d'acclamations.

Le principal est monté sur la scène. « Le premier prix pour le costume le plus original est attribué à ... » Je n'ai jamais entendu mon nom. Seulement Parker qui disait, un peu apeuré : « Je prendrai les billets pour elle. Elle ne peut laisser son manche à balai, car sa chemise va tomber. »

Plus tard, des camarades de classe sont venus me voir. « Comment as-tu eu une aussi bonne idée? »

« C'est Parker », répondis-je.

« Où t'as pris le costume? »

« Mon papa. » À cet instant même, j'ai revécu un souvenir que j'avais presque oublié. J'étais assise sur les genoux de papa et je l'entendais dire : « Je t'aime ma chérie, comme Dieu t'a faite. » J'ai senti ses doigts jouer dans mes cheveux et j'ai souri intérieurement, heureuse que Dieu m'ait faite épouvantail.

J'ai quitté la fête assez tôt, mais pas avant que Nancy me dise : « Un de ces jours, arrête chez moi, d'accord? », et Élaine de me confier : « M. Allen, notre professeur suppléant, me donne la chair de poule, pas toi? »

Je n'ai pas voulu rester pour la danse — la tête des garçons atteignait à peine ma poitrine. En rentrant à la maison, j'ai décidé que Parker avait raison. Une île déserte serait affreuse.

J'ai attendu Parker cette nuit-là. Je voulais qu'il me parle de la fête que j'avais ratée. « As-tu beaucoup dansé? » lui ai-je demandé.

« Un peu », répondit-il. « Si tu penses que c'est amusant pour un gars de cinquième année de danser avec des filles chétives de troisième et quatrième années! » Il a donné un coup de pied sur la frange du tapis et s'est dirigé vers l'escalier.

« Oh! j'allais presque oublier. Voilà tes deux billets. »

« Merci. »

« C'est un programme double. Le premier film, c'est *Le Magicien d'Oz*, où Ray Bolger joue le rôle d'un épouvantail.

Il avait atteint la quatrième marche et nous étions face à face.

« L'autre film, c'est *The Sea Hawk* », répondis-je. « Peux-tu croire que Errol Flynn y joue le rôle d'un pirate! »

« Y a-t-il quelqu'un de spécial pour t'accompagner? » demanda Parker.

« Oui », répondis-je. « Tu veux venir? »

Penny Porter

Meilleures amies pour la vie

Quand j'ai dit adieu à ma meilleure amie, Opal, nous avons promis de nous écrire et juré de nous revoir. À quatorze ans, l'avenir nous appartenait, malgré la séparation qui s'annonçait. Nous étions en juin 1957 et nous venions de passer les deux années et demie les plus heureuses de notre vie à la base aérienne Chitose au Japon. Sa famille était mutée en Angleterre et la mienne en Floride. Ce qui nous faisait le plus mal, c'était que non seulement elle était ma première amie, mais ma meilleure, meilleure amie.

Grandir dans une famille où le père est militaire signifie de fréquents déménagements. L'école de deux classes sur l'île septentrionale de Hokkaido était ma neuvième école — et je n'étais qu'en sixième année lorsque je suis arrivée. L'enfance vagabonde d'Opal ressemblait à la mienne, sauf que j'étais terriblement, horriblement, misérablement gênée. Je haïssais être « la nouvelle ». À une ou deux reprises, j'avais réussi à me faire une amie, mais j'avais changé d'école avant de pouvoir vraiment la connaître.

Un jour de janvier 1955, alors que les congères atteignaient trois mètres et que le vent sifflait dans la cheminée du poêle à bois, je suis entrée dans ma nouvelle classe. Comme toujours, la terreur me nouait l'estomac et des frissons de peur me traversaient comme des pointes de flèches. J'espérais que personne ne remarque que je retenais mes larmes. Vingt enfants me dévisageaient en silence et j'ai rougi de la tête aux pieds. Je fixais le sol, ne risquant que des coups d'œil rapides vers les nouveaux visages. C'est alors que j'ai remarqué une fille rayonnante, son sourire envahissant mon cœur comme un chaud rayon de soleil. Elle semblait vraiment me souhaiter la bienvenue! Quand le professeur m'a dit de m'asseoir au pupitre à côté d'Opal, ma terreur a commencé à fondre.

« Bonjour, je m'appelle Opal. » Sa voix avait un accent du Midwest, sa figure était ronde, ses doux yeux se cachaient derrière des lunettes épaisses et ses cheveux bruns étaient longs. J'ai rapidement appris qu'elle avait un cœur en or solide.

Le premier jour, alors que nous passions de l'histoire aux maths et à l'anglais, elle m'a aidée à retrouver les pages dans les livres et m'a parlé des autres élèves. D'après elle, ils étaient tous super, y compris les enquiquineurs de la classe. « Ne t'en fais pas à son sujet. Il aime agacer, mais il peut aussi être très drôle. » Ou : « Elle peut sembler un peu snob à l'occasion, mais c'est une fille très gentille. »

Comme les quatrième, cinquième et sixième années partageaient la même classe, le professeur enseignait à un petit groupe à l'avant pendant que les autres travaillaient à leur pupitre. C'était un peu comme dans *La petite maison dans la prairie*. Avec seulement cinq élèves en sixième année, les anges ont fait des heures supplémentaires pour s'assurer qu'un d'entre eux serait Opal.

À la fin de cette première journée, une promesse non verbale avait été faite. Opal et moi savions que nous serions de grandes amies, c'était la première fois que cela nous arrivait. Au cours des mois qui ont suivi, plusieurs nouveaux élèves arrivèrent à la base et Opal les accueillait tous. Elle m'incitait à l'imiter par son exemple. Maureen, la rousse, est arrivée et elle est devenue une amie très chère. Mais nous étions toujours ensemble, garçons et filles, jouant au ballon ou à d'autres jeux, faisant du ski sur la colline enneigée derrière chez moi, explorant la forêt où il était formellement interdit d'aller, nageant dans la piscine glacée pendant le court été, faisant du camping sur ce que nous souhaitions être un volcan éteint, ou participant aux festivals des Cerisiers japonais et des Neiges.

Dans ce groupe élargi, Opal et moi avions une amitié solide comme le roc, un véritable duo de Mutt et Jeff. Elle était grande et mince, j'étais petite et boulotte ; elle réussissait bien en maths, j'adorais lire. Elle n'était pas sportive, mais participait joyeusement aux jeux et aux sports où je l'entraînais. Son père était sergent-chef (chef des pompiers ! oh ! combien romantique !), le mien, lieutenant-colonel. Elle admirait mon dynamisme ; j'admirais sa gentillesse avec les jeunes enfants, sa générosité, sa capacité de voir la plus petite rose dans un buisson d'épines. Nos différences se complétaient sans jamais s'affronter.

Deux années ont filé très rapidement — deux années magiques pleines de plaisir, de croissance et de découvertes. Puis, les rumeurs ont commencé à circuler. L'aviation allait fermer la base et nous serions tous transférés aux États-Unis au cours de l'été, vers de nouvelles affectations, séparés par des centaines ou des milliers de kilomètres.

Comme promis, Opal et moi avons échangé des lettres (les salaires militaires ne permettaient pas les appels interurbains) jusqu'à l'âge de seize ans. J'étais pensionnaire lorsque j'ai reçu sa dernière lettre. Elle était tombée amoureuse d'un garçon plus âgé, il avait 19 ans, un aviateur première classe. Elle avait laissé sa famille en Angleterre pour revenir l'épouser aux États-Unis. Elle venait de donner naissance à une belle fille.

Je lui ai écrit sans tarder, mais je n'ai pas reçu de réponse. Sachant qu'Opal n'aimait pas l'écriture, je lui ai écrit à plusieurs reprises. Un jour, mes lettres me sont revenues : partie sans laisser d'adresse. Je m'inquiétais pour elle ! Mariée avec un enfant à seize ans ! Je la connaissais si bien : je savais qu'elle serait une bonne mère, mais je savais aussi qu'elle était bien trop jeune pour être mariée.

J'ai gradué de mon pensionnat puis du collège, je me suis mariée, j'ai donné naissance à trois enfants, j'ai divorcé et je me suis remariée. Mes enfants ont grandi, sont allés au collège et ma fille est devenue mère à son tour. Je pensais très souvent à Opal, me demandant où elle était, si elle allait bien, si elle était heureuse. Je parlais de nos merveilleuses années ensemble et ma famille savait tout de ma meilleure amie.

Par un jour étouffant d'août 1991, le téléphone sonna.

« Est-ce que je parle à Louise? »

« Oui. »

« Êtes-vous Louise Ladd? »

« Oui. »

« Êtes-vous la Louise Ladd du Japon? »

« Qui parle? » demandai-je.

« C'est Opal. »

J'ai crié. J'étais dehors sur la véranda et toute la ville a dû m'entendre. Je dansais et je sautais de joie en criant.

Trente-quatre ans après nous être dit adieu, elle m'avait retrouvée. En faisant le ménage dans des boîtes après un récent déménagement, elle en avait ouvert une marquée « papiers ». À l'intérieur, il y avait ma lettre de 1959. Elle a immédiatement appelé toutes les personnes portant le nom de Ladd autour de mon ancienne adresse, au Maryland. Puis, refusant d'abdiquer, elle avait appelé à mon ancien pensionnat. Après avoir prié, supplié (elle jure qu'elle s'est mise à genoux), le bureau des anciennes avait enfin accepté de lui donner mon numéro de téléphone.

Ce Noël-là, Opal et son second mari sont venus d'Omaha, au Nebraska, pour passer quelques jours avec nous au Connecticut. Elle n'avait pas changé. Elle avait la même voix. Elle irradiait la même chaleur et le même amour que j'avais connus. Je lui avais manqué autant qu'elle m'avait manqué. Elle avait vécu des moments difficiles, mais comme toujours, elle avait réussi à trouver le bon côté dans la vie. L'or pur ne ternit pas.

Et nous voilà réunies de nouveau : meilleures amies pour la vie.

Louise Ladd

Les arbres qui donnent

Car c'est en donnant que l'on reçoit.

Saint François d'Assise

J'étais une mère monoparentale de quatre jeunes enfants et je travaillais au salaire minimum. Nous étions toujours serrés financièrement, mais nous avions un toit, de la nourriture, des vêtements et, même si c'était peu, c'était toujours suffisant. Mes enfants m'ont dit qu'en ce temps-là, ils ne savaient pas que nous étions pauvres. Ils croyaient tout simplement que maman était près de ses sous. J'ai toujours été contente qu'ils pensent ainsi.

C'était la période de Noël et bien que je n'aie pas eu l'argent pour faire beaucoup de cadeaux, nous avons décidé de célébrer en nous joignant à l'église et à la famille, de fêter avec des amis, d'aller au centre-ville voir les décorations de Noël, de participer à des repas spéciaux et de décorer notre maison.

Mais ce qui excitait le plus les enfants, c'était le plaisir de magasiner au centre commercial. Ils en parlaient et faisaient des plans des semaines à l'avance, demandant à chacun et à leurs grands-parents ce qu'ils voulaient pour Noël. Je redoutais ce moment. J'avais économisé 120 $ pour les cadeaux que nous devions nous partager à cinq.

Le grand jour est arrivé et nous sommes partis tôt. J'ai donné à chacun des quatre enfants un billet de vingt dollars et je leur ai rappelé de chercher des cadeaux d'environ quatre dollars chacun. Puis, nous nous sommes séparés. Nous avions deux heures pour magasiner, après quoi nous nous retrouverions devant « l'atelier du Père Noël ».

En route vers la maison, dans la voiture, nous étions tous dans l'esprit de Noël, riant et nous taquinant en faisant des sous-entendus et en donnant des indices sur ce que nous avions acheté. Ma plus jeune fille, Ginger, qui avait environ huit ans, était anormalement tranquille. J'ai remarqué qu'après tout ce temps à magasiner, elle n'avait qu'un tout petit sac plat. À travers son sac de plastique, je pouvais voir qu'elle avait acheté des tablettes de chocolat — des tablettes à soixante-quinze cents! J'étais très en colère. *Qu'as-tu fait avec le billet de vingt dollars que je t'ai donné?* Je voulais la gronder très fort, mais je me suis retenue jusqu'à la maison. Je l'ai fait venir dans ma chambre et j'ai fermé la porte, prête à me fâcher de nouveau en lui demandant ce qu'elle avait fait avec l'argent. Voici ce qu'elle m'a dit :

« Je regardais autour, me demandant ce que je pourrais acheter, et je me suis arrêtée pour lire les petites cartes sur l'un des arbres de Noël pour les dons de l'Armée du Salut. Une des cartes venait d'une petite fille de quatre ans, et tout ce qu'elle voulait pour Noël, c'était une poupée avec des vêtements et une brosse à cheveux. J'ai donc enlevé la carte de l'arbre, j'ai acheté la poupée et la brosse à cheveux pour elle, et j'ai apporté le tout au kiosque de l'Armée du Salut.

« Il me restait tout juste l'argent nécessaire pour acheter des tablettes de chocolat pour nous », poursuivit Ginger. « Mais nous avons tant de choses et elle n'a rien. »

Je ne me suis jamais sentie aussi riche que ce jour-là.

Kathleen Dixon

Un conte de lutin

Il était dix-huit heures dans le centre commercial, et j'étais aussi épuisée qu'un lutin la veille de Noël. En réalité, *j'étais* un lutin et *c'était* la veille de Noël. Ce mois de décembre de mes seize ans, en 1995, j'avais cumulé deux emplois pour aider mes parents à payer mes frais de scolarité et pour avoir un peu d'argent en surplus pour les fêtes. Mon deuxième travail consistait à être un lutin du Père Noël, afin d'aider pour les photos des enfants. Avec ces deux emplois, j'avais travaillé douze heures consécutives. La veille de Noël, il y avait eu tellement de monde au village du Père Noël que je n'ai même pas pu prendre de pause-café de toute la journée. C'était ainsi — quelques minutes encore et je survivrais!

J'ai regardé Shelly, notre gérante, et elle m'a fait un sourire d'encouragement. C'est grâce à elle que j'ai pu passer au travers. Elle avait été parachutée comme gérante au beau milieu de la saison, et tout avait changé grâce à elle. Mon travail, auparavant stressant, était devenu un défi. Au lieu de crier après ses employés pour maintenir la discipline, elle nous encourageait et nous appuyait. Elle a fait de nous une véritable équipe. Dans les moments les plus achalandés, elle souriait et nous disait un mot d'encouragement. Sous sa gouverne, nous avons vendu le plus grand nombre de photos de tous les centres commerciaux de Californie. Je savais que la saison des fêtes était difficile pour elle — récemment, elle avait fait une fausse-couche. J'espérais qu'elle savait combien elle était extraordinaire et combien elle avait fait une différence dans le climat de travail de tous ses employés et aussi pour tous les petits enfants qui étaient venus se faire photographier.

Notre kiosque était ouvert jusqu'à dix-neuf heures; à dix-huit heures, c'est devenu plus tranquille et j'ai finalement pu prendre une pause. Bien que je n'aie pas beaucoup d'argent, je voulais vraiment acheter un petit cadeau à Shelly, pour qu'elle sache à quel point nous l'avons appréciée. Je suis entrée dans un magasin qui vendait des savons et des crèmes juste au moment où on fermait la barrière. « Désolé, nous sommes fermés! » a crié le commis, qui avait l'air aussi fatigué que moi et qui ne semblait aucunement éprouver de pitié.

J'ai regardé autour et, à mon étonnement, j'ai constaté que tous les magasins étaient fermés. J'étais si fatiguée que je n'avais même pas remarqué.

J'étais vraiment vidée. J'avais travaillé toute la journée et il aurait suffi d'une minute de plus pour que je puisse lui acheter un présent.

De retour à l'atelier du Père Noël, j'ai remarqué que Nordstrom était encore ouvert. Craignant qu'eux aussi ne ferment leurs portes instamment, je me suis précipitée à l'intérieur et j'ai suivi les indications vers la boutique de cadeaux. En me hâtant à travers le magasin, j'ai commencé à avoir l'impression de détonner. Tous les autres clients étaient fort bien habillés et à l'aise — et je me retrouvais là, moi, une adolescente sans le sou, vêtue en lutin. *Comment puis-je même espérer trouver quelque chose pour moins de quinze dollars dans un magasin si huppé?*

Timidement, je me suis frayé un chemin dans la boutique de cadeaux. Une vendeuse, qui semblait elle aussi sortir d'un défilé de mode, s'est approchée pour me demander si elle pouvait m'aider. Ce faisant, tous dans le département se sont retournés pour regarder.

Aussi bas que possible, j'ai dit : « Non, ça va. Vous pouvez servir quelqu'un d'autre. »

Elle m'a regardée en face et m'a dit avec le sourire : « Non, c'est *vous* que je veux aider. »

J'ai dit à la femme pour qui je voulais un cadeau et pourquoi, et j'ai ajouté d'un air gêné que je n'avais que quinze dollars en poche. Elle avait l'air aussi ravie et attentionnée que si je lui avais dit que je voulais dépenser 1 500 $. Le magasin s'était vidé, mais elle a soigneusement fait le tour, en choisissant quelques petites choses qui composeraient un joli panier. Le tout s'élevait à 14,09 $.

Le magasin fermait. Les lumières se sont éteintes pendant qu'elle enregistrait la vente.

Je me disais que si j'avais pu apporter les articles à la maison et les emballer, j'aurais réussi à présenter quelque chose de joli, mais je n'avais pas le temps.

Comme si elle avait lu dans mes pensées, la vendeuse a demandé : « Voulez-vous un emballage? »

« Oui », ai-je répondu.

À présent, le magasin était fermé. Par l'interphone, une voix a demandé s'il y avait encore des clients dans le magasin. Je savais que cette femme avait aussi hâte que tous de retourner chez elle la veille de Noël, et voilà qu'elle était prise à attendre après une jeune et son maigre achat.

Pourtant, elle est restée longtemps à l'arrière du magasin. Quand elle est revenue, elle portait le plus joli panier que je n'avais jamais vu. Il était tout enveloppé d'or et d'argent, et à le voir, on aurait cru que je l'avais payé au moins cinquante dollars. Je n'en croyais pas mes yeux. J'étais tellement heureuse!

Après l'avoir remerciée, elle m'a dit : « Vous, les lutins, vous vous promenez dans le centre commercial en répandant de la joie pour tellement de monde que je voulais juste vous apporter un peu de joie à mon tour. »

« Joyeux Noël, Shelly », ai-je dit de retour au kiosque. Quand elle a vu le cadeau, ma gérante en a eu le souffle coupé; elle était tellement heureuse et émue qu'elle s'est mise à pleurer. J'espère que j'ai pu lui donner un heureux début à son Noël.

Tout le temps des fêtes, je ne pouvais cesser de penser à la bonté et aux efforts de la vendeuse, à l'immense joie qu'elle m'avait apportée dans un premier temps, et ensuite à ma gérante. J'ai pensé que le moins que je puisse faire était d'écrire une lettre au magasin et de leur en parler. Environ une semaine plus tard, on m'a répondu en me remerciant d'avoir écrit.

Je croyais l'affaire terminée, jusqu'à la mi-janvier.

J'ai alors reçu un appel de Stéphanie, la vendeuse. Elle voulait m'inviter à dîner. Moi, une cliente de seize ans qui avait dépensé quinze dollars.

Quand nous nous sommes rencontrées, Stéphanie m'a prise dans ses bras, m'a offert un présent et m'a raconté cette histoire.

Récemment, elle s'était présentée à une réunion d'employés pour apprendre qu'elle était sur la liste des candidats à la distinction Étoile Nordstrom. Elle était confuse mais excitée, car elle n'avait jamais eu cet honneur auparavant. Au moment de l'annonce de la gagnante, ils ont appelé Stéphanie, elle avait gagné! Quand elle s'est dirigée vers l'avant pour accepter la récompense, sa gérante a lu ma lettre à haute voix. Tous l'ont fortement applaudie.

Le gagnant méritait d'avoir sa photo exposée dans le hall du magasin, de nouvelles cartes d'affaires avec le nom Étoile Nordstrom inscrit dessus, une épinglette en or 14 carats, 100 $ en argent et une invitation à représenter son département à la réunion régionale.

À cette réunion, ils ont lu ma lettre et tous ont fait une ovation à Stéphanie. « C'est ainsi que nous voudrions que tous nos employés agissent! » a dit le gérant qui a lu la lettre. Elle a pu rencontrer trois des frères Nordstrom, qui l'ont tous félicitée.

J'étais déjà comblée quand Stéphanie m'a pris la main. « Mais ce n'est pas le plus beau, Tyree », a-t-elle ajouté. « Le jour où a eu lieu la première des réunions, j'ai pris la liste des candidats, j'ai mis ta lettre derrière, avec le billet de cent dollars et j'ai apporté le tout à la maison pour le donner à mon père. Il a lu et m'a demandé : "Quand sauras-tu qui est le gagnant?" »

« J'ai gagné, papa. »

« Il m'a regardée droit dans les yeux et m'a dit : *Stéphanie, je suis très fier de toi.* »

Elle a dit doucement : « Mon père ne m'avait jamais dit qu'il était fier de moi. »

Je crois que je n'oublierai jamais ce moment. C'est alors que j'ai compris le puissant cadeau qu'est l'appréciation. L'appréciation de Shelly envers ses employés a provoqué une chaîne d'événements — le joli panier de Stéphanie, ma lettre, la récompense de Nordstrom — qui ont changé au moins trois vies.

Bien que j'en aie entendu parler toute ma vie, c'est le Noël où j'ai été un lutin — et une adolescente fauchée — que j'ai vraiment compris que les petites choses de la vie peuvent faire toute la différence.

Tyree Dillingham

Le bien-aimé

Un soir, j'ai été appelé à la salle d'accouchement pour aider un bébé à terme à cause de la présence d'une petite quantité de méconium. Le méconium est une substance présente dans les intestins de l'enfant avant l'accouchement et, parfois, il est signe de souffrance fœtale ou d'anormalité. Dans ce cas, il est indiqué de demander la présence d'un pédiatre ou d'une autre personne qualifiée. Toutefois, la plupart de ces bébés naissent sans complications, normaux et en santé.

Dans la salle d'accouchement, la mère et le père étaient inquiets mais heureux dans l'attente de la naissance de leur premier enfant. La grossesse avait été normale. Mais dès la naissance du bébé, il est apparu immédiatement qu'il y avait un sérieux problème. Le bébé était anencéphale. Cela signifie qu'il n'a pas de cerveau supérieur et que le dôme de la calotte crânienne est absent. Ces bébés ne survivent généralement pas passé la période immédiate de la naissance et ont souvent d'autres anomalies sérieuses.

L'obstétricien m'a immédiatement tendu l'enfant. Même le père, pourtant surexcité, a vu que le bébé n'était pas normal. La mère n'avait pas été mise sous calmants et voulait évidemment voir son enfant sans attendre. Le bébé n'a pas pleuré beaucoup et il ne souffrait pas de problèmes respiratoires. Il gardait une teinte nettement bleuâtre, indiquant la possibilité d'un sérieux problème cardiaque, ce qui est courant chez ces bébés.

L'ampleur du changement émotionnel qui se produit alors est impossible à décrire. Un moment, tout le monde est joyeux et rit, fait des blagues et est tout excité par la naissance d'un beau bébé et de toutes les possibilités que la vie lui offre. L'instant d'après, les émotions sombrent dans la profondeur épouvantable de l'incrédulité totale, de la colère et du désespoir.

J'ai pris le père par les épaules pendant qu'on amenait le bébé vers sa mère. J'ai tenu sa main en lui expliquant le diagnostic. Personne n'était en état d'écouter. J'ai enveloppé l'enfant et j'ai demandé au père de l'apporter à la pouponnière. J'ai dit à la mère que nous devions faire une première évaluation et que nous reviendrions bientôt lui parler.

En route vers la pouponnière, j'ai demandé au père : « Comment deviez-vous appeler le bébé? »

Il ne m'a pas répondu, mais m'a demandé : « Le bébé vivra-t-il? »

J'ai répondu : « J'ai besoin de l'évaluer plus en profondeur. » J'ai pensé aux interventions énergiques dans l'espoir de garder ces bébés vivants quelques semaines, quelques mois ou même quelques années, sachant que ce que nous *pouvions* faire n'était peut-être même pas moralement acceptable.

À la pouponnière, la respiration du bébé s'est accélérée. L'examen du cœur a révélé une lésion cardiaque sérieuse. La radiographie de la cage thoracique et l'ultrason ont révélé des malformations cardiaques difficilement réparables. Le bébé avait aussi d'autres problèmes, dont une anomalie aux reins, le laissant sans fonction rénale normale.

À ce moment, les infirmières amenèrent la mère en fauteuil roulant dans la salle où j'examinais le bébé. Après avoir entendu mes explications techniques des nombreux problèmes du bébé, elle m'a simplement regardé et m'a dit : « Il s'appelle Jean. Cela signifie *le bien-aimé.* » Puis, elle m'a demandé s'ils pouvaient prendre leur enfant.

Nous sommes allés dans une chambre privée pour que la mère puisse s'asseoir confortablement dans un fauteuil inclinable et pour que le père puisse s'asseoir tout près et que les deux puissent prendre Jean et lui parler. Je me suis dirigé vers la sortie, mais ils m'ont demandé de rester.

La mère a prié tout haut pour le bébé, puis lui a chanté des chansons et des berceuses. Elle lui a parlé d'elle et de son mari, de leurs espoirs et de leurs rêves. Ils lui ont répété encore et encore combien ils l'aimaient.

J'étais assis, fasciné de voir comment des sentiments de désespoir et d'impuissance ont fait place à des sentiments d'amour et de tendresse. Une des expériences les plus horribles de la vie accablait ce couple, une expérience qui générait habituellement, et avec raison, de la colère, de l'hostilité et de l'apitoiement, au moment où l'espoir et le rêve de voir votre enfant grandir sont détruits. Pourtant, malgré leur terrible désappointement, ce couple a compris que ce qui importait était de donner à leur enfant toute une vie d'amour pendant la brève période où ils seraient avec lui. Pendant qu'ils parlaient, chantaient et se présentaient à l'enfant tout en le serrant dans leurs bras, ils ne voyaient pas les traits physiques qu'on a souvent qualifiés de grotesques chez ces bébés. Plutôt, ils ont vu et senti l'âme d'un petit être qui n'avait que quelques heures à vivre. En effet, Jean est mort quelques minutes plus tard.

Ce jeune couple m'a appris que la valeur d'une vie n'est pas fonction de la durée de notre séjour sur terre, mais plutôt de la quantité d'amour donné et partagé durant le temps que nous avons. Ils ont donné tout leur amour à leur fils. Il était vraiment leur bien-aimé.

James C. Brown, M.D.

Ben et Virginia

En 1904, la compagnie de chemin de fer a établi un camp d'ingénieurs civils près de Knoxville, Tennessee. Le camp de la L & N comptait des tentes pour les hommes, un feu de camp bien chaud, un bon cuisinier et le dernier cri en matière d'équipement d'arpentage. En fait, il n'y avait qu'un inconvénient à travailler comme jeune ingénieur civil pour le chemin de fer au tournant du siècle : il manquait sérieusement de jeunes femmes célibataires.

Benjamin Murrell était l'un de ces ingénieurs. Grand, réservé, avec un sens de l'humour plutôt discret et très sensible aux autres, Ben aimait bien la vie nomade des chemins de fer. Sa mère était morte alors qu'il n'avait que treize ans et cette perte précoce avait fait de lui un solitaire.

Comme les autres, Ben aurait bien aimé à l'occasion la compagnie d'une jeune femme, mais il ne partageait ses pensées qu'avec Dieu. Par une journée particulièrement mémorable de printemps, une formidable nouvelle se mit à circuler dans le camp. La belle-sœur du patron arrivait en visite! Les hommes ne savaient que trois choses à son sujet. Elle avait dix-neuf ans, elle était célibataire et elle était jolie.

En milieu d'après-midi, les hommes ne parlaient plus que de cela. Ses parents l'envoyaient ici pour échapper à la fièvre jaune qui courait dans le Sud et elle devait arriver dans trois jours. Quelqu'un trouva une photo d'elle imprimée sur métal qui circula avec sérieux et provoqua des grognements d'approbation.

Ben regardait ses camarades en émoi avec un petit sourire narquois. Il les taquinait à cause de leurs sottises à propos d'une fille qu'ils n'avaient même jamais rencontrée. « Regarde-la, Ben. Regarde-la une fois et dis-nous que tu n'es pas intéressé », lui répondit un des hommes. Mais Ben se contenta de hocher la tête et s'éloigna avec un petit rire.

Au cours des deux jours qui ont suivi, les hommes eurent de la difficulté à se concentrer. Le train devait être là le samedi matin et ils ont discuté en détail de leur plan. Fraîchement sortis du bain, vingt têtes aux cheveux soigneusement pommadés et lissés vers l'arrière, ils seraient tous là pour faire un accueil ferroviaire inoubliable à la jeune fille. Elle regarderait la foule, choisirait le plus beau du groupe et elle aurait un soupirant instantanément. Que le meilleur gagne, ont-ils décidé. Chacun d'entre eux était bien déterminé à être cet homme-là.

Le vendredi soir, alors que les autres hommes s'affairaient à défroisser leur habit du dimanche et à prendre leur bain, Ben s'assit sur une bûche près du feu de camp. Quelque chose brillait à la lueur du feu. Nonchalamment, il s'est penché pour ramasser l'objet. Ses amis étaient tellement occupés et imbus d'eux-mêmes qu'ils avaient laissé la photo de la fille traîner par terre.

Les hommes étaient trop affairés pour remarquer l'expression sur le visage de Ben alors qu'il regardait la photo de Virginia Grace pour la première fois. Ils n'ont pas remarqué qu'il tenait délicatement la photo dans ses grosses mains comme un trésor précieux, ou qu'il l'a fixée pendant très, très longtemps. Ils n'ont pas vu l'expression de son visage quand il a d'abord admiré les traits délicats de sa beauté pour ensuite regarder le camp plein d'hommes qu'il percevait dorénavant comme ses rivaux. Ils n'ont pas vu non plus Ben entrer dans sa tente, ramasser un sac à dos et quitter le camp alors que le soleil rouge se couchait derrière la montagne lointaine.

Tôt le lendemain matin, les hommes du camp du chemin de fer L & N se sont rendus à la gare. Les membres de la nouvelle famille de Virginia, qui étaient venus l'accueillir, roulaient leurs yeux et tentaient sans succès de ne pas rire. Les visages étaient rouges suite à des rasages inhabituels et les odeurs mélangées des eaux de Cologne bon marché étaient difficilement supportables. Plusieurs hommes avaient même cueilli des bouquets de fleurs sauvages en route.

Enfin, le sifflet du train se fit entendre et le train tant attendu entra en gare. Lorsque la mignonne et enjouée coqueluche du camp L & N descendit sur la plate-forme, un soupir collectif se fit entendre des soupirants éventuels. Elle était plus belle encore que sa photo.

Soudain, le cœur des hommes sombra dans le plus grand désespoir. Benjamin Murrell, un large sourire aux lèvres, tenait son bras en prenant des airs de propriétaire. Et quand elle pencha la tête en sa direction pour lui sourire, ils surent qu'ils n'avaient aucune chance.

« Comment as-tu fait? » ont demandé à Ben ses amis.

« Eh bien », dit-il, « je savais que je n'avais aucune chance contre vous, bande de scélérats. Il fallait donc que je sois le premier à la rencontrer pour capter son attention. J'ai donc marché jusqu'à la station précédente pour attendre le train. Je me suis présenté comme un membre du comité d'accueil de son nouveau village. »

« Mais, la gare la plus proche est à 28 kilomètres! » a lancé quelqu'un, incrédule. « Tu as fait 28 kilomètres à pied pour aller au devant de son train? Cela a dû te prendre toute la nuit! »

« En effet », confirma-t-il.

Benjamin Murrell a courtisé Virginia Grace et, en temps et lieu, ils se sont épousés. Ils ont élevé cinq enfants et enterré un fils de douze ans. Je ne crois pas qu'ils aient essayé de reproduire le grand amour éternel dont parlent avec tant d'importance les magazines féminins. Pas plus qu'ils n'avaient de rendez-vous fixes les vendredis soir. En réalité, Ben était toujours parti au diable vauvert, travaillant à un projet d'ingénierie. Tant et si bien qu'une de ses filles avait un mois avant qu'il ne la voie pour la première fois. Ben n'emmenait pas Virginia dans les restaurants chics et le cadeau le plus romantique qu'il lui offrit fut un occasionnel pot d'olives. Si Virginia l'a déjà poursuivi autour de la glacière en déshabillé coquin, ce secret est demeuré enterré avec elle jusqu'à ce jour.

Ce que je sais, c'est qu'ils ont investi dans leur relation en demeurant fidèles, en se traitant avec considération et respect, en ayant le sens de l'humour, en élevant leurs enfants dans la connaissance et l'amour du Seigneur et en s'aimant, même dans les circonstances les plus difficiles.

Je suis une des arrière-petites-filles de Benjamin et Virginia. Malheureusement, il est mort quand j'étais bébé ; je n'ai donc pas de souvenirs de lui. NaNa (Virginia) est morte à quatre-vingt-cinq ans alors que j'en avais douze. Quand je l'ai connue, elle était une petite vieille toute ridée qui avait besoin d'assistance pour se déplacer avec une marchette, et dont le dos était courbé par l'ostéoporose. Ses articulations la faisaient souffrir et étaient enflées à cause de l'arthrite, et sa vue était affaiblie par un début de glaucome.

À l'occasion, pourtant, ses yeux tristes pétillaient et dansaient comme ceux de la fille que mon arrière-grand-père avait connue. Ils dansaient tout spécialement lorsqu'elle racontait son histoire favorite. Elle racontait qu'elle avait autrefois été si belle qu'un jour, sur la foi d'une image sur métal, un camp entier de travailleurs s'était rendu l'accueillir au train et tenter de capter son attention. C'était l'histoire d'un homme qui avait marché 28 kilomètres, toute une nuit, pour avoir la chance de rencontrer la femme de ses rêves et lui demander d'être son épouse.

Gwyn Williams

L'amour, le vrai amour, c'est lorsqu'on peut donner le plus sans demander ni exiger quoi que ce soit en retour.

Mazie Hammond

N'espérez pas, mon ami... décidez!

Alors que j'attendais un ami à l'aéroport de Portland, Oregon, j'ai vécu une expérience qui transforme une vie et dont vous entendez parler par les autres — le genre qui vous prend par surprise. Celle-ci s'est produite à moins d'un mètre de moi.

Cherchant à reconnaître mon ami parmi les passagers qui remontaient la passerelle, je remarquai un homme qui se dirigeait vers moi avec deux valises légères. Il s'arrêta à côté de moi pour saluer sa famille.

Il a d'abord fait signe au plus jeune de ses fils (six ans environ) tout en déposant ses bagages. Ils se sont étreints chaleureusement et longtemps. Alors qu'ils se reculaient assez pour se regarder dans les yeux, j'ai entendu le père dire :

« Comme c'est bon de te revoir. Tu m'as tellement manqué! » Et son fils a souri un peu gêné, a détourné son regard et a répondu doucement : « Moi aussi, papa! »

Puis, l'homme se redressa, regarda droit dans les yeux de son fils aîné (neuf ou dix ans) et, tenant son visage entre ses mains, il lui a dit :

« Tu es déjà un jeune homme. Je t'aime tellement, Zach! » Puis, à leur tour, ils se sont étreints avec amour.

Pendant que tout ceci se déroulait, une petite fille (un an, un an et demi) se tortillait dans les bras de sa mère sans quitter des yeux le magnifique spectacle de son père qui rentrait. L'homme a dit : « Bonjour, petite fille! » en la prenant doucement des bras de sa mère. Il l'a abreuvée de baisers, puis l'a serrée contre sa poitrine en la berçant. La petite fille s'est immédiatement calmée et a tout simplement posé sa tête sur l'épaule de son père, ivre de plaisir.

Après un long moment, il confia sa fille à son fils aîné et dit : « J'ai gardé le meilleur pour la fin! » avant de donner le baiser le plus long et le plus passionné que j'ai jamais vu à sa femme. Il l'a regardée dans les yeux pendant plusieurs secondes, puis lui dit tout bas : « Je t'aime tellement! »

Ils se sont regardés dans les yeux en souriant et en se tenant les mains. Pendant un moment, ils me rappelèrent des nouveaux mariés, mais je savais d'après l'âge des enfants que ce n'était pas le cas. J'y réfléchissais depuis un moment quand j'ai compris que j'étais totalement captivé par un magnifique témoignage d'amour inconditionnel à quelques centimètres de moi. Je me suis soudain senti inconfortable, comme si je violais quelque chose de sacré, puis je fus étonné d'entendre ma propre voix demander nerveusement :

« Super! Depuis combien de temps êtes-vous mariés? »

« Nous sommes ensemble depuis quatorze ans, dont douze années de mariage », a-t-il répondu en ne quittant pas des yeux le joli visage de sa femme.

« Alors, depuis combien de temps êtes-vous parti? » ai-je demandé.

L'homme se tourna enfin vers moi et me regarda, toujours avec son sourire joyeux. « Deux longues journées! »

Deux jours? J'étais abasourdi. L'intensité de leurs retrouvailles m'avait donné à penser qu'il avait été absent pendant des semaines, sinon des mois. Je savais que mon air m'avait trahi et je dis, de façon désinvolte, espérant mettre fin à mon intrusion de façon élégante (et continuer à chercher mon ami) : « J'espère que mon mariage sera toujours aussi passionné après douze ans! »

L'homme a subitement cessé de sourire. Il m'a regardé droit dans les yeux et avec une force qui a pénétré au plus profond de mon âme, il m'a dit une parole qui a fait de moi une nouvelle personne. Il m'a dit : « N'espérez pas, mon ami... décidez. »

Puis, il m'a gratifié de nouveau de son plus beau sourire, m'a donné la main et a dit : « Que Dieu vous bénisse! » Sur ce, toute la famille s'est éloignée ensemble.

Je regardais encore cet homme exceptionnel et sa famille spéciale s'éloigner quand mon ami est arrivé et m'a demandé :

« Qu'est-ce que tu regardes? » Sans hésiter, et avec assurance, j'ai répondu : « Mon avenir! »

Michael Hargrove

Un amour durable

Pour obtenir le cœur d'une femme, un homme doit d'abord faire appel au sien.

Mike Dobbertin, treize ans

J'ai une amie qui est tombée en amour. Elle prétend en toute honnêteté que le ciel est plus bleu; elle a remarqué le parfum délicat des lilas près de son garage, alors qu'elle passait toujours sans s'arrêter auparavant. Mozart la fait pleurer. En bref, la vie n'a jamais été aussi belle.

« Je suis jeune à nouveau! » crie-t-elle enthousiaste. Je dois admettre que le gars doit être meilleur que les Weight Watchers. Elle a perdu sept kilos et elle a l'air d'une *cover-girl*. Elle s'intéresse à nouveau à la forme de ses cuisses.

Alors que mon amie s'extasiait sur son nouvel amour, j'en ai profité pour faire l'inventaire de mon vieil amour. Mon mari, Scott, n'a pas encore connu son démon de midi, sa crise de la cinquantaine, mais ça viendra. Il perd un peu ses cheveux. Il a pris sept kilos. Le marathonien qu'il était, tout en muscles et tendons, ne court plus que dans les corridors de l'hôpital. Son corps laisse paraître les séquelles des longues heures de travail et de l'abus de friandises. Pourtant, lorsqu'il me regarde avec un certain air au restaurant, je veux simplement demander l'addition et rentrer immédiatement à la maison.

Mon teint naturel lumineux s'est un peu affadi après vingt-cinq ans. Je peux encore avoir l'air très bien lorsqu'il le faut, mais je ne m'inquiète pas lorsque je flâne dans la maison en pantalons de jogging, vieux chandail de sport et bas gris en laine de mon mari.

Mon amie m'a demandé : « Que faire pour que cet amour dure? » Je lui ai répondu la vérité : « Je ne sais pas. » Elle m'a ensuite demandé : « Pourquoi *ton* amour dure-t-il? » Je lui ai dit que je devais y réfléchir.

J'ai examiné toutes les raisons évidentes : l'engagement, les intérêts communs, la générosité, l'attrait physique, la capacité de communiquer. Pourtant, il y a plus.

Nous avons encore du plaisir. Spontanément, nous nous amusons. Hier, après avoir retiré l'élastique du journal, il me l'a lancé pour plaisanter : ce qui a causé une bataille en règle. Samedi dernier, au supermarché, nous avons divisé notre liste en deux parties et nous avons fait la course pour savoir qui arriverait à la caisse en premier avec tous ses articles. Nos repas gourmets sont des œuvres d'art. Nous nous marrons même en faisant la vaisselle. Nous avons du plaisir à être ensemble.

Puis, il y a les surprises : les surprises dans le quotidien. Un jour, je suis rentrée du travail et j'ai trouvé une note sur la porte avant. Cette note m'envoyait vers une autre note, puis une autre jusqu'à ce que, plusieurs notes plus tard, on me dirige vers la garde-robe. J'ai ouvert la porte et j'y ai vu Scott qui tenait le « coffre au trésor » (une de mes casseroles) et le « trésor », un cadeau emballé. Depuis une heure, il courait se cacher dans la garde-robe chaque fois qu'il entendait des pas dans l'escalier. Depuis ce temps, je lui laisse souvent des petits mots sur le miroir ou je cache de petits cadeaux sous son oreiller.

Il y a la compréhension. Je comprends qu'il doive jouer au basket avec les gars, régulièrement. Il comprend à son tour qu'une fois par année, environ, je doive m'éloigner de la maison, du téléphone, des enfants — et même de lui — pour retrouver mes sœurs quelque part et passer quelques jours à parler et à rire sans arrêt.

Il y a le partage. En plus des factures, des soucis domestiques, des obligations parentales et de la cuisine, nous partageons aussi des idées. Scott est rentré d'un congrès médical le mois dernier et m'a donné un exemplaire d'un gros roman historique. Puis, il m'a impressionnée en me disant qu'il avait lu le livre dans l'avion. Cet aveu vient d'un homme qui se délecte de la science-fiction et des romans d'action de Tom Clancy. Il l'avait lu parce qu'il voulait être en mesure de discuter du livre avec moi, après que je l'aurais lu.

Il y a le confort. Le confort de savoir que je peux dire à la serveuse qui attend notre commande de dessert : « Apportez-moi seulement une fourchette. Je pigerai dans son assiette. » Je sais que j'ai la permission de piger. Si Scott veut vraiment toute sa portion, je sais qu'il dira : « Désolé. Prends-toi un dessert pour toi seule! » Et, s'il n'a pas envie de partager, je ne serai pas offensée.

Il y a le saint pardon. Quand je parle trop fort et que je fais la folle dans une soirée et que je nous ai tous deux plongés dans l'embarras en ne sachant pas quand me taire, Scott me pardonne. Il sait que je résiste mal aux mots d'esprit. Je lui ai pardonné la fois qu'il m'a annoncé qu'il avait perdu une partie de nos économies à la bourse. Je l'ai pris dans mes bras et je lui ai dit bravement : « Pas de problème, ce n'est que de l'argent. »

Il y a la « synergie », qui fait que nous pouvons produire quelque chose de plus grand que nous deux (nos enfants, par exemple). Quand nous nous mettons à deux pour résoudre un problème, il nous arrive d'être, en équipe, rien de moins que brillants.

Il y a la sensibilité. Je sais qu'il ne faut pas lui tomber dessus quand il rentre tard de l'hôpital avec une certaine fatigue dans les yeux; je peux voir qu'il a eu une mauvaise journée. La semaine dernière, il avait ce regard quand il est rentré. Après avoir passé quelque temps avec les enfants et mangé son repas réchauffé, je lui ai demandé : « Que s'est-il passé? » Il m'a parlé d'une femme de 60 ans qui avait fait une attaque.

Il a passé des heures avec elle, mais elle était toujours dans le coma. Quand il est repassé par sa chambre pour vérifier, il a été ému jusqu'aux larmes en voyant son mari qui tenait sa main. Scott n'a pu s'empêcher de pleurer en me disant qu'il ne croyait pas que la femme survivrait. Et comment allait-il annoncer à celui qui était son mari depuis quarante ans que sa femme n'allait probablement jamais se rétablir?

J'ai pleuré moi aussi. À cause de l'urgence médicale. Parce qu'il y a encore des gens qui sont mariés depuis quarante ans. Parce que mon mari est toujours ému et concerné même après vingt-cinq ans de chambres d'hôpital et de patients qui meurent.

Il y a la foi. Nous savons tous deux que Dieu nous aime; et malgré les difficultés de la vie, Il nous donnera de la force et nous aidera. La semaine dernière, Scott était de garde et déjà épuisé par les heures supplémentaires que cela lui demandait de passer à l'hôpital. Mardi soir, une bonne amie de notre église est venue en pleurs avouer qu'elle craignait que son mari, atteint d'un cancer, ne soit en train de perdre son courageux combat. Nous avons fait de notre mieux pour la réconforter et la conseiller.

Mercredi, j'ai mangé avec une amie qui tente de refaire sa vie après que son mari l'a quittée. Ensemble, nous avons parlé, nous avons ri, nous nous sommes mises en colère et avons fait l'inventaire des bienfaits qui méritaient toujours sa gratitude. Jeudi, une voisine a téléphoné car elle avait besoin de parler des effroyables effets de la maladie d'Alzheimer qui modifiait la personnalité de son beau-père.

Vendredi, ma meilleure amie d'enfance m'a téléphoné pour m'annoncer que son père était mort. En raccrochant, je me suis dit : « C'est beaucoup trop de souffrance et de chagrin pour une seule semaine. » Après avoir fait une prière, je me préparai à sortir faire quelques courses. À travers mes larmes, je remarquai les généreuses fleurs orangées du glaïeul sous ma fenêtre et j'entendis les rires heureux de mon fils et de son ami qui fabriquaient un vaisseau spatial en Lego au sous-sol.

En reculant ma voiture hors de l'entrée, j'ai aperçu les couleurs brillantes de trois montgolfières dans le ciel turquoise. L'instant d'après, j'ai regardé à ma gauche juste à temps pour voir une noce qui avait lieu chez un voisin. La mariée, tout de satin et de dentelle vêtue, a lancé son bouquet en direction de ses amies qui applaudissaient.

Ce soir-là, en parlant à mon mari de ces événements, nous avons reconnu les cycles de la vie et les joies qui compensent pour les peines. Nous avons aussi admis la satisfaction que nous retirions lorsque nous aidions les gens à porter leurs fardeaux. C'était suffisant pour nous aider à continuer.

Enfin, il y a la certitude. Je sais que Scott lancera ses vêtements juste à côté du panier chaque soir; qu'il est perpétuellement en retard à la plupart de ses rendez-vous; qu'il laissera le journal étalé sur le sol trois fois sur cinq; et qu'il prendra le dernier chocolat de la boîte. Il sait que je dors avec un oreiller sur la tête; que j'oublierai régulièrement les clés de la maison ou de la voiture; que je ferai une crise avant de partir en vacances; et que, moi aussi, je mangerai le dernier chocolat de la boîte.

Je crois que notre amour dure parce qu'il est sécurisant. Non, le ciel n'est pas plus bleu — il a toujours la même teinte. Nous ne remarquons pas beaucoup de nouvelles choses sur la vie ou sur l'un et l'autre, mais nous aimons ce que nous avons déjà remarqué et nous bénéficions de ce que nous réapprenons. La musique a toujours son intérêt parce que nous connaissons les accords. Nous ne nous sentons pas particulièrement jeunes. Nous avons appris tant de choses qui ont contribué à notre croissance et à notre sagesse, lesquelles ont pesé de tout leur poids sur nos corps et ont créé notre bagage de souvenirs précieux de toutes sortes.

Je souhaite que nous ayons ce qu'il faut pour faire durer notre amour. Jeune mariée naïve, j'avais fait graver ce texte de Robert Browning à l'intérieur du jonc de Scott : « Vieillis avec moi! » Nous suivons ce précepte.

Annette Paxman Bowen
Soumis par Sandra Dow Mapula

La beauté de l'amour

Vieillis avec moi!
Le meilleur est encore à venir,
Le terme de la vie qui fut sa raison d'être.

Robert Browning

La question est posée :

« Y a-t-il quelque chose de plus beau dans la vie qu'un garçon et une fille se tenant, les mains propres et le cœur pur, sur le chemin du mariage? Peut-il y avoir quelque chose de plus beau qu'un jeune amour? »

Et la réponse est donnée :

« Oui, il y a plus beau encore. Le spectacle d'un vieil homme et d'une vieille femme qui terminent leur voyage ensemble sur ce chemin. Leurs mains sont noueuses, mais encore nouées; leurs visages sont ridés, mais toujours rayonnants; leurs cœurs sont physiquement las, mais toujours forts de l'amour et du dévouement l'un pour l'autre. Oui, il y a plus beau qu'un jeune amour. Il y a le vieil amour. »

Anonyme

Le journal de la décennie : une histoire d'amour

Novembre 1918

Ma Chérie,

Dieu soit loué! La guerre tire à sa fin!
Je suis à genoux, non pour prier.
Je serai bientôt à la maison!
Veux-tu encore m'épouser?

Nous nous connaissons depuis toujours.
Quand notre amour a-t-il pris naissance?
Tu étais alors ma princesse Elsa
Et moi, ton Lohengrin.

Te souviens-tu de ce que tu m'as promis
Quand nous avions treize ans?
Il y a de cela dix longues années...
Veux-tu toujours être ma reine?

Novembre 1928

Ma Chérie,

En fouillant au hasard
Dans les souvenirs de notre coffre,
J'ai trouvé le poème jauni ci-dessus
Et j'ai songé à quel point j'avais été béni.

Tu m'as répondu « Oui! », nous étions impatients.
Et avant la fin du mois,
Nous nous sommes mariés
Le jour de l'Action de grâce.

Voici que dix années ont passé;
Il me semble que c'était hier.
Tu as toujours cette beauté
Que toute fleur peut révéler.

Novembre 1938

Ma Chérie,

Dix années se sont-elles écoulées, mon amour?
Et que rien n'a encore changé?
Mais une chose importante est née
De l'amour que nous avons partagé.

Ce que nous craignions ne jamais avoir...
Le cadeau d'une progéniture...
Mon amour, je te remercie pour le fils
Que tu m'as donné.

Novembre 1948

Ma Chérie,

Je me sens totalement démuni
quand je cherche à exprimer
ce que ton amour a signifié pour moi...
Tes baisers et tes caresses.

Tu te donnes si généreusement
Pour moi et notre fils...
Il m'est impossible de te rendre
Toutes les choses que tu as faites.

Novembre 1958

Ma Chérie,

Une autre décennie a passé.
Y a-t-il déjà quarante ans
Que nous partageons cette vie qui a vu
Tant de bonheur et tant de larmes?

Tu es toujours restée à mes côtés,
Parfois derrière — pour mieux pousser.
Tous les succès que j'ai connus
C'est à toi que je les dois, mon Amour.

Novembre 1968

Ma Chérie,

Nous y sommes presque arrivés, n'est-ce pas?
Nous en serions maintenant à l'Or…
Oh! Combien tu me manques chaque jour.
Nos vies si bien entrelacées!

Mais tu es partie et je suis resté.
J'ai tout de même envie de t'écrire
Et de prétendre, une fois encore,
Que notre amour et nos vœux vivent toujours.

« Jusqu'à ce que la mort nous sépare » — je suis contre.
Car même la mort ne peut rompre
L'amour que nous avions… que nous avons!
Ma Chérie, il est éternel!

Novembre 1978

Cher lecteur,

Vous venez de lire les poèmes
que papa a écrit à maman.
Je les ai trouvés après la mort de papa,
Certains à un endroit, puis d'autres ailleurs.

La plupart ont été trouvés dans le coffre de maman,
Bien ficelés avec un ruban.
Les autres, sous l'urne de ses cendres,
À peine souillés de quelques larmes.

Leur anniversaire de mariage
Était célébré chaque année
Le jour de l'Action de grâce,
En retard ou en avance sur la date réelle.

Il disait toujours que c'était la journée
La plus appropriée et la plus séante
Pour marquer leur gratitude
De s'être rencontrés.

Et voilà, cher lecteur, j'ai partagé avec vous
Les poèmes de mon papa,
L'histoire d'amour intime
D'un lien qui les a profondément unis.

Henry Matthew Ward

Un souvenir, tel un cadeau

Il y a trois choses importantes dans la vie humaine : la première, c'est la bonté. La deuxième, c'est la bonté. Et la troisième, c'est la bonté.

Henry James

Depuis que j'étais adolescente, chaque saison des fêtes, mon père demandait : « Te souviens-tu de *cette* veille de Noël? Te souviens-tu de ces deux petits enfants qui nous ont demandé le prix de leur billet de tramway? »

Oui, je me souviens. Même si mon père ne m'avait pas remémoré cet événement étrange à chaque saison depuis plus de trente-cinq ans, je m'en serais quand même souvenue.

C'était en 1935, lors d'une veille de Noël typique à St. Louis, Missouri. Les tramways tintaient leurs avertissements. Des gens qui faisaient leurs courses entraient et sortaient précipitamment des magasins pour les cadeaux de dernière minute. Même alors, des mères oubliaient quelques ingrédients absolument essentiels pour cuisiner le dîner familial de Noël. Maman nous avait envoyés, papa et moi, pour une telle mission.

Nos haleines glacées suivaient une ligne parallèle derrière nous alors que nous sortions en hâte de l'auto jusqu'à l'épicerie favorite de maman sur l'avenue Delmar. Elle aimait aller chez Moll parce que les étagères étaient remplies d'épices exotiques et d'aliments raffinés. Nous parcourions les allées rapidement, prenant de l'anis et de la cardamome pour le pain du petit-déjeuner de Noël, de la crème à fouetter et d'énormes pacanes pour les tartes à la citrouille, et un pain d'un jour pour farcir le dindon dodu. Nous avons rayé le dernier article sur la liste de maman et nous avons payé le caissier.

Encore une fois, nous nous sommes préparés à faire face au froid sibérien. En sortant du magasin, une petite voix nous a demandé : « S'il vous plaît, nous donneriez-vous dix cents pour le trajet afin que nous puissions retourner à la maison? »

Abasourdi, papa s'est arrêté. Nous nous sommes retrouvés devant une petite fille d'environ neuf ans. Elle tenait la main nue de son petit frère de six ans.

« Où habitez-vous? » demanda papa.

« Sur l'avenue Easton », fut la réponse.

Nous étions étonnés. C'était la nuit — la nuit avant Noël — et ces deux enfants étaient à plus de quatre kilomètres de chez eux.

« Que faites-vous si loin de chez vous? » a demandé papa.

« Nous avions juste assez d'argent pour prendre le tramway jusqu'ici, dit-elle. Nous sommes venus demander de l'argent pour acheter de la nourriture pour Noël. Mais personne ne nous en a donné et nous avons peur de marcher jusqu'à la maison. » Elle nous a ensuite dit que leur père était aveugle, leur mère malade, et qu'il y avait cinq autres enfants à la maison.

Papa était un homme d'affaires très déterminé. Il avait par contre le cœur sensible et doux, tout comme les yeux bruns de la petite fille. « Bon, je crois que la première chose à faire est d'aller acheter des victuailles », a-t-il dit, en prenant sa main. Son frère s'est empressé de prendre la mienne.

Encore une fois, nous avons rapidement fait le tour des allées de Moll. Cette fois, papa a choisi deux gros poulets, des pommes de terre, des carottes, du lait, du pain, des oranges, des bananes, des bonbons et des noix. Quand nous avons quitté le magasin, nous avions deux énormes sacs d'épicerie à transporter dans la voiture et deux petits enfants confiants qui nous accompagnaient.

Ils nous ont indiqué la route pour aller sur l'avenue Easton. La « maison » était en haut, dans un vieil et gros édifice en brique. Au rez-de-chaussée, il y avait des commerces, alors que les appartements étaient au deuxième. Une ampoule nue, au bout d'un long fil, pendait du plafond et éclairait faiblement le palier pendant que nous grimpions le long escalier aux marches usées menant à leur appartement.

La petite fille et son frère se sont précipités dans la maison en annonçant l'arrivée de deux sacs d'épicerie. La famille était telle qu'elle l'avait décrite : le père était aveugle et la mère était malade au lit. Cinq autres enfants, la plupart souffrant du rhume, étaient debout.

Papa s'est présenté. Il se tenait tantôt sur un pied, tantôt sur l'autre, craignant d'embarrasser le père, et il ajouta : « Hum... Joyeux Noël. » Il a déposé les sacs sur la table.

Le père a dit : « Merci. Je m'appelle Earl Withers. »

« Withers? » Papa s'est retourné carrément. « Vous ne connaîtriez pas Hal Withers, par hasard? »

« Mais oui. C'est mon oncle. »

Papa et moi étions stupéfaits. Ma tante avait marié Hal Withers. Bien que nous ne soyons pas parents par le sang, nous ressentions un lien de parenté avec oncle Hal. Comment se faisait-il que cette famille soit dans une telle détresse? Pourquoi une si grande pauvreté quand ils avaient tant de parents qui vivaient dans la même ville. Une coïncidence étrange, en effet.

Ou en était-ce bien une?

Tout au long des années, cet incident nous a hanté. Chaque année qui s'amenait semblait nous apporter une réponse différente à la question : « Quel était le sens de cette veille de Noël? »

Au début, la phrase sans cesse répétée par les vieilles tantes, « Les voies de Dieu sont mystérieuses et impénétrables », a refait surface. Peut-être papa a-t-il joué le rôle du bon samaritain. C'était ça! Dieu avait une mission pour nous et, heureusement, nous l'avons accomplie.

Une autre année s'est écoulée. Ce n'était pas une réponse satisfaisante. C'était quoi, alors? Si je suis le gardien de mon frère, suis-je aussi le gardien du fils du frère aveugle du mari de la sœur de ma femme? C'était la réponse! L'incident était clos de belle façon.

Pourtant, ce n'était pas le cas. Les années ont passé et chaque année, papa et moi nous posions encore une fois la question. Puis, papa, qui est né pendant la saison de Noël de 1881, est mort pendant la saison de Noël de 1972. Chaque décembre depuis ce temps, je l'entends encore me demander : « Te souviens-tu de cette *veille* de Noël?

Oui, papa. Je me souviens. Et je crois que j'ai finalement la réponse. Nous avons été bénis quand, innocemment, deux enfants ont donné à un père d'âge moyen et à sa fille adolescente le vrai sens de Noël : il *vaut* mieux donner que recevoir.

Ce souvenir, tel un cadeau, représente le plus beau Noël que j'ai jamais célébré. Je crois que c'était aussi le tien, papa.

Dorothy DuNard

La rose de Canarsie

En 1931, j'avais onze ans, et grand-maman en avait quatre-vingt-treize. C'était l'époque de la Grande Dépression et elle vivait avec nous au cinquième étage d'un immeuble insalubre où il n'y avait pas d'eau chaude. Elle était courbée, ridée, et il ne lui restait qu'une dent dans la bouche. Par contre, mille ans de magie était emmagasinés dans sa tête. Dans mon esprit d'enfant, elle savait tout. Elle avait toutes sortes de poudres et de liquides colorés dans sa chambre, qu'elle mélangeait pour nous les donner à boire, et personne n'a jamais été malade.

Elle refusait d'apprendre l'anglais. Quand je lui demandais pourquoi, elle haussait les épaules et me répondait en Yiddish : « L'anglais ne servira à rien quand les cosaques reviendront. Ils nous fracasseront quand même le crâne. »

« Mais, grand-maman, nous sommes en Amérique, il n'y a pas de cosaques ici. »

Elle me fixait pendant un moment et murmurait : « Les cosaques sont partout! »

« Tu sais », m'a dit maman un jour, « grand-maman a déjà été très célèbre. »

« Pourquoi, maman? »

« Elle a fait pousser une très belle rose. Elle avait 15 centimètres de largeur et était blanche comme la crème sur le dessus du lait. La rose était tellement célèbre que deux hommes envoyés par le tsar sont même venus la voir. Ils lui ont remis un papier et c'était un si grand honneur que le rabbin lui-même l'a lu du *shul.* » « Était-ce comme une médaille, maman? »

« Oui, toute une médaille. Une semaine plus tard, les cosaques sont venus, ils ont chevauché à travers le *shtetl*, nous ont fracassé la tête et ont mis la rose en pièces. Peu de temps après, nous étions tous sur un bateau en route vers l'Amérique. »

L'histoire de cette rose m'intriguait, et j'ai supplié papa d'en trouver une autre. Là où nous vivions, un brin de gazon était considéré comme une plante. Un buisson de roses? Jamais entendu parler. Laissez papa s'en occuper; une semaine plus tard, il trimballait un pot jusqu'au cinquième étage et remettait à grand-maman un tout petit rosier.

Immédiatement, elle a sassé la terre dans ses mains et a fait un signe de tête pour montrer son contentement. Après avoir délicatement placé le rosier sur l'escalier de secours, elle a embrassé papa sur les deux joues et a pleuré.

Cet été-là, j'ai pu comprendre pourquoi le tsar avait envoyé ses hommes lui remettre un prix. Elle a nourri et bichonné son rosier avec différentes mixtures. Même les épines sont devenues ses amies. Le rosier a pris de la robustesse et quand un bouton est finalement apparu, elle l'a soigné tout comme un autre enfant. La nuit, elle s'assoyait près de l'escalier de secours et parlait tendrement à son rosier en slave, en polonais, en romanche, et en quelques autres langues que je ne comprenais pas.

Au début de juillet, six personnes accroupies dans l'escalier de secours, ivres d'excitation, regardaient le gros bouton éclore avec ses pétales d'un blanc crémeux. Elle avait fait pousser une rose blanche parfaite.

Peu après, papa nous a annoncé la bonne nouvelle. Toute la famille — moi, mes deux sœurs, grand-maman, maman et papa — déménageait à Brooklyn. Dans le secteur Canarsie, en pleine campagne. Autour de nous, des kilomètres de fermes s'étendaient à perte de vue.

Nous exploitions une ferme dans une partie de Brooklyn qui ressemblait aux plaines de l'Iowa et du Kansas. Dans ce coin plat de pays, des aubergines, des courgettes et des tomates poussaient partout. Grand-maman a regardé et s'est mise à pleurer. À quatre-vingt-treize ans, elle découvrait finalement l'Amérique.

La maison avait une cour arrière et papa a défriché un jardin de légumes. Maman a planté des roses trémières et d'autres fleurs, mais au centre, il y avait les rosiers, le coin réservé à grand-maman. Cet été-là, elle en a planté six de différentes couleurs : rouges, roses, pêche, et son blanc crémeux qui devait ressembler à la surface du lait. Ils ont fleuri et étaient magnifiques. Pourtant, grand-maman n'était pas satisfaite.

« Je veux un cheval », dit-elle. « Pas un cheval ordinaire, un cheval particulier. »

« Pour quoi faire, grand-maman? »

« Avec le bon cheval, je peux utiliser le crottin pour la rose. Peut-être que cette fois-ci, les cosaques ne viendront pas. »

« Le crottin de cheval n'est-il pas partout le même, grand-maman? »

« D'où sors-tu, *meshugas*? Il y en a des centaines de qualités et je veux la meilleure! »

Maman et moi étions donc toujours à la recherche du bon crottin de cheval. Nous transportions une pelle et nous remplissions des sacs et des sacs. Il échouait toujours le test d'acidité de grand-maman. Comme un bon humeur de vin, elle pulvérisait le crottin dans sa main, le sentait et déclarait que notre fumier n'était pas bon. Pauvre grand-maman, elle était à la recherche du bouquet parfait.

Un jour, nous avons eu une grosse surprise; de nouveaux voisins ont emménagé dans la maison d'à côté. Ils sont arrivés avec un gros cheval et un chariot où était écrit « Lait Borden » sur le côté. Grand-maman et maman se sont rendues chez Bill et Grace Hart dès que les meubles furent rentrés. Ils transportaient un gros panier de bienvenue, rempli de douceurs juives : des hamantaschen, des strudels, même le ruggelach que je comptais manger le soir même. Les Hart étaient irlandais et leur accent était aussi étrange pour grand-maman que celui de l'homme sur la lune. Les gestes, par contre, ont fait monter des larmes aux yeux du vieux laitier. Son cheval Buck et le chariot Borden étaient encore au bord du trottoir et quand grand-maman l'a regardé, elle a explosé!

« Vous voyez ce cheval, dit-elle, il a un *tuchas* doré, Quand il *kvetches*, des diamants en sortent! »

« Comment le sais-tu, grand-maman? »

« Comment je le *sais*, cher enfant? C'est à cause d'un cheval comme ça que le tsar m'a donné une médaille. »

Bill était une âme sœur dans son amour pour les fleurs et il n'a jamais oublié de laisser un sac de fumier devant notre porte avec les deux litres de lait. Depuis, ils étaient de vieux copains et leur amitié était basée sur des haussements d'épaule, des grimaces et des liquides rouges et bleus que tous deux s'échangeaient. Avec les mélanges vaudous de grand-maman et le crottin de Bill, ils réussissaient à faire pousser des fleurs gargantuesques et des boutons de rose aussi gros que le poing.

Juste au moment où on en avait le plus besoin, Buck a été pris d'une crise de constipation aiguë. Il ne tombait plus de diamants. C'était la crise et, quelques jours après, la compagnie Borden a envoyé un remplaçant, un cheval nommé Nick. Je croyais que Nick était parfait, mais grand-maman se languissait de Buck. Et, encore de mauvaises nouvelles, Bill nous a dit que Buck devait guérir d'ici trois jours, sinon on en ferait de la nourriture pour chiens.

« Assassins! Assassins! » cria grand-maman. Elle était certaine que les cosaques étaient venus pour lui prendre sa nouvelle rose. « Mais pas cette fois, cher enfant! »

Le jour suivant, Bill m'a emmené avec grand-maman à l'étable Borden et nous nous sommes préparés pour la cure. Un plein seau de pruneaux, de prunes et autres choses dans l'arsenal de médicaments n'ont produit qu'un petit vent. Grand-maman s'attendait à beaucoup plus. Nous avons dormi cette nuit-là dans la grange avec Buck et, au petit matin, nous avons regardé la vieille magicienne faire ses incantations mystérieuses. Bill était hypnotisé. Elle invoquait les mêmes esprits que sa sainte mère quand il était enfant. Il fit son signe de croix quelques fois et il a regardé grand-maman sortir précipitamment une étoile de David pour la faire osciller trois fois devant la face de Buck. Rien, même pas un petit gaz. Elle prenait son temps.

Quand le soleil s'est levé à l'est, elle fit le grand pas. « Cher enfant », cria-t-elle, « ce dont nous avons besoin, c'est d'une baignoire pleine de *Shmetina*. Tu comprends? *Shmetina*! »

« Mais qu'est-ce que tu vas faire avec de la crème sûre, grand-maman? »

« Pose pas de question, va en chercher! »

Ainsi, Bill et papa sont allés chercher une tonne de crème sûre et l'ont versée dans l'auge de Buck. Ce n'était pas de la crème sûre ordinaire, car elle avait été fortifiée avec du bouillon bleu royal. Ce cheval Buck a lapé la crème sûre comme un vieux *Galitziana* (membre d'une tribu juive voisine) en se léchant les babines. Soudain, il s'est produit une explosion à faire lever les chevrons, un bruit qui a fait sortir en trombe les autres chevaux par la barrière avant de Borden. Le fumier est sorti de Buck comme une digue rompue. Du fumier si riche en enzymes et en protéines qu'il a révolutionné les fermes de Canarsie pour toujours. Il suffisait maintenant d'une cuillerée à thé du crottin de Buck pour obtenir le même résultat que 20 kilos auparavant. Grand-maman et sa crème sûre bleue avaient produit une nouvelle variété qui générait des monstres dans le jardin. Des cantaloups gros comme des ballons de basketball, des dahlias du diamètre d'une tête, et des roses... ma foi, quelles roses!

La Chambre de commerce de Canarsie et le Jardin botanique de Brooklyn ont décerné à grand-maman et à Bill leur plus grand honneur pour la rose blanc crémeux. Cette nouvelle variété a même été baptisée d'un nom latin : « Buckitus Shemtinitus ».

Quand elle a accepté sa médaille, grand-maman s'est penchée vers moi et elle m'a murmuré à l'oreille : « Cher enfant, tiens-toi prêt! Ce soir, les cosaques viendront pour la rose. »

Mike Lipstock

2

L'ART D'ÊTRE PARENT

Les enfants sont la richesse du pauvre.

Proverbe anglais

Le lanceur

Mon père a toujours été le « lanceur désigné » des matches de baseball que nous jouions dans la cour arrière quand j'étais petit.

Il a mérité cet honneur spécial partiellement parce que personne d'autre ne pouvait lancer la balle au-dessus du marbre. Si nous voulions que nos matches se déroulent à un bon rythme, nous en avions besoin comme lanceur.

Il était aussi le lanceur parce qu'il lui était difficile de jouer au champ avec une jambe artificielle, gracieuseté d'Adolf Hitler. Courir après une balle frappée dans le champ de maïs n'était pas son activité préférée.

C'est ainsi que sous le soleil cuisant, il lançait interminablement la balle à ma sœur, à mon frère et à moi qui alternions au bâton et au champ.

Je n'ai jamais mis en doute le bien-fondé de cette situation.

« Les papas lancent » était une réalité de la vie que j'avais fait mienne sans vraiment y penser. Quand je jouais à la balle chez d'autres amis, il me semblait étrange que leurs papas jouent au champ et courent sur les buts. Je trouvais ça un peu enfantin de voir les pères courir ainsi.

Les papas lançaient.

Il menait nos parties avec l'autorité d'un gérant des Yankees. Il était le chef sur le terrain et si nous voulions jouer, nous devions nous plier à certaines conditions. Nous devions « jacasser » au champ extérieur. J'ai dû dire « Yapasdefrappeuryapasdefrappeur » au moins 5 000 fois pendant mon enfance.

Nous devions aussi avoir la bonne position, tant au champ qu'au bâton. De plus, nous devions toujours tenter de devancer la balle, peu importe si cela semblait futile. C'était du baseball et, grands dieux!, il n'y avait qu'une façon de jouer. Comme les Yankees.

Aller au bâton contre mon père n'était pas une sinécure. Pas question de nous encourager, de nous faire bien paraître en lançant des balles faciles.

Il était bien content de me retirer au bâton, ce qu'il faisait la plupart du temps. Il ne s'en est jamais senti désolé.

« Tu veux jouer à la balle, oui ou non? » demandait-il si je me plaignais de ses lancers rapides.

Je voulais jouer. Et lorsque je réussissais à frapper un de ses lancers — oh! mon ami — je savais que j'avais mérité ce coup sûr. Je le savais par la sensation du coup et je souriais à belles dents pendant ma course vers le premier but.

Ensuite, je me tournais pour regarder mon père sur le monticule. Je le regardais retirer son gant, le mettre sous son bras pour ensuite m'applaudir.

À mes oreilles, c'était comme une ovation debout au Yankee Stadium.

Des années plus tard, mon fils devait apprendre de mon père ces mêmes règles concernant le baseball.

« Les grands-pères lancent », croyait-il. Par contre, à cette époque, son grand-père lançait d'un fauteuil roulant. Par un de ces hasards de la médecine, mon père avait perdu son autre jambe entre mon enfance et l'enfance de mon fils.

Par contre, rien d'autre n'avait changé. Mon fils devait « jacasser » au champ extérieur. Il devait avoir la bonne position, tant au bâton qu'au champ. Il devait essayer de devancer la balle, même si cela semblait futile.

Et lorsqu'il se plaignait que la balle était lancée trop rapidement — mon père pouvait encore lancer une balle rapide, même en fauteuil roulant — il recevait l'ultimatum : « Tu veux jouer à la balle, oui ou non? »

Il le voulait.

Mon fils avait neuf ans le printemps avant la mort de son grand-père. Cette année-là, ils ont joué souvent au baseball et, toujours, les éternelles plaintes que ses lancers étaient trop rapides.

« Garde bien les yeux sur la balle! » lui criait mon père.

Un jour, il a réussi, enfin!

Il s'est élancé et a frappé la balle solidement. La balle est retournée d'où elle venait, en plein centre, directement et rapidement vers mon père.

Il a tenté de la capter, mais sans succès. Ses efforts ont fait basculer le fauteuil roulant vers l'arrière. Comme au ralenti, nous l'avons vu, lui et son fauteuil, pencher jusqu'à ce qu'il tombe sur le dos avec fracas.

Mon fils s'était arrêté net, à moitié chemin du premier but.

« Tu ne dois jamais cesser de courir! » a rugi mon père, toujours par terre. « La balle est toujours en jeu! Cours! »

Et quand mon fils a atteint le premier but, il s'est retourné pour regarder son grand-père étendu sur le dos sur le monticule du lanceur. Il l'a vu retirer son gant et le mettre sous son bras.

Ensuite, il a entendu les applaudissements de son grand-père.

Beth Mullally

Le casse-tête

Cadet de quatre garçons, j'ai grandi sur une ferme en Iowa. Mon père avait terminé sa deuxième secondaire, puis était parti travailler. Ma mère avait prononcé le discours d'adieu de sa classe dans sa petite école secondaire, mais avait dû aller travailler à la ferme familiale plutôt que d'aller au collège. Même si nos deux parents n'avaient pas fréquenté le collège, l'éducation était très importante dans notre famille. Mes parents disaient qu'ils ne s'objectaient pas à ce que nous lisions des bandes dessinées, en autant que nous lisions. J'ai compris plus tard qu'ils comptaient parmi les personnes les plus intelligentes que je rencontrerais jamais. Pourtant, pendant mon cours secondaire, je pensais qu'ils étaient incroyablement idiots. J'ignore si mes frères pensaient comme moi, mais j'avais hâte de quitter la maison pour aller au collège.

C'est durant la saison de Noël de ma deuxième année de collège que j'ai vu l'illustration de Rockwell pour la première fois. Elle a fait monter en moi des émotions que je ne connaissais pas. Je me promenais avec mon amie (qui allait devenir ma femme) dans une allée remplie de casse-tête et je m'ennuyais profondément. Les casse-tête n'avaient jamais fait partie de ma famille, mais ils étaient très populaires dans la sienne. L'image avait capté mon attention parce qu'elle avait été transformée en casse-tête. Je l'ai regardée et je me suis effondré.

Le fils aurait bien pu être moi : pressé d'aller à l'école, regardant au loin, sans se soucier de ce que le père pensait. J'étais le fils qui étudiait au collège et qui n'écrivait jamais à ses parents. Le père représentait ce que je pensais de mon père : un fermier qui trimait dur et s'inquiétait pour son fils, mais était incapable d'exprimer ses pensées ou ses émotions. Le chien colley a été la goutte qui a fait déborder le vase. Quand j'étais petit, nous avions un superbe colley nommé Lassie.

Je me suis mis à pleurer et j'ai couru hors du magasin. Quand mon amie m'a enfin rejoint, j'étais à l'extérieur, les larmes coulaient sur mes joues. Je l'ai entraînée dans le magasin pour lui montrer le casse-tête et je me suis remis à pleurer. Elle m'a regardé d'un air étrange. Les garçons des fermes de l'Iowa ne laissaient pas paraître leurs émotions.

J'ai acheté le casse-tête et l'ai emballé pour le donner en cadeau à papa pour Noël. J'y ai ajouté une note : « Cher papa, je t'ai acheté ce cadeau non pas parce qu'il s'agit d'un casse-tête, mais à cause de l'illustration. Elle m'a frappé dès que je l'ai vue. » J'étais réticent à lui offrir, car il s'agissait d'un cadeau émotif. Les hommes de notre maison ne partageaient pas facilement leurs émotions.

Le matin de Noël, j'ai observé papa attentivement lorsqu'il a ouvert mon cadeau. Je ne savais pas à quoi m'attendre — devrais-je être excité ou gêné. Papa a déballé le cadeau et il a regardé la boîte, sans manifester d'émotion. Il était évident que mon cadeau le laissait indifférent. C'était normal, nous ne faisions pas de casse-tête dans notre famille. Il a déposé la boîte et a quitté la pièce sans un mot. Une minute plus tard, maman a remarqué son absence. Elle s'est rendue à la cuisine et a trouvé papa en train de pleurer. Elle ne comprenait pas ce qui s'était passé.

Quand maman l'a ramené dans la salle familiale et que je l'ai vu pleurer, j'ai commencé à pleurer et à rire tout à la fois. Je n'avais jamais vu papa pleurer auparavant. Papa a montré l'image à maman. Il a expliqué que lorsqu'il avait remarqué que le fermier tenait une blague à tabac semblable à celle qu'il utilisait pour rouler ses cigarettes, il n'a pu contenir son émotion. Comme tout bon fermier, il ne croyait pas qu'il pouvait pleurer devant sa famille, c'est pourquoi il avait quitté la pièce. Mon grand frère ne comprenait pas ce qui se passait et il nous regardait en se demandant si nous ne devenions pas fous.

Je me suis souvent demandé comment Norman Rockwell avait pu dessiner notre famille si parfaitement et avec autant de détails : le fils impatient, le père au visage buriné, le colley et la blague à tabac. Nous aurions pu lui passer une commande pour un tableau de famille qu'il n'aurait pas fait autre chose pour résumer les dix-huit premières années de ma vie. Nous avons assemblé le casse-tête et maman l'a collé sur une planchette pour l'accrocher dans leur chambre.

Papa a maintenant quatre-vingt-quatre ans et il est affligé de la maladie de Parkinson. Je vis à Minneapolis et je lui rends souvent visite. Il y a quelques années, papa a décidé de nous prendre dans ses bras lorsque nous le quittions. Il disait qu'il ne voulait pas mourir sans avoir étreint ses garçons. Il nous a fallu des années pour nous y habituer.

Chaque fois que je retourne en Iowa pour visiter mes parents, je pense à cette image qui est dans leur chambre. Elle correspond toujours à ce que je pense de mon père. Comment il a travaillé si fort pour nous permettre de faire des études; il n'y comprenait rien, mais il croyait que c'était important. Comment il ne nous a jamais vraiment dit ce qu'il pensait de nous. Et j'ai encore honte aujourd'hui de la manière dont cela s'exprimait en moi en ce temps-là. Comment j'étais parti au collège sans penser aux sentiments que mes parents avaient pour moi, ne pensant qu'à m'éloigner. Quand je repense à cette image, les larmes me montent aux yeux.

Il y a plusieurs années, j'ai décidé que je parlerais de cette illustration aux funérailles de papa et comment elle m'avait permis de dire des choses à mon père, en ce jour de Noël, que je n'aurais jamais pu dire moi-même. Puis, je me suis dit : « Pourquoi attendre? Je vais l'écrire pour que papa puisse le lire pendant qu'il vit encore. » Je n'ai qu'une chose à ajouter : « Je t'aime, papa. »

Jerry Gale

Envoyer les enfants à l'école

Le cœur d'une mère, c'est l'école de l'enfant.

Henry Ward Beecher

Je pouvais voir comment la scène se déroulerait aussi sûrement que si c'était un scénario de film.

« Encore cinq minutes, ma chérie, et nous devrons partir », ai-je dit à ma petite de cinq ans, qui batifolait dans les vagues du Pacifique depuis une heure. C'était en partie vrai. J'avais une tonne de choses à faire ce jour-là, j'ai donc décidé de récupérer ma fille quand j'ai vu qu'elle avait rejoint des enfants plus âgés pour jouer. Ils étaient plus grands et plus forts qu'elle, et les vagues ne les renversaient pas aussi facilement que ma fille. Avec la confiance exubérante d'une enfant de cinq ans, elle les suivait toujours plus loin, vers les vagues cassantes. Elle nageait très bien dans une piscine, mais la mer profonde et bleue représentait tout un autre défi.

Peut-être que le bruit de l'océan l'a empêché de m'entendre l'appeler; peut-être a-t-elle entendu et tout simplement décidé de m'ignorer — impossible de le dire. Nous avions fait un voyage impromptu à la plage, et je n'avais pas mon maillot de bain. À contrecœur, j'ai remonté mon short et pénétré dans l'océan. Même au mois d'août, j'ai eu le souffle coupé quand l'eau a atteint mes cuisses.

« Ohé! C'est fini, il faut partir maintenant. » Elle s'est retournée, m'a jeté son regard « plus tard, maman » et s'est avancée plus loin dans les vagues. Je me suis précipitée dans sa direction et je l'ai saisie par le bras. Mon short était mouillé. Je me demandais si quelqu'un regardait notre petit drame.

« Non », a-t-elle crié, « je ne veux pas m'en aller! » (Pourquoi les enfants ne veulent-ils jamais sortir de l'eau?) Elle s'est dégagée de mon emprise et son petit corps a pris la direction de Tokyo. Je pouvais lire à la une des journaux : « Une enfant se noie alors qu'elle est poursuivie par sa mère en colère. »

Elle avait maintenant de l'eau par-dessus la tête. Prise de peur et de rage, je l'ai attrapée, fermement cette fois, et j'ai commencé à la tirer vers le rivage. Elle ne s'est pas laissée faire. Elle criait de plus en plus avec chaque respiration. Ça n'a pas arrêté quand nous avons atteint la rive. Elle se tordait et donnait des coups de pied, luttant violemment dans le sable pour se défaire de mon emprise et retourner dans l'eau. Maintenant, les gens nous fixaient. Je n'en avais cure. Je devais me rendre assez loin pour qu'elle ne retourne pas plonger dans les vagues puissantes. Elle criait et se débattait comme un animal sauvage pris dans un piège, grognant, toutes griffes dehors. Des grains de sable étaient collés à notre peau mouillée.

Je tremblais. Je ne peux pas croire ce qui est arrivé par la suite. Croyant pourtant sincèrement à la discipline non violente — jusqu'à cet instant, je veux dire — je lui ai donné une bonne claque sur les fesses, ce qui l'a saisie assez pour la figer sur place et faire cesser son comportement hystérique. Elle se tenait là, presque entièrement couverte de sable, la bouche grande ouverte, incapable de prendre une respiration.

« Assez! » lui ai-je dit, les dents serrées, en la tirant vers le chemin qui nous éloignait de la plage. Elle sautillait à mes côtés, en bouillant de colère et en rechignant. J'ai réalisé qu'elle essayait de me dire quelque chose. Ses mots inintelligibles alternaient avec des sanglots et elle sautillait sur un pied et sur l'autre. Ses pieds! Maintenant que nous étions loin de l'eau, le sable était brûlant. Tout ce temps-là, je tenais ses sandales. « Oh, je m'excuse, ma chérie. Mets-les. » J'ai glissé ses sandales dans ses pieds tremblants, puis nous avons remonté le chemin vers l'auto et nous nous sommes dirigées vers la maison.

C'était il y a des semaines. Nous étions maintenant en septembre et j'étais revenue à la plage, seule cette fois. Le sable était frais. Il cédait doucement sous mes pieds pendant que je marchais près de l'eau. Le soleil n'était pas levé depuis assez longtemps pour exercer sa magie. Alors que je marchais sur la plage, des larmes ont mouillé mes yeux. Je revoyais ma fille plus tôt ce matin-là, en route vers sa classe de jardin d'enfant fraîchement peinte, pour son premier jour d'école, son sac fièrement suspendu à l'épaule. Les dessins jaunes et pourpres de chiots et de chatons témoignaient de son jeune âge.

Je m'étais rendue directement à la plage après l'avoir déposée. Il y avait quelque chose de si rassurant dans le va-et-vient incessant des vagues. J'espérais que leur bruit calmerait mon angoisse.

« Je t'aime, maman! » m'avait-elle crié joyeusement de la fenêtre, alors que je retournais à ma voiture.

« Je te prendrai après l'école », ai-je répondu. Je me suis retournée pour lui souffler un baiser, mais elle avait déjà disparu.

J'avais rêvé de cette journée pendant des années, cinq pour être exacte. J'avais rêvé de cette journée peu après l'avoir ramenée à la maison, à sa naissance. J'avais essayé de la prendre, de la bercer, de lui chanter des chansons. Quand elle ne se calmait pas, je lui donnais un biberon, son toutou, son ourson… n'importe quoi.

J'ai rêvé de ce jour quand elle n'avait qu'un an et qu'elle passait ses journées à tanguer dans la maison, le pied mal assuré, en apprenant à marcher. J'étais tellement inquiète qu'elle se blesse que je la suivais partout, en tournant autour d'elle les bras étendus, comme un ours géant. Une fois, elle a foncé tout droit dans l'encoignure d'une porte à pleine vitesse. Le sang a giclé comme une fontaine au-dessus de son œil, mais elle était beaucoup plus calme et plus brave que moi quand on lui a fait des points de suture.

À deux ans, j'avais désespérément besoin de me reposer de mon rôle de mère. Je ne l'avais jamais laissée, pas même une nuit. Mais voilà que je me retrouvais, à mi-chemin autour du monde, en Autriche. Je l'avais confiée à mes parents et j'ai finalement pris du repos. Par contre, quand j'ai téléphoné chez moi et que j'ai entendu sa toute petite voix, je n'ai pas pu me contenir et ma voix tremblait tellement que j'avais du mal à lui répondre.

Et l'été dernier, voyant que la fin de nos journées passées toujours ensemble approchait, elle me demanda constamment de l'attention. La chaleur devenant de plus en plus accablante, je suis devenue de plus en plus apathique alors qu'elle avait un regain d'énergie. Elle demandait de plus en plus de tout : plus de temps à la piscine, plus de crème glacée, plus de temps pour jouer, plus d'attention de ma part. Chaque jour, j'entendais : « Maman, allons au parc, allons à la plage, allons au zoo, allons, allons, allons! »

Alors, pourquoi ces larmes? J'ai cessé de marcher et je me suis assise sur un escarpement rocheux, sur une merveilleuse plage par un jour glorieux et j'étais malheureuse. J'ai observé les goélands voler et plonger; leur mouvement incessant m'a distraite des pensées qui envahissaient mon esprit.

Je devrais être heureuse, ai-je pensé. Plus de babillage incessant qui me bombardait douze heures par jour. Maintenant, je pouvais penser librement, rassembler mes idées et en suivre le fil sans distraction. Je serais libre de retourner à l'école ou d'ouvrir le commerce auquel je songeais. Je pourrais déjeuner avec des amis dans des restaurants qui ne vous distribuaient pas des crayons et des menus à colorier dès que vous étiez assise. Je pourrais aller magasiner seule, sans que ma fille ne s'installe au beau milieu d'un carrousel de vêtements et le fasse tourner dangereusement au risque de le renverser, pendant que les vendeuses regardent avec désapprobation. Je pourrais monter les fenêtres de ma voiture, mettre un CD autre que Raffi ou Barney et chanter à tue-tête sans l'entendre dire : « Ne chante pas, maman! Ne chante pas! » Je pourrais même aller à l'épicerie sans devoir faire face au chantage et à la négociation.

La vérité, c'est qu'elle me manquera. Je m'étais habituée à avoir une compagne constamment à mes côtés au cours des cinq dernières années. « Ne t'en fais pas, maman, nous aurons encore nos après-midi ensemble », m'a-t-elle dit pour me rassurer ce matin au déjeuner.

Avec cette pensée à l'esprit, j'ai ramassé mes choses, j'ai quitté la plage pour me rendre à ma voiture. Il était temps d'aller chercher mon bébé — ma petite de maternelle — après sa première journée à l'école. J'avais hâte que nous passions l'après-midi ensemble.

Susan Union

Allons plus souvent à la chasse aux insectes

T – E – M – P – S, voilà comment les enfants épellent l'amour.

John Crudele

Un après-midi d'automne, je suis rentrée en hâte de l'université où j'enseignais. J'ai préparé le repas en vitesse, j'ai menacé ma fille de neuf ans, Christi, de se dépêcher de finir ses devoirs ou « sinon », et j'ai réprimandé sérieusement mon mari Del, qui avait laissé ses souliers sales sur le beau tapis.

J'ai ensuite passé frénétiquement l'aspirateur dans l'entrée parce qu'un groupe de femmes importantes venaient à la maison afin de prendre de bons vêtements usagés pour une cause charitable; plus tard, un étudiant de dernière année viendrait chez nous pour travailler à une thèse très importante — j'étais certaine que ce travail contribuerait grandement à la recherche.

Après avoir soufflé un peu, j'ai entendu Christi parler avec une amie au téléphone. Elle disait à peu près ceci :

« Maman nettoie la maison — des dames que nous ne connaissons même pas vont venir prendre de vieux vêtements usés... et un étudiant vient travailler sur sa thèse... non, je ne sais pas ce que c'est, une thèse... je sais seulement que maman ne fait rien d'important... et qu'elle ne viendra pas avec moi à la chasse aux insectes. »

Avant que Christi n'ait raccroché, j'avais enfilé mes jeans et mes vieux souliers, j'avais persuadé Del de faire de même, j'avais fixé une note sur la porte pour avertir l'étudiant que je reviendrais bientôt, et j'avais déposé la boîte de vêtements usagés sous le porche avec un mot pour dire que Del, Christi et moi étions partis à la chasse aux insectes.

Barbara Chesser, Ph.D.

Les mains de mon père

Nous nous préparions à dormir
J'étreignais un de mes fils.
Je l'étreignais si fort que je vis une chose étrange :
Mes mains... elles ressemblaient à celles de papa!

Je me souviens bien de ses articulations noueuses.
Il avait toujours un ongle fendu ou deux.
Et grâce à un coup de marteau perdu,
Son pouce était d'un bleu magnifique!

Elles étaient rugueuses, je m'en souviens, très solides,
Aussi fortes qu'un étau de charpentier.
Mais en tenant un petit garçon apeuré, le soir,
Elles me semblaient vraiment agréables.

La vue de ces mains — oh, combien impressionnantes
Dans les yeux de son petit garçon.
Les mains des autres papas étaient plus propres
Parce qu'ils travaillaient dans un bureau.

En grandissant, j'ai peu pensé
Au pourquoi des mains rudes de papa.
L'amour dans le labeur, la saleté et l'huile,
Les tuyaux rouillés ont forgé ces mains!

En y repensant, les yeux embués et imaginant
Le jour où j'aurai fait mon temps,
Le flambeau de l'amour dans mes propres mains ridées
Passera dans les mains de mon fils.

Peu m'importe les écorchures, les égratignures ici et là
Ou le marteau qui n'en fait qu'à sa tête.
Je veux, quand mon fils me prendra la main,
Qu'il sente que l'amour est dans la poigne.

David Kettler

Réflexions de la fête des Mères

Ah! La fête des Mères. Avant, c'était une journée pour ne rien faire et se reposer. Que demander de plus qu'un réveil accompagné de rôties garnies de beurre d'arachide croquant et dégoulinantes de confiture, d'un café tiède, moitié sucre, moitié crème? J'aimais pouvoir me détendre, au moins cette journée-là.

Récemment, au cours d'une conversation avec une voisine, j'ai eu un accès de culpabilité. « Comment laisser passer une telle occasion de s'améliorer? » a-t-elle objecté. « C'est le temps de passer en revue ton rôle de mère. Pense à tout ce que tu as appris, qui n'a jamais été écrit dans des livres! Pense à tout ce que tu as appris sur toi-même! Pense à ce que cela veut dire, être une vraie mère! »

Bien que j'aie toujours essayé de ne pas trop philosopher pendant que je recollais Monsieur Tête de Patate, ou que j'essayais d'enlever de la gomme à mâcher sur un bas des enfants, j'ai décidé d'essayer de faire mon autoévaluation. J'ai commencé en me reportant aux premiers jours.

J'ai été assez étonnée de constater que je savais des choses que je n'avais jamais lues dans un livre — tous les bébés naissent avec un sens inné qui les poussent à pleurer et à demander une attention immédiate si leur mère s'aventure à vouloir tenter une des choses suivantes : manger un repas chaud, faire un interurbain, lire un bon livre, prendre un bain chaud ou faire l'amour.

Mes enfants sont plus vieux aujourd'hui, et les seuls changements que j'ai remarqués sont les suivants : la nourriture peut être aussi bonne froide, les revues se lisent plus rapidement que les livres et les douches froides diminuent l'appétit sexuel.

J'ai ensuite pensé à une autre chose que j'ai apprise. Il est tout à fait normal pour des enfants de tomber malades quand le cabinet du médecin est fermé. Cette habitude provoquait chez moi la panique, car j'essayais de découvrir quelle rare maladie mon enfant avait attrapée, et je me demandais si je devais téléphoner au service d'urgence du médecin ou me diriger immédiatement à l'hôpital. Je suis plus avisée, aujourd'hui. Je téléphone en premier à une amie qui a cinq enfants et je lui demande son avis.

J'ai aussi appris des faits jamais publiés sur la nutrition. Je sais qu'un enfant de deux ans peut survivre avec du yogourt, des Cheerios et des raisins pendant de longues périodes; qu'au début, les raisins gardent sensiblement la même apparence quand ils sont avalés et quand ils sont rejetés; et que tout ce qui est recouvert de ketchup représente un mets de gourmet pour les enfants. Je sais aussi que le beurre d'arachide, en plus d'être quasiment impossible à nettoyer sur une chaise haute, constitue un traitement parfait pour les cheveux.

En approfondissant ma réflexion, j'ai constaté que j'avais appris des choses sur moi-même. J'ai appris que si je pouvais trouver quelqu'un qui me donnerait un cinq sous chaque fois que j'ai pensé : « Mes enfants ne feraient jamais… » et qu'ils l'ont fait, je serais millionnaire. Même s'il arrive parfois à mes merveilleux enfants de ne pas réagir du tout quand je leur parle, je parle encore l'anglais et je peux être entendue et comprise par d'autres personnes autour de moi.

De plus, j'ai appris que si je ne prenais pas du temps pour moi, j'avais tendance à être de mauvaise humeur. J'ai appris que pour être une bonne mère (la plupart du temps) et une mère saine d'esprit (parfois), j'avais besoin d'une bonne amie qui avait les mêmes idées et le même idéal de la maternité. J'ai aussi appris que si, de temps en temps, je pense à combien ce serait tranquille sans mes enfants, cela ne veut pas dire que je ne les aime pas — mais que j'ai besoin d'un peu de répit.

Je sais aussi ce que veut dire être une vraie mère! Être une vraie mère, c'est se répéter, lors de nos très mauvaises journées : « Ça passera, comme tout le reste », et la plupart du temps, je sais que *ça passera, comme tout le reste* — trop rapidement.

Apportez les rôties!

Paula (Bachleda) Koskey

Papa

Je crois que j'étais sa préférée. Mes frères et ma sœur pensaient probablement qu'*ils* étaient ses préférés. Il avait l'art de nous faire sentir spéciaux, même après que nous avions fait quelque chose de mal. Il ne me comprenait pas quand j'étais adolescente, mais il eut la sagesse de ne pas essayer. Il ne me donnait pas de conseils à moins que je lui demande; et même là, c'était plus un exercice de recherche de l'âme. Il savait que je pouvais comprendre les choses par moi-même, mais j'ai continué de lui demander conseil aussi longtemps que j'ai pu.

Mon père et moi avions plusieurs points en commun. Nous aimions les animaux, aimions les mêmes films et avions le même goût des aventures. Nous partagions aussi le même engagement envers nos familles, une chose que j'ai apprise de lui.

Mes deux frères, ma sœur et moi avons été élevés dans un environnement très créatif, favorable à l'éclosion de nos talents. Mon père et ma mère étaient toujours là pour nous. Ils nous ont donné la stabilité et un mode de vie si important pour des enfants.

Quand j'avais environ dix ans, j'ai revêtu la robe de mariée de maman et mon père est accouru de la cour où il travaillait, s'est lavé les mains et il a joué « La Marche nuptiale » à l'orgue pendant que je descendais lentement l'escalier, en croyant que mon prince charmant était arrivé. Nous avons souvent refait la même chose, jusqu'à ce que je m'en fatigue. Il ne m'a jamais dit qu'il était trop occupé.

La façon dont il traitait les autres et l'aide qu'il apportait étaient un grand cadeau à donner à un enfant. Il voulait toujours s'arrêter pour aider des gens en difficulté sur la route. La seule raison pour laquelle il ne le faisait pas, c'était parce qu'il avait quatre enfants fatigués dans l'auto et que ma mère le rassurait en lui disant que d'autres personnes s'arrêteraient pour les aider. Il voulait aussi faire monter les gens qui faisaient de l'auto-stop, car il détestait voir quelqu'un qui avait besoin de quelque chose qu'il pouvait lui donner. Il croyait que notre devoir de citoyen était d'aider les gens dans le besoin.

Il était frugal mais généreux. Il aimait avoir autant de gens qu'il pouvait en entasser dans notre chalet dans les montagnes près de Yosemite, et il cuisinait constamment. Les tartes sortaient du four aussi vite qu'on pouvait les manger. Il donnait à plusieurs œuvres de charité et parrainait des enfants outre-mer. Il en était très fier et montrait les lettres de ces enfants, chaque fois qu'il le pouvait.

J'ai grandi, je me suis mariée et j'ai quitté la maison. C'est alors que j'ai compris l'importance de papa dans ma vie. Il était toujours mon roc — ma stabilité et ma sécurité. Les fondations que papa avaient érigées pour moi m'ont permis d'être heureuse en mariage et avec mes enfants. Alors que plusieurs personnes ne peuvent pas accepter les défis et les problèmes dans leur vie, mon père m'a enseigné à surmonter les obstacles qui peuvent créer des complications.

Et puis, c'est arrivé. Le jour le plus froid de l'année, en février 1996, mon père est mort après avoir lutté contre le cancer pendant près d'un an. Mais c'est normal. Après tout, il n'avait pas trente-cinq ans, ni quarante-cinq, ni même cinquante-cinq. Il avait soixante-cinq ans. Ses enfants étaient tous mariés et heureux, et ils avaient tous beaucoup d'occupations. Il avait onze petits-enfants et un arrière-petit-enfant était sur le point de naître. Beaucoup de gens diraient qu'il a vécu pleinement. Ce qui est vrai — mais je n'étais pas encore prête à le laisser partir.

Nous nous inquiétions pour maman qui lui survivrait. Nous nous inquiétions de devoir fermer le livre de notre enfance s'il partait. Nous ne voulions pas qu'il souffre. Il s'est battu sans se plaindre, et nous savons maintenant qu'il l'a fait pour nous. Sa lutte de dix mois contre un lymphome a démontré à ses quatre enfants le courage qu'il faut pour être un bon père.

Dans ses derniers jours, nous avons passé autant de temps que possible avec lui. Pendant ces quelques brefs mois, j'ai essayé de lui remettre tout ce qu'il avait fait pour moi pendant trente-six ans. Je voulais tout faire et je n'ai réussi qu'à lui donner si peu. Il y a des jours où je restais simplement assise près de lui.

Je crois qu'il a choisi sa nuit pour mourir. Nous étions tous en ville. Nous avions eu un grand dîner de famille et je l'avais ramené dans son lit avant de quitter la maison. Je l'ai embrassé sur la tête et je lui ai dit que je le verrais demain. Je sais que mes frères et ma sœur sont partis après moi pour aller lui souhaiter bonne nuit. Chacun a pu être seul avec lui : le dernier grand moment. Ma mère a été la dernière à en profiter. En le ramenant de la salle de bain à son lit, vers trois heures du matin, il s'est doucement éteint dans ses bras. Avec douceur, elle l'a étendu sur le sol, a placé un oreiller sous sa tête et une couverture sur son corps. C'est ainsi que nous l'avons vu quand nous sommes venus quelques minutes plus tard, suite à l'appel téléphonique de maman. Mon frère a dit qu'il avait entendu que ce jour de février était le plus froid de l'année.

Les jours qui ont suivi sa mort n'ont fait que me confirmer l'importance qu'il avait dans ma vie et dans celles de ma sœur et de mes frères. Chacun de nous avait ses propres souvenirs, ceux de « moi et papa ». Le temps passe et il continue de m'aider à prendre des décisions importantes. Parfois, je crois entendre sa voix. Un jour, alors que j'attendais en ligne pour acheter des fleurs pour mettre sur sa tombe, j'ai pu l'entendre clairement me dire : « Oh! Brenda, n'achète pas ces fleurs pour moi. Utilise l'argent pour toi. »

Ce qu'il faut que tu comprennes, papa, c'est que d'une certaine façon, je *dépensais* cet argent pour moi. Tu m'as appris que ce que l'on fait pour les autres est le meilleur cadeau qu'on puisse se faire à soi-même.

Brenda Gallardo

La fête des Pères

Mon père biologique s'est suicidé alors que j'avais cinq ans. Il m'est resté l'impression que j'avais fait quelque chose de mal; si j'avais été plus gentille, peut-être serait-il encore là. Ma mère s'est remariée peu après, et cet homme a été mon père jusqu'à dix-neuf ans. Je l'appelais papa et j'ai porté son nom tout le temps que j'étais à l'école. Mais quand lui et ma mère ont divorcé, il est parti, tout simplement. Encore une fois, je me suis demandé ce qui n'allait pas chez moi pour que je ne puisse pas garder un père.

Ma mère s'est remariée; Bob était un homme bon et merveilleux. J'avais alors vingt ans et je ne vivais plus à la maison, mais j'éprouvais beaucoup d'amour et un grand attachement pour lui. Quelques années plus tard, on a diagnostiqué un cancer chez maman et il ne lui restait plus longtemps à vivre.

Peu après son décès, Bob est venu, seul, à la maison. Nous avons parlé de beaucoup de choses, et il m'a ensuite dit qu'il voulait que je sache qu'il serait toujours là pour moi, même si maman était morte. Il m'a ensuite demandé s'il pouvait m'adopter.

J'avais peine à en croire mes oreilles. Je pleurais à chaudes larmes. Il me voulait — moi! Cet homme n'avait aucune obligation envers moi, mais cela venait directement de son cœur, et j'ai accepté. Pendant toute la procédure d'adoption, le juge a parlé de tous les côtés indésirables de sa profession et, la larme à l'œil, nous a remerciés d'avoir illuminé sa journée en nous déclarant père et fille. J'avais vingt-cinq ans, mais j'étais sa petite fille.

Trois courtes années plus tard, on a aussi diagnostiqué un cancer chez Bob et il est décédé durant l'année. Au début, j'étais blessée et en colère contre Dieu de m'avoir aussi enlevé ce père. Mais finalement, l'amour et l'acceptation de mon père que je ressentais ont repris le dessus, et je suis devenue, encore une fois, reconnaissante des années que nous avons eues.

Le jour de la fête des Pères, je médite toujours sur ce que j'ai appris concernant la paternité. J'ai appris que ce rôle ne dépend pas de facteurs biologiques ou même du fait d'élever un enfant. La paternité est une affaire de cœur. Le cadeau de Bob, directement de son cœur, réchauffera mon âme pour l'éternité.

Sherry Lynn Blake Jensen Miller

Une leçon de mon fils

J'ai été une de ces enfants chanceuses qui apprenait facilement. Ainsi, quand je suis devenue parent, j'ai naturellement pensé que si je faisais régulièrement la lecture à mes deux enfants et si je leur procurais du plaisir, des temps de jeux éducatifs, ils suivraient mes pas. Eux aussi apprendraient, retiendraient leurs leçons et assimileraient tout, comme moi.

Amanda, mon premier enfant, était en plein dans la cible. Elle apprenait rapidement et avait de bonnes notes. Toutefois, même si j'ai employé la même méthode avec mon deuxième enfant, Éric, je sentais qu'il y aurait des défis, non seulement pour ses professeurs mais pour Éric et moi-même.

J'ai fait ce que j'ai pu pour ce jeune être doux et aimant qui n'a jamais été indiscipliné. Je me suis assurée qu'il faisait ses devoirs tous les soirs, je suis restée en contact avec ses professeurs et je l'ai inscrit dans tous les programmes de rattrapage offerts par l'école. Pourtant, peu importe l'effort qu'il y mettait, ses bulletins scolaires portaient toujours des C et il en pleurait de frustration. Je voyais bien qu'il était découragé et je craignais qu'il perde tout intérêt d'apprendre. Bientôt, je me suis mise à douter de moi-même.

Je me suis demandé : *Comment ai-je échoué avec mon fils ? Pourquoi n'ai-je pas été capable de le motiver afin de l'aider à réussir ?* Je croyais que s'il n'excellait pas à l'école, il serait incapable de faire son chemin dans la vie ou de subvenir à ses besoins — et peut-être à ceux de sa famille, un jour.

Éric était un adolescent blond de seize ans quand j'ai ouvert les yeux. Nous étions assis au salon quand le téléphone a sonné; un message disait que mon père venait d'avoir une grave crise cardiaque et qu'il était décédé. Il avait soixante-dix-neuf ans.

« Papa », comme l'appelait Éric, avait joué un rôle très important durant les cinq premières années de la vie de mon petit garçon. Puisque mon mari travaillait la nuit et dormait le jour, c'était papa qui l'emmenait chez le coiffeur, lui achetait des glaces et jouait au baseball avec lui quand il était petit. Papa était son meilleur copain.

Quand mon père nous a quittés pour déménager dans le village où il a grandi, Éric s'est senti perdu sans lui, mais le temps a guéri ses blessures. Petit à petit, il en était venu à comprendre qu'il fallait que son grand-père revoie ses vieux amis et retrouve les racines de son passé. Éric s'est habitué aux téléphones et aux visites de son grand-père adoré. Son papa ne l'a jamais oublié.

Quand nous sommes entrés au salon funéraire, je suis restée debout à la porte et j'ai regardé mon père, si immobile, si différent de l'homme que j'avais connu. Mes enfants étaient à mes côtés. Éric m'a pris la main pour nous rendre jusqu'à son grand-père. Nous avons partagé quelques moments ensemble pour ensuite nous installer sur un côté de la pièce pendant que des centaines d'amis défilaient. Chaque personne offrait ses condoléances et échangeaient des souvenirs de la vie de mon père. D'autres donnaient simplement une poignée de main et quittaient.

Soudain, j'ai constaté que Éric n'était plus à mes côtés. J'ai regardé dans la pièce et je l'ai vu près de l'entrée, aidant des gens âgés à monter l'escalier ou à ouvrir la porte. Ils étaient tous des étrangers, certains aidés de marchette, d'autres de canne, et d'autres encore s'appuyaient simplement sur son bras pendant qu'il les menait jusqu'à son grand-père pour qu'ils lui rendent un dernier hommage.

Plus tard dans la soirée, le directeur du salon m'a mentionné qu'il faudrait un autre porteur pour le cercueil. Éric s'est empressé de dire : « S'il vous plaît, monsieur, puis-je aider? »

Le directeur a suggéré qu'il préférerait peut-être rester avec sa sœur et moi. Éric a secoué la tête en disant : « Mon papa m'a porté quand j'étais petit. Maintenant, c'est à mon tour de le porter. » En entendant ces mots, je me suis mise à pleurer, en pensant ne jamais pouvoir m'arrêter.

À partir de ce moment, j'ai su que je ne pourrais jamais plus réprimander mon fils pour ses notes médiocres. Jamais plus je ne m'attendrais à ce qu'il soit quelqu'un que j'ai créé dans ma propre tête, parce que cette personne que j'avais imaginée était à des lieues de l'être exceptionnel qu'était devenu mon fils. Sa compassion, sa sollicitude et son amour étaient les cadeaux dont Dieu l'avait comblé. Aucun livre n'aurait jamais pu lui apprendre ces choses. Aucun diplôme encadré ne pourrait transmettre au monde les qualités que Éric possédait.

Il a maintenant vingt ans et il continue de répandre sa bonté, son sens de l'humour et sa compassion envers les autres, où qu'il aille. Aujourd'hui, je me demande : « Quelle différence peuvent apporter de bonnes notes en sciences et en mathématiques? » Quand un jeune homme fait du mieux qu'il peut, il mérite un « A » venu du cœur.

Kathleen Beaulieu

Bienheureux les cœurs purs

Bienheureux les cœurs purs.
On nous parle si souvent des saints
Dont les noms et les actions quotidiennes
Sont inscrits dans les livres d'or.
On dit qu'ils sont assurés de voir Dieu
Et de connaître la félicité —
Mais quand je vois un cœur pur,
Je vois un petit garçon.

Il grimpe aux arbres et s'écorche les genoux,
Il garde des lézards dans une boîte;
Il adore lire sur les dinosaures,
Collectionne des pierres aux couleurs vives.
Ses mains sales sont douces
Sur le pelage des chiens et le plumage des oiseaux,
Et ses mots naïfs portent en eux une douce sagesse.
Le soir, dans une joie paisible,
J'écoute ses petites prières —
Quand j'entends un cœur pur,
J'entends la voix d'un petit garçon.

Il n'a pas encore atteint l'âge
Du questionnement et des doutes;
Il croit solennellement ce que sa mère lui dit
Et la vie est ainsi faite.
Chaque jour est de l'or,
Un objet brillant sans altération —
Quand je tiens contre moi un cœur pur,
Je tiens dans mes bras un petit garçon.

Gwen Belson Taylor

Un fil ténu

En voyant sa mère partir, le petit Billy, âgé de onze ans, s'est mis à pleurer, sur le bord du trottoir. Sa mère était une toxicomane; pourtant, elle était tout ce qu'il avait. Il allait maintenant vivre chez sa tante. Une vague de désolation a envahi sa poitrine.

Tante Val n'était pas intéressée non plus à prendre soin de lui. Billy était laissé à lui-même, se nourrissant de beurre d'arachide, de pain rassis et de céréales. Il passait ses soirées à entendre les voix des cinq enfants qui vivaient à la porte voisine, écoutant leurs rires et leurs cris, et la voix ferme de leur maman qui les envoyait au lit.

Le dimanche matin, comme ils s'empilaient dans la voiture pour aller à l'église, la maman a remarqué Billy qui regardait ses enfants dans l'ombre de la porte. On devinait chez lui des ennuis : son regard était arrogant et ses vêtements miteux pendaient lamentablement sur son maigre corps. Quelle sorte de vie a cet enfant? Il la rendait mal à l'aise; pourtant, elle voyait la souffrance dans ses yeux noirs.

Le visage de Billy l'a hantée pendant tout le service. Quand ils sont revenus à la maison, il était toujours là. Son regard suivait les enfants alors qu'ils sortaient en désordre de l'auto en bavardant.

Le cœur de la maman a été saisi quand son fils, Cecil, s'est arrêté pour demander :

« Comment t'appelles-tu? »

« Billy. »

« Quel âge as-tu? »

« Onze ans, presque douze. »

« Moi aussi. Tu veux venir à la maison? Nous allons jouer au basketball après avoir changé de vêtements. »

Maman s'est mordu la lèvre pendant que Billy suivait Cecil à l'intérieur. L'après-midi suivant, Billy est venu à la maison avec Cecil après l'école.

« La tante de Billy n'est jamais à la maison, alors je lui ai dit qu'il pouvait venir ici », dit Cecil.

Billy ne cadrait pas avec le rythme de la maison. Quand les enfants faisaient leurs devoirs, Billy les distrayait, parlant inconsidérément alors qu'ils essayaient de se concentrer. Il utilisait un langage grossier et intimidait les plus jeunes. Un mauvais sentiment s'installa dans le cœur de maman. Billy serait une mauvaise influence sur ses enfants.

Le jour suivant, en revenant de son travail de chauffeur d'autobus scolaire, maman a vu Billy flâner devant la maison. Une cigarette pendait à ses lèvres. Quand il l'a vue, il s'est détourné, ce qui n'a fait que déplaire encore plus à maman. Après la partie de basketball de la soirée, Billy est venu dans la maison avec Cecil. Les garçons avaient trouvé sur le terrain un soulier de tennis qui valait cher et ils voulaient le montrer à maman.

« Un jour, j'achèterai des souliers comme ceux-là », dit Billy. « J'aurai tout l'argent que je voudrai. »

Maman a frémi. Elle pouvait imaginer comment Billy se procurerait l'argent pour acheter ce qu'il voulait. Elle n'aimait pas l'homme qu'il risquait de devenir. Cecil regardait Billy et le soulier clinquant avec envie, ce qui a fâché maman, car elle ne voulait pas que des gens comme Billy écartent ses enfants du droit chemin.

Quand Billy est parti, elle a dit à Cecil : « Je ne veux pas que tu fréquentes Billy. Il ne va pas où je veux que tu ailles. »

Le regard de Cecil s'est assombri. « Ne dis pas ça, maman. Il y a quelque chose de bon en Billy. Je le sais. Il a besoin de nous. »

Maman a secoué la tête. Elle était catégorique. Sa famille passait avant tout, et Billy ne présageait rien de bon.

Ce soir-là, elle a rêvé de Billy qui pleurait pendant que sa mère s'éloignait. Il s'est tourné vers maman mais elle a simplement secoué la tête. Dans son rêve, un Billy plus âgé lui faisait face, le regard dur et froid. Il portait les souliers de tennis luxueux. Il la fixait pendant qu'il agonisait, une balle dans la poitrine, puis il s'est effondré, immobile sur le sol. Une lumière est apparue et un ange se tenait près d'elle. Il a demandé : « As-tu fait de ton mieux? »

Maman s'est réveillée et a essayé de chasser le rêve de son esprit. C'était impossible. La vie avait laissé tomber Billy. Échouerait-elle envers lui, elle aussi?

Il était tôt. L'aube se levait. Maman a essayé de dormir, mais quand elle fermait les yeux, elle voyait Billy effondré sur le sol. Elle s'est levée pour aller préparer le café. Le Billy de son rêve était très frais dans sa mémoire — un petit garçon perdu essayant d'avoir l'air dur dans un monde terrifiant. L'avenir de Billy ne tenait qu'à un fil. Elle avait le choix de le tenir fermement ou de le laisser aller au vent. Elle savait que si un malheur lui arrivait à elle, elle voudrait que quelqu'un s'occupe de son Cecil.

Plus tard dans la matinée, quand Cecil est entré dans la cuisine, elle lui a dit : « Tu avais raison à propos de Billy. Par contre, il faut des règles. Amène-le à la maison après l'école, je veux lui parler. »

Cet après-midi-là, maman a pris Billy à part. « Je crois que tu as de belles qualités et je voudrais que nous soyons amis. Mais il y aura des règles. Tu viens à la maison avec Cecil chaque jour et tu fais tes devoirs en silence. Si tu as des questions, tu me le demandes. Toi et Cecil, vous devrez m'aider à préparer le souper, et tu pourras rester et manger avec nous. Si tu travailles fort et si tu restes à l'école, un jour, tu pourras acheter ces souliers que tu veux. »

Billy a regardé maman bien en face. Elle a rencontré ses yeux inquisiteurs, puis il a acquiescé par un signe de la tête.

Maman lui tapota l'épaule. « Ce ne sera pas facile. Si tu fais des bêtises, je te retourne chez toi. Mais j'espère bien sincèrement que tu choisiras de rester. »

Presque aussitôt, Billy provoqua maman et il a été renvoyé chez lui. Les semaines passant, il restait pour souper de plus en plus souvent. Le dimanche, il venait souvent à l'église avec la famille.

Au fil des ans, Billy a changé. Sa dureté a disparu, il faisait confiance à maman et à ses conseils sensés. Il venait la voir chaque fois qu'il avait des problèmes. Maman restait en contact avec les professeurs de Billy et suivait ses progrès scolaires.

Le jour de sa graduation, Billy a souri quand maman a pris une photo. Il a levé le bord de sa longue toge verte pour lui montrer un cadeau qu'il s'était offert, en utilisant l'argent qu'il avait économisé avec son emploi d'été. Les larmes sont montées aux yeux de maman quand elle a vu les nouveaux souliers de tennis. Elle pouvait presque sentir la main de l'ange qui touchait son épaule. Oui, elle avait fait de son mieux.

Karen Cogan

Moi non plus

On ne peut tricher ou manipuler la nature. Elle ne vous consentira l'objet de vos luttes seulement après que vous en aurez payé son prix.

Napoleon Hill

L'expérience m'a enseigné que l'on trébuche souvent sur les leçons les plus profondes de la vie, dans les endroits les plus inattendus, par exemple sur le terrain de baseball des Petites Ligues du voisinage.

La première partie de la saison de notre fils devait avoir lieu un soir du début de mai. Puisque cette ligue comprenait des étudiants de première, de deuxième et de troisième secondaire, notre aîné était un vétéran de l'équipe depuis trois ans, alors que son jeune frère était parmi les nouvelles recrues.

La foule habituelle de parents s'était réunie alors que je prenais place sur une planche usée par les intempéries, dans la troisième rangée du haut. Coincée entre un garçonnet joufflu au teint rosé et la mère de quelqu'un d'autre, j'ai regardé le tableau d'affichage. Déjà la quatrième manche. Les garçons, qui avaient prévu mon retard, m'avaient dit de surveiller le premier but et le receveur. En observant l'un et l'autre, j'ai jeté un coup d'œil vers le monticule du lanceur. Jason Voldner?

Jason était sans aucun doute le garçon le plus aimé et le mieux intentionné de l'équipe, mais côté sport, sa préparation s'était limitée à des positions alternant entre le champ droit et le banc — ce dernier, malheureusement lui échouant fréquemment. Après avoir passé un nombre incalculable d'heures comme spectateur (et un nombre tout aussi incalculable sur divers gradins), je crois que chaque équipe de baseball possède sa propre version de Jason Voldner.

Les Jason du monde se présentent à un très jeune âge à leur première pratique de balle un samedi matin, le gant huilé à la main. À la fin de cette « chance de jouer à la balle » tant attendue, les Jason, le cœur gros, retournent à la maison en ayant en mémoire le garçon qui frappait le plus loin, le garçon qui courait le plus vite et le garçon qui savait très bien ce qu'il était censé faire avec le gant.

L'habileté n'est pas seulement reconnue mais utilisée, permettant ainsi aux joueurs exceptionnels de le devenir encore plus, pendant que les Jason attendent leur tour pour jouer à la septième manche. Champ droit. Le temps de jeu qui leur était alloué n'était pas seulement limité, il était aussi conditionnel : seulement si leur équipe était en avance. Sinon, les Jason doivent tout simplement attendre pour retourner à la maison. Pourtant, c'était bien Jason Voldner qui lançait ce que je qualifierais de la « partie de sa vie ».

Me retournant pour faire un commentaire à quiconque voulait écouter, j'ai compris que « la mère de quelqu'un d'autre » assise près de moi était celle de Jason. « Un grand talent », ai-je dit. « Je n'ai jamais vu votre fils lancer avant aujourd'hui. » D'une voix calme et réservée, elle a répondu : « Moi non plus ». Puis, elle m'a raconté cette histoire.

Il y a quatre semaines, elle conduisait son auto remplie de garçons, dont son fils, à ce même terrain de baseball pour la première pratique du printemps. Juste avant le crépuscule, elle s'était assise sur sa balançoire du porche d'entrée afin d'éviter l'averse soudaine et pour attendre l'auto conduite par une autre mère qui ramènerait Jason après la pratique. Comme la camionnette s'arrêtait, Jason en sortit par la porte coulissante.

« Son visage était maculé de poussière et sillonné d'eau de pluie, et personne d'autre que moi aurait pu voir qu'il était vexé », dit-elle.

« Je me suis tout d'abord demandé s'il était blessé », a poursuivi la mère de Jason. Mais il n'avait rien. Ses questions n'ont pas réussi à révéler son chagrin insaisissable. À l'heure du coucher, elle n'en savait pas plus que précédemment, sur le porche. Mais bientôt, la situation allait changer.

« Quelques heures après, j'ai été réveillée par des sanglots étouffés. Ceux de Jason. Sur son lit, des mots entrecoupés de larmes ont raconté son histoire. *Attente. Secondaire 3. Écœuré du champ droit. Secondaire 3.* »

Pendant que sa mère le calmait, Jason a ajouté que Matthew, un garçon de première année, jouerait au deuxième but parce que son père est l'entraîneur. John, un garçon de première année, a été placé à l'arrêt court « parce qu'il est l'ami de Matthew »; et Brian, un autre de première année, est le nouveau receveur « parce que son frère fait partie de l'équipe. »

Je l'écoutais jeter sa rancœur et je me demandais à quoi rimait son histoire. Brian était mon plus jeune fils.

« C'est pas juste. Pas juste. Pas juste. » En écoutant Jason, le cœur de sa mère souffrait pour lui. Il devrait exister un mot qui élève l'empathie à un plus haut niveau; un mot à l'usage exclusif des parents.

« Pendant que mon fils attendait que je l'approuve », dit sa mère, « je prenais la pénible décision de n'en rien faire. Il faut être prudent quand on a une influence directe et durable sur les émotions négatives d'une autre personne. Approuver pourrait sembler la façon d'aider la plus aimante et loyale, mais dans les faits, l'effet contraire peut se produire quand on renforce les sentiments négatifs.

« J'ai donc commencé par expliquer à Jason que jusqu'à ce que nous soyons prêts à assumer une part des responsabilités de l'entraîneur, nous devions avoir confiance en son jugement. »

« Ensuite, je lui ai rappelé qu'il était très rare que nous passions devant le terrain vacant au coin de la rue sans y trouver les trois garçons de première année en question, qui jouaient une partie de balle improvisée. Jouer au champ intérieur n'a rien à voir avec le fait qu'on est en première ou en troisième année du secondaire; c'est une question de pratique constante et d'habileté, non un traitement privilégié. Toute ta vie, tu seras en contact avec des personnes qui possèdent un talent naturel pour ce qu'elles font — sur le terrain de baseball, à l'école, au travail. Est-ce que cela veut dire que tu ne peux pas réussir comme elles? Certainement pas. Il faut simplement que tu décides de travailler plus fort. Le ressentiment, le blâme et les excuses ne font qu'empoisonner notre potentiel. »

Finalement, la mère de Jason l'a bordé dans son lit. Tout en plaçant les couvertures sur lui, elle a dit à son fils : « Tu es déçu parce que l'entraîneur ne croit pas en toi, Jason, mais si tu veux que les autres croient en toi, tu dois d'abord croire en toi-même. L'entraîneur place ses joueurs suivant la performance qu'il a vue jusqu'à présent. Si tu crois vraiment que tu mérites une position autre que celle du champ droit, alors prouve-le. » Sur ces mots, elle lui a souhaité bonne nuit en l'embrassant.

La mère de Jason riait doucement. « Nous avons parlé plus pendant ces quelques minutes qu'au cours des semaines qui ont suivi. Nos contacts depuis quelque temps se font au moyen de notes laissées sur la table de cuisine. *Parti pour une pratique. Parti prouver ma valeur.* » Après un moment de silence, elle a ajouté : « Et il l'a fait. »

Voilà, c'était mon expérience, qui veut que l'on trébuche souvent sur les leçons les plus profondes de la vie, dans les endroits les plus inattendus, par exemple sur le terrain de baseball des Petites Ligues du voisinage, assis sur une planche usée par les intempéries, dans la troisième rangée du haut.

Rochelle M. Pennington

3

L'APPRENTISSAGE ET L'ENSEIGNEMENT

L'éducation n'est pas une préparation à la vie;
l'éducation est la vie elle-même.

John Dewey

Les pendants d'oreilles

Bénie soit l'influence d'une âme sincère et aimante sur une autre.

George Eliot

Nous étions allés au parc ce jour-là pour célébrer mon trente-cinquième anniversaire. Nous étions deux amies de longue date, chacune mère de trois enfants.

Assises à une table de pique-nique, nous regardions nos enfants qui riaient et sautaient au terrain de jeu où flottait le parfum des pommiers écarlates et des lilas mauves.

C'était une belle journée pour un pique-nique. En shorts, vestes de denim et lunettes fumées, nous avons ouvert un panier rempli de sandwiches au saucisson de bologne, de Doritos et de biscuits Oreo.

Nous avons bu à notre amitié en prenant de l'eau minérale.

C'est alors que j'ai remarqué les nouveaux pendants d'oreilles de Laurie, de minuscules boucles entrelacées de dentelle d'argent et de pierres bleu indigo. Depuis treize ans que je connaissais Laurie, depuis le collège, elle avait toujours adoré les pendants d'oreilles.

Pendant toutes ces années, je l'ai vue en porter de toutes sortes, tous plus pendillants les uns que les autres — des billes de cristal, des anneaux d'argent brillant ornés de pierres semi-précieuses, des boucles en saphir, des perles rose pâle, des diamants montés sur des maillons en or.

« Il y a une raison pour laquelle j'aime les pendants d'oreilles », dit Laurie.

Elle s'est mise à me raconter des souvenirs d'enfance qui ont changé sa vie à jamais. Un doux conte qui parlait de la vérité et de son pouvoir de transformation.

Quand Laurie était en sixième année, son bureau était le dernier d'une rangée de sept, près d'une série de fenêtres sur un mur de briques. Elle se souvenait de façon étonnante de quoi sa classe avait l'air un jour de printemps — les paniers du premier mai suspendus à des cordes à linge au-dessus de son bureau, les hamsters dans leur cage et le froissement du papier journal déchiqueté, les bords des fenêtres étaient garnis de fleurs orangées qui débordaient de leurs vases faits de cartons, les cartons d'écriture cursive au-dessus du tableau noir. Laurie se sentait en sécurité dans cette classe, ce qui contrastait nettement avec une maison criblée de problèmes dysfonctionnels.

« Mme Moline donnait un tel sens de sécurité à sa classe », dit Laurie, l'air songeur. Elle se souvenait de son institutrice ce matin-là, il y a si longtemps, comment ses cheveux roux rebondissaient sur ses épaules, comme ceux de Jackie Kennedy, combien ses doux yeux vert noisette étaient brillants et pleins de lumière.

Mais ce qui avait le plus frappé Laurie, c'étaient les pendants d'oreilles de son institutrice, des rangs de chaînettes tressées de perles ivoire. « Même de l'arrière de la classe », se rappelait Laurie, « je pouvais voir ses pendants d'oreilles briller dans la lumière du soleil qui traversait les fenêtres. » Ils ont été pour moi un phare d'espoir dans une vie sombre et déprimante.

Cette année-là, l'alcoolisme de son père s'était aggravé. Plusieurs nuits, elle s'était endormie tard à cause des bruits de la maladie invalidante : le whisky versé dans les verres, l'ouvre-boîte perçant le métal sur les cannettes de bière, les glaçons tintant, verre après verre, les voix fortes et mal articulées de son père et de ses amis dans la cuisine, les sanglots de sa mère, les portes qui claquaient, les cadres qui vibraient sur le mur.

Le Noël précédent, elle avait économisé l'argent amassé à garder des enfants pour acheter à son père une trousse pour cirer les chaussures, avec un repose-pied, une brosse à polir et une boîte de cirage couleur cuir de Cordoue. Elle avait enveloppé le cadeau avec du papier de Noël rouge et vert et l'avait garni d'un ruban or bouclé.

La veille de Noël, elle avait regardé, stupéfaite, son père lancer son cadeau à travers le salon, le brisant en trois morceaux.

Laurie a enlevé ses lunettes fumées pour se frotter les yeux. Je lui ai donné une serviette de papier... Je savais que la douleur de ce souvenir de Noël était encore présente.

Quand elle a continué l'histoire de cette journée en classe, Laurie a dit : « Ce jour de printemps était réservé pour les rencontres d'évaluation de fin d'année. Mme Moline, debout devant la classe, nous rappelait que les parents et les étudiants devaient participer à ces importants rapports d'étape. Elle avait écrit au tableau la liste, en ordre alphabétique, des périodes de vingt minutes allouées à chaque famille.

Laurie était surprise que Mme Moline ait placé son nom à la fin de la liste, même si son nom de famille commençait par un B. Elle ne savait pas exactement pourquoi, mais peu importait — ses parents ne viendraient pas. Elle le savait, malgré les trois lettres de rappel à la maison et les téléphones que son institutrice avaient faits.

Pendant toute la journée, elle a écouté pendant que la maman bénévole appelait les noms des élèves. Laurie regardait chaque enfant accompagné passer devant son pupitre vers une porte deux mètres plus loin, une porte où les parents accueillaient leur fils ou leur fille avec des sourires de fierté et des tapes sur l'épaule, et même parfois des accolades. Ensuite, la porte se refermait.

Bien qu'elle ait essayé de se distraire en travaillant à ses devoirs, elle ne pouvait pas faire autrement que d'entendre le bruit des voix étouffées derrière la porte, alors que les parents intéressés posaient des questions, les enfants riaient nerveusement et Mme Moline y allait de ses assertions et de ses solutions.

Elle essayait de s'imaginer quelle impression elle ressentirait de se faire accueillir à la porte par ses parents.

Quand finalement tous les noms eurent été appelés, Mme Moline a doucement ouvert la porte et a demandé à Laurie de la rejoindre dans le corridor.

En silence, elle est sortie sans que les autres élèves ne la remarquent. Il y avait trois chaises pliantes installées dans le corridor, en face d'un bureau rempli de dossiers et de projets d'étudiants.

Avec curiosité, elle a regardé Mme Moline replier deux des chaises. « Elles ne seront pas nécessaires », dit-elle. Pendant que Laurie s'assoyait sur la chaise qui restait, son institutrice a regardé son dossier et a souri.

Tout ce que Laurie pouvait faire était de joindre ses mains et de regarder le recouvrement de linoléum; elle était gênée que ses parents ne soient pas venus.

En approchant sa chaise près de celle de la petite fille abattue, Mme Moline a soulevé le menton de Laurie et l'a regardée dans les yeux.

« Premièrement », dit-elle, « je veux te dire à quel point je t'aime. »

Laurie a levé les yeux. Sur le visage de Mme Moline, elle a vu des choses qu'elle avait rarement connues auparavant — compassion, empathie, tendresse.

« Deuxièmement », a-t-elle poursuivi, « tu dois savoir que ce n'est pas ta faute si tes parents ne sont pas ici aujourd'hui. »

De nouveau, Laurie a regardé le visage de Mme Moline. Personne ne lui avait jamais parlé ainsi auparavant. Personne ne lui avait jamais donné la permission de se voir autrement qu'en bonne à rien. Personne.

« Troisièmement », a-t-elle ajouté, « tu mérites une évaluation, que tes parents soient ici ou non. Tu mérites d'entendre à quel point tu réussis bien et à quel point je te trouve merveilleuse. »

Dans les minutes qui ont suivi, Mme Moline a fait son évaluation avec Laurie — Laurie toute seule. Elle lui a montré ses notes et les notes obtenues aux examens de l'État de l'Iowa, et les tableaux des résultats qui la situaient dans le quartile supérieur à l'échelle nationale. Elle a feuilleté rapidement les devoirs et les projets que Laurie avait remis, louant toujours ses efforts, insistant toujours sur ses points forts.

Elle avait même conservé une pile d'aquarelles que Laurie avait faites.

« Tu ferais une grande décoratrice d'intérieur », ajouta-t-elle. Laurie ne savait pas quand exactement, mais à un certain moment pendant la rencontre, elle s'est rappelée avoir entendu la voix de l'espoir dans son cœur, quelque part dans un endroit secret où la vérité prend racine et où commence la transformation.

Pendant que des larmes mouillaient ses yeux d'élève de sixième année, Laurie pouvait voir le visage de Mme Moline qui devenait flou et embrumé, sauf les anneaux d'or et les perles ivoire de ses pendants d'oreilles. Les parasites de deux coquillages avaient été enrobés et transformés en perles de toute beauté.

C'est alors que Laurie a compris pour la première fois qu'elle était adorable.

Nous sommes restées assises dans ce silence réconfortant qui suit le récit d'une histoire mémorable. Pendant ces moments paisibles, je pensais à toutes les fois où Laurie avait porté les pendants d'oreilles de la vérité pour moi.

Moi aussi, j'ai grandi dans un foyer d'alcooliques et, pendant des années, j'ai enterré mes souvenirs d'enfant. Mais Laurie m'avait rejointe dans le vestibule symbolique de l'empathie.

Ainsi, elle m'a donné le courage de dire les vérités cachées en chacune de ces histoires soigneusement enfouies : que l'alcoolisme n'est jamais la faute d'un enfant; que l'estime de soi est un cadeau de Dieu que chacun mérite, un bijou scintillant, hérité à la naissance, à être porté avec fierté pendant toute la vie; que même adulte, il n'est pas trop tard pour s'offrir les diamants brillants de l'estime de soi récemment trouvée, pour finalement me définir comme une personne sympathique.

Les enfants sont accourus vers la table, mimant la faim de façon dramatique en se roulant dans l'herbe et sur les bancs à pique-nique.

Pendant tout le reste de l'après-midi, nous avons été captives des interruptions des enfants. Nous avons coupé le saucisson en petits morceaux, nous avons essuyé le lait renversé, apprécié les culbutes maladroites et descendu des glissades beaucoup trop petites pour nous.

Au milieu de tout cela, Laurie m'a donné une petite boîte, un cadeau d'anniversaire enveloppé dans du papier fleuri garni d'une boucle dorée.

J'ai ouvert la boîte. À l'intérieur, il y avait une paire de pendants d'oreilles.

Nancy Sullivan Geng

Dans les heures les plus sombres, l'âme est régénérée et la force de supporter avec patience lui est donnée.

Heart Warrior Chosa

Merci d'avoir changé ma vie

J'ai rencontré Frankie le jour où je suis entrée dans sa classe de sixième année, jeune professeure en formation, pleine de peurs et d'inquiétudes. Je venais de passer deux ans comme adjointe dans une garderie et j'avais décidé d'aller à l'université en éducation pour devenir enseignante de maternelle. Comment m'étais-je retrouvée dans une classe de sixième année?

Frankie ne passait pas inaperçu. Il était assis au fond de la classe, se balançant sur sa chaise, les pieds sur son pupitre. Tel un Fonz* en miniature, les vêtements de Frankie étaient maculés de boue, un exploit dans cette ville gelée de Winnipeg, où personne n'avait vu de boue depuis des mois, seulement un mètre et plus de neige et de glace. Ses cheveux n'avaient pas été peignés depuis des lunes, et on pouvait lire dans ses yeux : « Essaie seulement de m'enseigner quelque chose, si t'en es capable! »

Leur professeur titulaire était en fin de rédaction de maîtrise. Au début de chaque semaine, il donnait un travail à chacun de ses élèves, puis il les envoyait à la bibliothèque ou ailleurs, pourvu qu'ils ne se mettent pas dans le pétrin, pour faire des « recherches personnelles ».

Le professeur avait décidé de me confier le seul groupe que sa conscience lui interdisait de laisser à lui-même — le groupe le plus faible en mathématiques — que des garçons, tous agités et aussi intéressés à apprendre les mathématiques que je pouvais l'être à apprendre le deltaplane. Frankie était comme les autres. Le professeur m'avait dit que la seule obligation de Frankie était

---

* Fonz : Personnage d'une série télévisée américaine très populaire.

d'être présent chaque jour. S'il se présentait, il avait la note de passage, même s'il ne faisait que rester assis, les pieds sur son pupitre.

Je me suis creusé la tête pour choisir un module de mathématiques qui pourrait retenir l'attention de ces neuf garçons chahuteurs. J'ai eu l'idée de baser mon cours sur les fractions et de les enseigner par le biais de recettes de cuisine. Nous avons fait de tout, des biscuits aux brisures de chocolat jusqu'à mon unique tentative de faire du pain. Au début, Frankie restait au fond de la classe, pas du tout intéressé à se joindre au groupe. C'est alors que j'ai promis aux garçons que tous ceux qui suivraient le cours jusqu'au bout viendraient manger avec moi chez McDonald's, un midi. Frankie a dit que je ne pouvais pas faire ça. Je lui ai répondu que je le pouvais et que je le ferais.

Chaque jour, Frankie s'intéressait un peu plus au cours. Au début de la deuxième semaine de mon aventure avec ces garçons, un miracle s'est produit. Frankie est arrivé, tout toiletté et portant des vêtements propres. À la fin de la troisième semaine, tous les garçons, y compris Frankie, avaient complété le cours et j'ai constaté qu'il me fallait maintenant tenir ma promesse et les emmener chez McDonald's. Ces garçons avaient travaillé fort! Quelle déception lorsque j'ai appris que la direction de l'école ne permettait pas à un enseignant stagiaire de quitter le terrain de l'école avec des élèves! Frankie avait raison — je ne pouvais pas le faire. J'ai été encore plus choquée lorsque le professeur titulaire m'a remis la pire évaluation de toute mon année de stage.

Déprimée et vaincue, je me suis confondue en excuses auprès des garçons, je les ai remerciés pour leur bon travail et j'ai ramassé mes affaires. Ce dernier jour de classe était aussi le jour de la danse de la Saint-Valentin pour les sixièmes années. C'était un vrai classique du genre — les garçons se tenaient à une extrémité du gymnase et les filles à l'autre. Quelques filles dansaient entre elles à leur bout du gymnase et c'était tout. J'étais assise dans les gradins avec une autre stagiaire-victime et nous savourions notre dernière journée au deuxième cycle du primaire avant de retourner à notre refuge du premier cycle pour le reste de l'année.

Soudain, le son strident du rock'n'roll a fait place à une douce musique de valse. Frankie a quitté le groupe des garçons et, montant dans les gradins, il m'a invitée à danser. Seuls au milieu de la piste de danse, tous les yeux rivés sur nous, Frankie et moi valsions en silence. À la fin de la danse, il s'est arrêté, m'a regardée droit dans les yeux et m'a dit : « Merci d'avoir changé ma vie. »

Ce n'était pas la magie des recettes et des fractions. Ce n'était pas la promesse d'un repas chez McDonald's. La seule raison de ce miracle, à mon avis, était que quelqu'un s'était intéressé à lui.

Si j'ai changé la vie de Frankie, il a aussi changé la mienne. J'ai découvert le pouvoir de l'amour, de la bonté et du respect dans une classe. La stagiaire qui se destinait à la maternelle a changé son orientation et est devenue enseignante auprès des enfants souffrant de difficultés d'apprentissage. Elle a passé plusieurs années très gratifiantes à enseigner au Canada et aux États-Unis, à la recherche de tous les Frankie du monde. Merci à *toi,* Frankie, pour avoir changé *ma* vie!

Randy Loyd Mills

Lorsque les enfants apprennent

Lorsque les enfants apprennent que le bonheur n'est pas dans ce qu'une personne possède, mais bien dans ce qu'elle est,

Lorsqu'ils apprennent que donner et pardonner sont plus satisfaisants que prendre et se venger,

Lorsqu'ils apprennent que la souffrance n'est pas soulagée par l'apitoiement, mais par la détermination et la force spirituelle,

Lorsqu'ils apprennent qu'ils ne peuvent contrôler le monde autour d'eux, mais qu'ils sont les maîtres de leur âme,

Lorsqu'ils apprennent que leurs relations seront meilleures s'ils placent l'amitié au-dessus de l'ego, les compromis au-dessus de l'orgueil, et l'écoute au-dessus des conseils,

Lorsqu'ils apprennent à ne pas haïr une personne dont les différences les effraient, mais plutôt de craindre ce genre de haine,

Lorsqu'ils apprennent qu'il y a de la joie dans le pouvoir d'encourager les autres et non dans le pseudo-pouvoir de les rabaisser,

Lorsqu'ils apprennent que les louanges des autres sont flatteuses, mais qu'elles n'ont aucun sens si elles ne vont pas de pair avec le respect de soi,

Lorsqu'ils apprennent que la valeur d'une vie est mesurée non pas par le nombre d'années passées à accumuler des biens matériels, mais par les moments passés à faire don de soi — en partageant la sagesse, en inspirant de l'espoir, en séchant les larmes et en touchant les cœurs,

Lorsqu'ils apprennent que la beauté d'une personne ne se voit pas avec les yeux mais avec le cœur; et que même si les temps difficiles et les épreuves peuvent ravager l'enveloppe extérieure, ils peuvent également forger le caractère et enrichir la personnalité,

Lorsqu'ils apprennent à ne pas juger les autres, sachant que chaque personne a des qualités et des défauts, et que de l'aide qu'on nous donne ou des blessures qu'on nous inflige dépendra l'émergence des unes ou des autres,

Lorsqu'ils apprennent que chaque personne a reçu le présent de son individualité et que le but de la vie est de partager le meilleur de ce cadeau avec le monde entier,

Lorsque les enfants apprennent ces idéaux et la façon de les mettre en pratique dans une bonne vie, ils cessent d'être des enfants — ils font le bonheur de ceux qui les connaissent et sont des modèles de valeur pour le monde entier.

David L. Weatherford

L'excellence académique débute avec une Studebaker 1951

En septembre 1956, mon meilleur ami, David Ford, et moi donnions tour à tour des coups de pied sur une boîte de conserve en route vers notre classe de troisième année. C'était un matin typique de septembre à Jal, au Nouveau-Mexique. Une odeur de pétrole brut et de poussière pesait lourd dans l'air matinal du désert.

Jusqu'alors, j'avais été un bon élève et j'avais aimé l'école; les choses avaient changé cette année. Même si nous n'y faisions rien de vraiment difficile, j'aurais préféré ne pas aller à l'école. Pendant les longues journées d'automne, nous colorions, nous faisions des additions et des soustractions et nous observions un serpent mort dans un pot de marinades. J'étais un blondinet avec une couette rebelle. Mes jeans étaient usés aux genoux bien avant que cela devienne la mode de les porter ainsi.

Nous avions nommé notre classe le donjon de torture de Madame Writt. Mme Writt insistait beaucoup sur une bonne apparence et, chaque jour, elle relevait les manquements dans notre tenue. Je semblais être sa cible favorite et, à mon grand chagrin, elle ne manquait pas de souligner que mes ongles étaient sales et mes souliers mal lacés.

Même si je ne devais en comprendre le sens que beaucoup plus tard, cette journée devait marquer ma vie. Pour toujours, je pourrais me souvenir et dire : « C'est ce jour-là que tout a commencé. »

La veille, nous avions tous colorié la même image : une petite fille aux cheveux frisés et avec des fossettes, assise sur un cheval de bois. Si tous avaient la même image, c'était sans doute pour comparer les résultats. Je n'ai jamais compris la raison d'être du coloriage; j'avais décidé que c'était une affaire de filles. David et moi en avions longuement parlé et nous avions décidé qu'en effet les garçons ne pouvaient pas exceller dans cette activité. Tout garçon qui pouvait colorier en expert une petite fille aux cheveux bouclés et avec des fossettes ne pouvait certainement pas exceller dans les « trucs de garçons », comme le tir aux lièvres ou jouer au football.

Quand j'ai pris ma place en classe, les autres élèves avaient le fou rire en montrant le tableau. À ma grande surprise, mon interprétation en couleurs de la petite fille aux cheveux bouclés était collée bien en évidence à gauche du tableau et on pouvait lire en grosses lettres écrites à la craie : « Le dessin de Terry ». Sur le côté droit du tableau, il y avait une autre interprétation de la même image, sous laquelle on avait écrit : « Le dessin de Sherry ». Sherry, c'était la « parfaite » Sherry Peirson. Sherry était jolie, propre et toujours bien habillée. Ses dessins étaient toujours parfaits, avec les bonnes couleurs et, bien sûr, elle ne dépassait *jamais* les lignes.

À mesure que Mme Writt prenait les présences, je sentais mon estomac se nouer et ma face rougir pendant que je m'enfonçais dans ma chaise. Soudain, mes pieds m'ont semblé démesurément grands et je ne savais que faire de mes grosses mains sales; je les ai donc enfouies dans mes poches. La tête me tournait et mon champ de vision s'est rétréci au point de ne plus voir que mon dessin collé au tableau. Il était bien là : la fille avait des cheveux bouclés violets et des lèvres vertes, elle était assise sur un cheval de bois rouge, les traits de crayons étaient irréguliers et dépassaient les lignes.

Je souhaitais tant avoir mieux fait, ou avoir la chance de me reprendre. J'espérais que le principal ordonne un exercice d'évacuation en cas d'incendie ou, mieux encore, que le feu prenne dans l'école et qu'elle soit détruite. Les Soviets lâcheraient peut-être la bombe sur notre pays et nous pourrions nous cacher sous nos pupitres et regarder tous les produits en papier s'enflammer sous l'effet de la chaleur incandescente. Rien de tel ne s'est passé et Mme Writt a lu mon nom.

« Terry, Terry Savoie, viens te placer à côté de ton œuvre. Je veux que toute la classe sache qui est responsable de ceci.

« Sherry, mets-toi à côté de ton œuvre. Maintenant, je vous demande laquelle de ces œuvres est la plus acceptable, celle de Terry ou celle de Sherry? »

« Celle de Sherry, madame. »

« Je voudrais vous faire remarquer que la tenue de la personne se reflète dans son œuvre. J'aimerais que vous ressembliez à Sherry; elle est un exemple éclatant de l'excellence. Ne faites pas ce que Terry a fait; il est l'exemple d'un raté. Voici l'image de l'échec et voici celle de l'excellence. Ça va, les enfants, reprenez vos places. »

C'était donc ma situation, le raté de la classe. Étrangement, en m'assoyant, je me suis senti à l'aise dans mon nouveau rôle. Mes parents m'avaient toujours dit : « Toute chose qui mérite d'être faite mérite d'être bien faite. » Je pouvais certainement réussir cela. En fait, je pouvais devenir le meilleur raté de l'histoire de l'école élémentaire de Jal. Je me suis senti libéré. Personne ne me contesterait ce titre; je pourrais faire le clown, dormir ou travailler de toutes mes forces à échouer et toujours mériter le titre officiel de Raté de la Classe. J'ai découvert que j'étais particulièrement doué pour ce nouveau rôle. J'étais fier de ma position et je n'ai jamais plus ressenti mon estomac se nouer à cause d'une mauvaise performance.

David, mon meilleur ami, était impressionné par ma performance et a commencé à me faire la lutte pour le titre. Il ne m'a jamais inquiété, car il n'avait pas été reconnu officiellement par une autorité en la matière comme je l'avais été. J'étais le meilleur cancre et j'avais mes lettres de créances pour le prouver.

Mon nouveau titre comportait sa part de désagréments. Je devais faire face au désappointement de mes parents à toutes les six semaines. J'ai été sermonné pendant de longues heures et j'ai eu la fessée régulièrement. Le plus difficile était de voir ma mère pleurer. Mais il faut ce qu'il faut.

Mes parents me disaient constamment que je n'étais pas stupide. Au contraire, ils faisaient tout pour m'encourager et me disaient que j'étais aussi intelligent que les autres, même plus que la moyenne. Ils étaient mes parents, et c'est ce que les parents étaient censés dire. Les « professionnels » connaissaient la vérité et ils s'étaient prononcés.

Ma vie est devenue assez facile une fois que je me suis « blindé » contre la peine de mes parents. L'école m'a promu avec mes compagnons de classe et a inscrit sur mon dossier « promotion chronologique », ce qui signifiait que j'étais assez âgé pour passer à la classe suivante. La direction m'a fait redoubler ma première année du secondaire, puis ma troisième. C'est alors que j'ai commencé à avoir des difficultés. Mes amis m'abandonnaient, même David avait été promu et je restais avec les plus jeunes. Après avoir échoué ma troisième secondaire, maman a suggéré qu'on me donne un professeur particulier en algèbre et en anglais. On a donc décidé que je prendrais des cours de rattrapage pendant l'été de 1964 et chaque été par la suite, tant que mes notes ne seraient pas meilleures.

Le directeur de l'école secondaire, M. K.B. Walker, a organisé une rencontre avec mes parents et moi. Il était si près de moi que je sentais l'huile dans ses cheveux roux. Il m'a dit des paroles terrifiantes qui ressemblaient à ceci : « Savoie, tu dois comprendre que, peu importe le nombre d'années qu'il te faudra, tu resteras en troisième année tant que tu n'atteindras pas le même niveau que les autres. » Il a ensuite regardé mon père et a ajouté : « Herman, tu es d'accord avec moi? »

« Oui, monsieur. »

À cette époque, je m'intéressais aux autos et aux camions. Tout ce qui était mécanique me fascinait. Papa m'avait aidé à acheter une Studebaker 1951 et nous avons consacré plusieurs week-ends à la restaurer. Quand nous l'avions poussée dans le garage, elle était toute rouillée et rien ne fonctionnait. Mais pour moi, sa forme élancée de fusée était la chose la plus excitante que j'avais jamais vue. Nous avons enlevé le capot et nous avons entrepris nos travaux en commençant par la croûte de saleté autour du carburateur. Nous nettoyions et grattions. Je travaillais à temps partiel à l'épicerie Alexander et j'investissais tout ce que je gagnais dans des pièces.

Lentement, l'auto a repris vie. Nous avons rebâti le vieux six cylindres et installé une nouvelle batterie de six volts. Je me souviens clairement de ce vendredi soir de juillet où j'attendais sur le balcon que papa rentre du travail pour que nous puissions brancher la batterie et faire démarrer le moteur. Papa est entré dans la maison et nous avons dit à maman que nous ne mangerions pas — nous avions des choses importantes à faire. J'ai brossé en douceur les câbles avec une brosse métallique. Ensuite, j'ai serré avec respect les attaches de sept-seizièmes de pouce (environ 1 cm). Papa a décidé de vérifier si le courant de six volts transmettait de la vie à la vieille fusée. Il a tiré la manette des phares et celui de droite s'est allumé. La lumière se reflétait sur mon T-shirt blanc et papa a craché un peu de tabac Beech-Nut par la fenêtre du conducteur en relevant les sourcils. Il a sorti la tête et a dit : « Fils, mets environ deux cuillerées à table d'essence dans ce carburateur et voyons si le moteur tourne. »

Il a donné deux coups d'accélérateur et fermé le *starter* à moitié, a tourné la clé et appuyé sur le bouton chromé du démarreur. Le démarreur a entraîné le moteur sur un tour, puis deux, et les rotations ont augmenté. Une flamme d'un orange brillant est sortie de l'échappement et le moteur a pris vie dans un nuage de fumée noire. Puis, l'air s'est éclairci. Le moteur s'est mis à ronronner doucement, même au ralenti. J'ai crié, papa a souri et maman est venue dans le garage. Elle a mis son bras autour de mes épaules et m'a dit : « Ça marche! Tu l'as fait marcher! Tu es doué pour ce genre de travail, n'est-ce pas? »

J'ai répondu « Ouais… avec l'aide de papa, j'imagine que c'est vrai. » Nous avons ensuite repeint la voiture et, avec du mortier de ciment humide, nous avons redonné toute sa brillance au chrome. Une véritable œuvre d'art.

Si je vous parle de la Studebaker, c'est que mon travail sur cette voiture a fait l'objet de conversations fréquentes pendant mes cours de rattrapage en algèbre. Pour que vous compreniez bien la métamorphose qui s'est produite pendant l'été de 1964, je dois d'abord vous parler de Montrella Ruffner.

Mes parents n'ont jamais abdiqué à mon sujet et n'ont pas craint d'essayer toutes sortes de choses pour m'aider. Montrella était membre de notre église et elle était enseignante. Mes parents l'ont convaincue de me donner des cours particuliers. Elle ne m'a rien dit que je n'avais déjà entendu de mes parents, mais, en tant qu'enseignante, elle était une experte en matière de succès et d'échec. Montrella était une femme robuste et enthousiaste. Elle était plutôt enveloppée et la première chose qu'elle faisait lorsque j'arrivais pour mes cours était de me serrer dans ses bras. Lorsque Montrella vous prenait dans ses bras, il vous fallait une semaine pour en revenir. Nous commencions chaque cours en parlant de mon sujet favori, ma Studebaker. Montrella s'y connaissait autant en automobiles que la plupart des professeurs d'algèbre de trente-cinq ans. Par contre, elle semblait aimer m'entendre parler de bielles, de segments de pistons et de carburateurs. Elle était captivée par mes explications éloquentes sur l'ordre et le réglage de l'allumage.

Alors, elle me demandait : « Est-ce vraiment ce que tu aimes faire? Aimerais-tu devenir mécanicien? » À mon avis, il n'y avait rien de spécial à être mécanicien. La plupart de mes amis faisaient la mécanique de leur voiture. J'ai laissé entendre, par contre, que ce serait peut-être quelque chose que j'aimerais faire. Après tout, que pourrait faire d'autre un raté académique comme moi?

Cette robuste autorité en matière de succès a entrepris de me mettre des idées dans la tête. Elle me disait combien le fonctionnement d'une voiture était presque magique et comment des gens pouvaient les réparer comme des médecins tout-puissants. Elle m'a demandé d'imaginer ce que serait le monde sans mécaniciens. « Sûrement, nous devrions encore atteler nos voitures et puiser l'eau dans un puits », a-t-elle dit avec autorité. Elle m'a parlé des magiciens de la mécanique qui avaient réparé sa voiture chez Kermit Chevy House. Elle me racontait qu'ils portaient des bleus de travail avec leur nom et « Chevy Mechanic » brodé dessus.

Elle m'a dit : « Mon garçon, tu seras un des leurs, non seulement ça, mais je crois que tu peux devenir Maître technicien un de ces jours. Peux-tu t'imaginer dans cette tenue en train de travailler et être réputé le meilleur de tous? Tiens, prends Jimmy Lewallen. Il est un des hommes les plus intelligents et les plus respectés de Jal. » Jimmy était l'expert-mécanicien de notre petite ville et un homme d'une excellente réputation.

C'est alors qu'elle m'a eu, elle m'a gentiment ramené à l'algèbre en disant : « Tu seras le meilleur, n'est-ce pas? »

« Oui, madame. »

« Jeune homme, sais-tu qu'il te faudra franchir des étapes avant d'en arriver là? »

« Oui, madame », ai-je dit d'une voix enthousiaste.

« Sais-tu ce que tu devras faire en premier pour être le meilleur? »

« Qu'est-ce que c'est, madame? »

« Tu devras réussir en algèbre. Toute personne qui peut faire les choses magiques que tu as faites avec cette vieille voiture peut faire de l'algèbre et y réussir très bien. Est-ce que tu comprends ça, mon garçon? Le comprends-tu? »

« Oui, madame. »

Elle a alors ajouté : « Attaquons donc cette algèbre et insufflons-lui de la vie? D'accord? »

Cet automne-là, j'ai eu un B en algèbre — mon premier B depuis la deuxième année. En fait, je suis devenu un élève qui avait toujours des B avec un A occasionnel.

En 1969, je suis entré dans l'aviation. Mes supérieurs ignoraient qu'autrefois j'avais été un cancre et je ne leur ai pas dit. Pendant ma formation de base, j'ai été ravi quand on m'a dit que j'avais beaucoup d'aptitudes pour la mécanique et qu'ils allaient m'envoyer à l'école des avions à réaction à la base militaire Chanute AFB I11. Pour moi, c'était l'équivalent d'avoir été choisi demi par les Cowboys de Dallas.

Mes victoires ne se sont pas limitées à la mécanique. J'ai eu plusieurs postes différents et intéressants pendant ma carrière de vingt-cinq ans et, en 1987, j'ai été sélectionné pour être nommé Premier Sergent de l'Année des Forces armées américaines, « la crème de la crème. » Des cours du soir m'ont permis d'obtenir deux diplômes universitaires et maintenant que j'ai quitté l'armée de l'air, j'enseigne les sciences aérospatiales au Central High School de San Angelo, au Texas.

L'excellence académique commence parfois dans des endroits étranges et peu orthodoxes. Dans mon cas, l'excellence académique a débuté avec une Studebaker 1951.

Terry A. Savoie

Un kilomètre de plus

Quelqu'un a dû faire une erreur, pensai-je en frôlant la cime de la forêt vietnamienne dans mon Cessna non armé. La radio avait annoncé des troupes ennemies, mais je survolais le site en scrutant l'herbe à éléphant, sans rien voir.

Ma tâche en tant que contrôleur aérien de première ligne pour la U.S. Air Force, en 1966, était d'identifier les cibles ennemies et de transmettre l'information par radio pour que le QG envoie les avions d'attaque. Ce matin, ma patrouille avait été routinière. Soudain, ma radio s'est mise à crépiter : « Bébé Terrier, ici Terrier. »

C'était le capitaine Jim Ahmann qui, avec des mots de notre code personnel, appelait notre avant-poste de Dong Tre. Comme j'étais son subalterne, j'avais donc hérité du code Bébé. Mon petit monoplace monomoteur, qui n'était armé que de bombes fumigènes pour identifier les cibles, s'appelait Chien de chasse.

Ahmann a poursuivi : « On nous a rapporté avoir vu 200 ou 300 Viêt-congs (VC) à découvert. » C'était un avion d'observation de l'armée qui avait fait le rapport.

« En route », ai-je répondu en inclinant Chien de chasse en direction des coordonnées.

Rendu à l'endroit indiqué, je ne pouvais voir l'avion d'observation. J'ai scruté la zone à basse altitude, inquiet des tirs des VC au sol, car je me souvenais des trous que j'avais déjà vus dans le mince revêtement de Chien de chasse. J'ai fait le tour de nouveau, toujours rien.

« Terrier, il n'y a rien ici. » J'ai entendu nos chasseurs qui surveillaient l'autre fréquence radio. « Dites aux chasseurs de rester en altitude. » J'allais interrompre mes recherches. J'avais fait mon travail.

« Vraiment? » a demandé une voix bourrue. J'ai fait une grimace. Malgré le temps passé, je pouvais presque voir les traits anguleux dans mon pare-brise : le Père John Mulroy, un de mes professeurs au Archbishop Stepinac High School de White Plains, New York.

Il m'avait épinglé au mur à l'occasion de mon premier travail de classe. Je l'avais remis en toute confiance, convaincu qu'il était complet.

Ce n'était pas l'avis du Père Mulroy. Il m'a donné un C. J'étais en état de choc. Il savait que je voulais aller à l'Académie de l'Air Force et qu'il me fallait de bonnes notes. Lorsque j'ai contesté la note C, il m'a fixé de ses yeux noirs perçants. « C'est ce que le travail valait », a-t-il rugi. Il m'a ensuite énuméré une longue liste de sources d'information. « Les avez-vous consultées? »

« Je n'ai pas cru que c'était nécessaire », ai-je dit faiblement.

« Vous n'avez fait que le strict nécessaire », dit-il. « Lorsque le Christ nous demande de faire un kilomètre de plus, il parle de *tous* les domaines de notre vie. » Le Père Mulroy a pianoté sur son pupitre. « Dans la vraie vie, cela peut signifier la différence entre obtenir une promotion — ou sauver une vie. Ne vous imaginez pas que vous pouvez vous la couler douce et obtenir vos étoiles de général. »

J'ai fait plus de recherche pour mon travail suivant. Ce n'était toujours pas assez pour le Père Mulroy. « Dieu vous a donné plus que vous ne croyez », dit-il. « Ne le sous-estimez pas. »

J'essayais de mon mieux, il me rabrouait toujours. Plus il me rabrouait, plus je serrais les dents. « Je vais lui montrer », me suis-je dit. C'était exactement ce qu'il souhaitait.

Lorsque je n'ai pas été retenu au poste de demi de l'équipe de football, j'ai opté pour la défense. Je me suis appliqué à devenir un plaqueur féroce et j'ai fait partie de l'équipe partante. J'espérais que ceci m'aiderait à être accepté à l'Académie.

Après avoir été refusé à l'Académie, je me suis inscrit à l'Université de Pennsylvanie, décidé à obtenir de bonnes notes qui me permettraient d'être accepté à l'Académie, l'année suivante. J'ai eu de bonnes notes, j'ai fait partie de l'équipe partante au football, j'ai étudié les guides d'étude de l'Académie, j'ai fait une nouvelle demande et j'ai été accepté.

Après ma graduation, je me suis porté volontaire pour le Vietnam, en tant qu'observateur aérien aux avant-postes, une des assignations de vol les plus dangereuses de toutes les forces armées. Rendu au Vietnam, je me suis joint au Projet Delta — les équipes de chasseurs-tueurs d'élite des Bérets Verts qui opéraient derrière les lignes ennemies.

Aujourd'hui, dans mon Chien de chasse, je retrouvais le Père Mulroy une fois de plus.

Par radio, j'ai dit à la base : « Quelque chose ne va pas. J'ai besoin de temps. Donnez-moi une autre fréquence. Je dois parler à l'observateur avant de l'armée. »

Au moment où je passais sur une nouvelle fréquence, un essaim d'hélicoptères de combat est passé en trombe sous moi, décrivant un grand arc comme s'ils cherchaient quelque chose.

J'ai appelé l'avion de l'Armée sur la nouvelle fréquence. Pas de réponse. J'ai essayé encore et encore de rejoindre l'avion mystérieux. Je ne pouvais abandonner. Je devais rejoindre ce type!

Enfin une réponse : « Ici Sundance X Ray. »

« Vous avez une cible? » ai-je demandé.

« J'ai 300 VC à découvert, je cherche nos hélicoptères de combat. »

Il était évident que Sundance n'était pas près des coordonnées qu'on m'avait transmises. *Où* était-il? Je devais le trouver. Le temps commençait à manquer.

« Sundance, décrivez-moi le paysage que vous survolez. » Il a parlé d'une rivière sinueuse et j'ai cherché à la localiser sur ma carte. « Ça va. Je crois que je sais où vous êtes. »

J'ai poussé la manette des gaz jusqu'à ce que mon Cessna atteigne 180 kilomètres/heure. J'ai bientôt aperçu l'avion d'observation en altitude.

C'était un monoplace semblable au mien. « Pointez-moi vers la cible », dis-je par radio. En regardant par-dessus mon épaule, j'ai vu que les hélicoptères de combat nous suivaient. « Là! » dit-il, « près du champ vert pâle. Ils se dirigeaient vers l'ouest et ont disparu dans les arbres. »

En regardant ma carte, j'ai vu que nous étions à 10 kilomètres des coordonnées qu'il nous avait d'abord transmises.

« Vous êtes certain? » demandai-je en survolant la zone.

C'est alors que je les ai aperçus. Une colonne qui sinuait dans l'herbe à éléphant derrière une butte. Ils étaient 200 ou 300, en tenue de campagne. En descendant un peu, j'ai pu voir qu'ils portaient la tenue des VC — un mélange d'uniformes foncés.

En montant vers une altitude plus sécuritaire, j'ai senti le petit coup de coude familier. Quelque chose n'allait pas. La bouche sèche, j'ai passé plus près d'eux en m'attendant à une volée de balles et au bruit sourd des gros calibres. J'allais larguer mes bombes fumigènes pour indiquer leur emplacement aux hélicos lorsque quelque chose m'a encore fait hésiter. Ces hommes ne tentaient pas de se cacher. Ils m'*avaient* sûrement vu. Nous savions par contre que les VC pris à découvert se comportaient souvent comme des troupes amies et se permettaient même de faire un signe de la main aux avions qui passaient.

Les hélicoptères de combat, en formation d'attaque, commençaient à s'approcher. Encore une fois, quelque chose m'a empêché de m'écarter de la ligne de tir. Dans ma tête, j'entendais l'écho distant de la voix du Père Mulroy. Tu dois t'en assurer, John. Sois certain.

Il fallait que j'aille voir de plus près. J'ai réduit les gaz du Cessna et je me suis laissé planer vers l'herbe à éléphant où se trouvait la colonne en m'attendant à une rafale de projectiles. Mon cœur n'a fait qu'un tour. C'étaient nos troupes vietnamiennes — des forces anti-guérilla qui portaient des uniformes semblables à ceux des VC — ils avaient des carabines américaines et portaient des foulards de couleur. *Des alliés!*

« Cessez l'opération! » criai-je à la radio. Malgré cela, les hélicoptères de combat s'approchaient toujours. Ils ne pouvaient m'entendre, étant branchés sur une fréquence différente.

J'ai tiré le manche à balai et mis les gaz au fond et je me suis lancé dans une ascension effroyable. Mon appareil a vibré dans un virage incliné à la verticale, puis a décroché. J'ai roulé sur la gauche pour terminer mon virage en U devant et 150 mètres au-dessous des hélicos de combat qui approchaient, en me plaçant entre eux et nos alliés. Ils ne pouvaient faire feu sans me toucher.

« Sundance, fais reculer les hélicos », criai-je dans la radio. « Ce sont des alliés! »

Le message a fini par passer et les hélicos ont interrompu leur attaque.

Le pilote de l'armée m'a suivi jusqu'à Dong Tre. Il s'est avéré qu'il était lieutenant, nouvellement arrivé sur le front et visiblement contrarié lorsqu'il a compris ce qui s'était passé. Il avait fait une erreur de bonne foi.

La DFC (Distinguished Flying Cross) qu'on m'a remise suite à cette mission a signifié bien plus pour moi que toutes les autres décorations que j'avais reçues pour mes performances au combat.

Après mon retour du Vietnam, j'ai reçu un mot du Père Mulroy. « J'avais une confiance absolue en vous et je savais que Dieu vous guiderait et vous protégerait », a-t-il écrit.

Aujourd'hui, je fais partie de l'association des anciens et, comme le Père Mulroy, j'enseigne et j'exige de mes élèves du St. Francis College dans Brooklyn, New York, qu'ils fassent un kilomètre de plus et qu'ils rendent des travaux qui répondent à mes critères — et à ceux du Père Mulroy. Celui-ci est décédé en 1994 à l'âge de soixante-dix-sept ans, mais son message est bien vivant. Mes élèves savent qu'ils ne peuvent se la couler douce et espérer atteindre les sommets.

John F. Flanagan Jr.

Disciplez-vous?

Après avoir donné à mes élèves de la maternelle un cours sur Jésus et ses disciples, j'étais très fière. C'était une leçon modèle, elle méritait un A, et comprenait un jeu, une chanson et une histoire.

À la fin du cours, j'ai lancé une période de questions. Avec fierté, je regardais mes élèves lever la main, tout excités. Mon cours avait de toute évidence été un succès. L'enseignement avait trouvé sa récompense. J'allais maintenant leur permettre de m'abreuver des nouvelles connaissances que je leur avais si habilement transmises.

J'ai demandé à Brittney de répondre. Comme elle agitait la main plus frénétiquement que les autres, j'étais certaine que ses observations seraient rien de moins que brillantes. « Brittney, que peux-tu me dire à propos de Jésus et de ses disciples? » ai-je demandé avec enthousiasme.

« Ben », lança-t-elle, confiante comme seule peut l'être une enfant en maternelle, « je voulais simplement vous dire que chez nous on *disciple* tout. On *disciple* le plastique dans un contenant spécial, on *disciple* le verre et on *disciple* le papier également, chacun dans son contenant spécial. Maman dit que c'est ainsi qu'on sauve la terre. »

J'ai fait une pause, j'ai pris une profonde respiration et j'ai dit : « Préparons-nous pour le déjeuner. »

Christine Pisera Naman

C'est une maison... C'est une vache... C'est Madame Burk !

Quand la sage-femme a confirmé ma grossesse, je travaillais comme assistante-enseignante dans une classe de quatrième année. Pour éviter le barrage inévitable de questions, j'ai décidé de l'annoncer à mes élèves le plus tard possible. Mais je n'avais pas prévu que Natalye déterrerait la nouvelle comme un sanglier à la recherche de truffes.

Natalye était devenue grande sœur récemment et elle se considérait une experte sur la grossesse. Comme sa mère n'était plus enceinte, Natalye s'était dit que c'était le tour de quelqu'un d'autre et aucune femme n'échappait à ses soupçons. Elle a toisé son enseignante toute mince et a claironné : « Mme Daily est enceinte. Je le sais. » La nouvelle s'est répandue jusqu'à ce que Mme Daily la nie catégoriquement. Alors, Natalye s'est mise à examiner Mme Scofield qui a été chaleureusement félicitée par une bande d'enfants de neuf ans jusqu'à ce que cette rumeur soit, elle aussi, étouffée. Enfin, mon tour est venu. Je m'attendais à ce que Natalye se mette à m'examiner et j'avais préparé quelques réponses évasives parce que je ne voulais pas mentir outrageusement.

Elle s'est approchée de moi avec son entourage de trois autres petites filles et m'a demandé (elle m'a plutôt dit) : « Mme Burk, quand votre bébé naîtra-t-il? Parce que je *sais* que vous êtes enceinte. » J'ai répondu en riant : « Natalye, tu crois toujours que quelqu'un est enceinte. » Mais elle n'a pas lâché prise. Chaque matin, elle souriait de son plus beau sourire et me disait : « Vous pouvez me le dire, Mme Burk. Vous allez avoir un bébé, j'le sais! » J'ai répondu en corrigeant sa grammaire. « Je le sais. Pas, j'le sais! »

Elle continuait en faisant attention à son langage pour que je ne puisse m'en servir comme porte de sortie. J'ai tenté de la distraire en lui demandant : « Pourquoi tu me demandes cela? Ai-je pris du poids? » Elle a fini par m'épuiser. J'ai cédé et je lui ai dit que, oui, mon bébé naîtrait en juin. Il me restait six longs mois. Natalye rayonnait, fière de son titre de reine des « démasqueuses de femmes enceintes ». Peu importe qu'elle se soit trompée une demi-douzaine de fois auparavant, elle était tombée pile dans mon cas.

La nausée du matin est difficile pour toutes les femmes, mais les enseignantes enceintes méritent une reconnaissance particulière parce qu'elles doivent utiliser la même salle de toilette que des garçons de neuf ans qui ne visent pas toujours droit. Qu'il me suffise d'ajouter que je préférais utiliser la toilette réservée aux professeurs lorsque le temps me le permettait.

Pendant toute l'année scolaire, j'ai dû répondre à une foule de questions, allant de « Votre bébé aime-t-il que vous mangiez des cornichons? » à « Où vont les pets du bébé? » Milton était renversé parce que je lui ai dit que je n'avais pas de préférence pour un garçon ou une fille. « Madame Burk, comment pouvez-vous désirer une fille? Les filles sont tellement *répugnantes*! Ben, sauf que vous n'êtes pas si mal. »

Deux des filles aimaient donner un baiser d'au revoir au bébé chaque jour. Quand quelques garçons les ont taquinées en disant : « Hope et Serena sont en amour avec Mme Burk! », les filles les ont superbement ignorés et se sont penchées pour embrasser et flatter mon ventre. De retour à la maison, j'ai dû prendre du détachant à lessive pour nettoyer les marques de doigts au jus de raisin et les empreintes de doigts à la graisse de pizza sur ce qui avait autrefois été ma taille.

Un jour, Kendell est sorti de son brouillard perpétuel pour interrompre la leçon de mathématiques et lancer : « Mme Burk, êtes-vous enceinte? » Comment cette information avait-elle pu lui échapper? À huit mois, je débordais de mes vêtements de maternité depuis des semaines. Freddie a parfaitement résumé mes pensées quand il a crié : « Hé! où tu étais? Elle est aussi grosse qu'une maison! »

Chaque fois qu'il en avait la chance, Zeke aimait me répéter : « Ça va faire vraiment mal, madame Burk. Vous allez probablement pleurer. » Sa prophétie a inspiré Yi-Hsuan à dessiner une image de moi sur un lit, les genoux surélevés et de grosses larmes de crocodile coulant de mes joues. Dans une bulle au-dessus de la tête, un seul mot en gros caractères : OWWWCH!

Pendant la récréation, Willa a pointé mon ventre et m'a demandé : « Où le bébé sortira-t-il? Là, ou… », elle a plié son doigt vers le bas et m'a regardée de côté, « euh, vous savez, là, en bas? » Ennuyée par mes explications du processus d'accouchement naturel et des césariennes, elle était tout de même bien heureuse d'avoir pu impunément dire quelque chose qui était à la limite du langage grossier.

Jon a dit à sa classe d'éducation physique que j'allais souvent à la salle de bains parce que le bébé était assis sur ma vessie.

Je croyais avoir dépassé l'âge de rougir. Moira m'a prouvé le contraire lorsqu'elle a dit au principal qu'après sa naissance, le bébé me téterait « comme une vache ».

Comme je ne devais pas accoucher avant l'été, les enfants ont donc décidé de faire des cadeaux pour le bébé avant la fin des classes. Ainsi donc, un jour de pluie, selon une idée que j'avais prise dans un magazine, j'ai apporté des assiettes de carton et des crayons feutres non toxiques et j'ai dit que les nouveau-nés aimaient regarder des images de visages. J'ai demandé à tous les élèves de dessiner leur portrait sur une assiette de carton pour que je puisse montrer mes merveilleux élèves au bébé. Les résultats ne ressemblaient pas du tout à ce que prévoyait l'article : des nez retroussés et des sourires édentés. Les « créations » qui m'ont été remises auraient mieux convenu aux rêves de Stephen King qu'à la chambre d'un bébé. De la salive mauve qui coulait de crocs, de la morve vert fluo qui coulait de narines, c'était à faire peur.

Un de mes bons souvenirs me vient de Crystal, une petite qui avait tellement de difficulté à lire qu'elle refusait de lire à haute voix en classe ou même dans un groupe de lecture. Par contre, elle aimait rentrer tôt en classe après le repas du midi pour lire des livres pour débutants « au bébé ». Elle se penchait et murmurait très fort à mon ventre : « Voilà, c'est l'histoire d'un chat qui peut voler. Tu écoutes, bébé? »

Ce bébé, tant aimé toute l'année, est né à peine cinq jours après la fin de l'année scolaire, trois pleines semaines avant terme. À la rentrée des classes, l'automne suivant, j'ai organisé un déjeuner avec « mes enfants » dans leur ancienne classe et j'y ai amené ma fille, Kayla. Les enfants se sont placés autour d'elle et elle les a regardés sérieusement jusqu'à ce que le bouffon de la classe entame « *Oh, what a beautiful baby!* » Les autres ont ri, et Kayla aussi. C'est alors que les questions et les commentaires ont de nouveau fusé de partout.

« Madame Burk, est-ce que je peux lui donner un bretzel? »

« Est-ce que vous avez eu aussi mal que je vous l'avais dit? Avez-vous pleuré? »

« Quelle est sa couleur préférée, je voudrais lui faire un dessin. »

« Elle est assez jolie… pour une fille. »

Peu après le départ des enfants vers leur propre classe, leur professeure m'a dit qu'elle était enceinte et qu'elle allait à la cafétéria tous les jours pour acheter du lait, tout comme moi, l'année précédente. Je lui ai demandé si les enfants savaient qu'elle était enceinte et elle m'a dit qu'elle ne prévoyait pas leur dire avant quelques mois. Je n'ai pu m'empêcher de sourire en attachant Kayla dans son siège d'auto avant de partir.

Méfiez-vous de Natalye, pensai-je.

April Burk

[NOTE DE L'ÉDITEUR : Tous les noms ont été changés.]

De quelle couleur êtes-vous?

En ma qualité d'enseignante de deuxième année dans une école d'un quartier défavorisé, je dois souvent répondre à des questions qui n'ont vraiment rien à voir avec la matière au programme de la journée — des questions qu'on ne retrouve dans aucun examen national normalisé. Quelques-unes peuvent être recyclées en travaux de recherche pour la classe (« Madame Eastham, pourquoi les papillons ont-ils des couleurs différentes? », « Pourquoi le gazon meurt-il en hiver pour renaître au printemps? ») D'autres sont beaucoup plus lourdes de sens et, souvent, elles n'ont pas de bonne ou de mauvaise réponse.

Comme je ne suis pas une personne à étouffer la curiosité, nous profitons souvent de ces occasions, lorsqu'elles se présentent, pour en discuter brièvement en classe. Je laisse chacun s'exprimer sur le sujet et je leur dis ensuite que nous pouvons chacun avoir notre propre idée. (« Pourquoi avons-nous des devoirs *tous les soirs*? », « Les anges existent-ils vraiment? »)

Notre discussion sur les différences a débuté assez innocemment. J'ai demandé à la classe si un homme très grand était bon ou mauvais. Les élèves étaient d'accord qu'on ne peut dire si quelqu'un est bon ou mauvais simplement parce qu'il est grand. Je leur ai dit que je connaissais une personne qui ne pouvait pas marcher facilement et qui se déplaçait en fauteuil roulant la plupart du temps. Je leur ai demandé si cette personne était mauvaise ou méchante parce qu'elle se déplaçait en fauteuil roulant et ils ont répondu qu'on ne pouvait pas le dire. Nous avons continué dans cette veine pendant quelque temps et nous en sommes venus à la conclusion que la différence ne fait pas qu'une personne soit bonne ou méchante, ça ne fait que rendre cette personne différente.

J'ai voulu amener la discussion sur un plan plus personnel et leur faire explorer nos propres différences. Nous avons parlé du fait que nous étions tous différents les uns des autres, qu'il n'y a pas deux personnes exactement semblables, que même les jumeaux ont des personnalités ou des traits différents qui les caractérisent individuellement. J'ai poursuivi en leur disant que j'étais différente de tous les autres dans la classe parce que j'étais la plus grande. J'étais aussi différente parce que j'étais la seule à habiter à Red Oak, alors que tous les autres habitaient à Dallas.

Je prévoyais ensuite demander à chacun d'expliquer à la classe en quoi il était différent. Mais avant que j'aie pu demander à un premier élève, mon étudiant le plus calme a levé la main et a dit : « Madame Eastham est différente parce qu'elle est d'une autre couleur. »

En y repensant aujourd'hui, je réalise que si cette phrase avait été prononcée dans une pièce où il y aurait eu quinze adultes, ce simple énoncé d'une vérité aurait été suivi d'un lourd silence, pendant que tous, avec des regards gênés, auraient attendu que quelqu'un le rompe. Ce n'est pas ainsi que cela se passe dans une classe de quinze enfants de deuxième année. Ils ont accueilli cette phrase avec enthousiasme!

« C'est vrai, Madame Eastham est blanche. »

« Non, elle n'est pas blanche, elle est couleur pêche! »

« Je crois qu'elle est vraiment juste brun clair. »

« Elle ressemble à de la crème. »

« Elle est comme jaune. »

« Non, elle est juste très luisante. »

En tentant de masquer mon sourire, j'ai annoncé aux étudiants qu'ils pouvaient poursuivre leur discussion en petits groupes pendant que j'allais porter le rapport des présences au bureau. J'ai à peine eu le temps de sortir de la classe avant de pouffer de rire de bon cœur. J'ai ri jusqu'au bureau et j'ai raconté l'anecdote à un autre professeur qui se trouvait là. J'avais hâte de retourner en classe pour entendre leur discussion sur ce sujet!

Quand j'ai ouvert la porte, ils avaient déjà repris leurs places. Ils avaient terminé leur discussion. (Zut! Je l'avais ratée!) J'ai choisi un porte-parole pour le groupe. Il a dit qu'ils savaient de quelle couleur j'étais, mais qu'ils voulaient savoir s'ils avaient raison ou non. J'ai répondu qu'il n'y avait qu'une seule bonne réponse et que je leur dirais s'ils avaient deviné correctement ou non. C'est alors qu'il m'a dit que la classe avait décidé que j'étais incolore.

Incolore? J'ai tout de même réussi à contenir mon rire. Comment en étaient-ils arrivés *à cela*? J'ai été sauvée par la cloche, car il était temps pour eux de se rendre au gymnase. Je leur ai dit que nous pourrions en reparler à leur retour du gymnase et je les ai libérés. Aujourd'hui, je sais que *quelqu'un* veillait sur moi.

En corrigeant les devoirs, j'ai repensé à notre matinée. Je me suis rappelé que, lorsque j'assistais à des conférences, des ateliers et même lors de dîners, on me demandait souvent : « Combien de vos élèves sont noirs? Combien avez-vous d'élèves blancs dans votre classe? Avez-vous beaucoup d'hispaniques? » Souvent, je devais m'arrêter pour chercher la bonne réponse. Combien d'élèves noirs? Je sais que j'ai quinze enfants. Y a-t-il dix noirs et cinq hispaniques, ou onze et quatre?

La personne qui me pose la question est souvent étonnée et perplexe que je ne connaisse pas la composition ethnique de ma classe. J'imagine que, lorsque j'enseigne, j'enseigne à des enfants, non à des couleurs. J'ai soudain compris qu'il en était de même pour mes élèves. Ils ne me voient pas blanche ou noire ou hispanique; ils me voient comme une personne, quelqu'un qui se soucie d'eux et qui les encourage à faire de leur mieux en travaillant fort avec eux chaque jour.

Quand mes élèves sont revenus en classe, ils parlaient encore de notre discussion du matin et ils m'ont suppliée de leur dire s'ils avaient tort ou raison. J'ai dû leur dire la vérité. Ils avaient parfaitement raison. J'étais *incolore!*

Aujourd'hui, quand on me pose l'inévitable question lors d'un dîner, d'un congrès ou d'un atelier — « Combien d'élèves noirs, hispaniques et blancs avez-vous dans votre classe? » — j'ai la réponse toute prête qui marche à tout coup, sans chercher et sans compter. Je regarde cette personne droit dans les yeux et je lui dis : « Aucun, ils sont tous incolores. »

Melissa D. Strong Eastham

4

LA MORT ET LES MOURANTS

Mon cœur,
si quelqu'un devait te dire
que l'âme périt comme le corps,
réponds que la fleur se fane
mais que la semence reste.
C'est la loi de Dieu.

Kahlil Gibran

Les souliers de Tommy

J'avais décidé de donner ces souliers à Cameron et à Christy, si seulement j'avais pu me rappeler où je les avais mis. J'avais déjà cherché dans tous les endroits où pouvait se trouver une vieille paire de souliers de course et j'en étais à explorer de nouvelles possibilités. Même si je les avais gardés pendant près de vingt-cinq ans, il me semblait que c'était un bien mince souvenir à remettre aux jumeaux de treize ans dont le père, Tommy, venait de mourir à l'âge de quarante ans.

J'avais rencontré Cameron et Christy peut-être une demi-douzaine de fois quand ils étaient petits, mais je suis certain qu'ils étaient trop jeunes alors pour se souvenir de moi maintenant. Oh, Grand-Détenteur-de-Don-de-Souliers-Usés. Comment vais-je leur expliquer la chose? Leur père a été témoin de tant de premières dans ma vie. Certaines dont je me rappelle et d'autres totalement oubliées.

La première fois que j'ai songé sérieusement à m'enfuir, j'ai téléphoné à Tommy. Lui, son frère et ses deux sœurs étaient tous adoptés. Je trouvais étonnant que des gens adoptent quatre enfants et que, malgré tout, ils soient une famille fonctionnelle. Je le pense encore. J'avais cru qu'il pourrait me donner un point de vue auquel je n'avais pas pensé et, bien sûr, j'avais raison. Tommy n'était jamais à court d'idées et, parfois, son impression de la vie me rendait confus. Mais cette nuit-là, j'ai apprécié son aide, car je ne me suis pas sauvé.

Tommy était une sorte de magicien. S'il pêchait et attrapait un poisson-chat de trente centimètres, il en avait atteint quarante-cinq au moment de le faire frire, et soixante quand le beurre grésillait dans le poêlon. Je ne crois pas avoir bien agi envers Tommy à cet égard quand nous étions adolescents. Parfois, je le défendais; d'autres fois, je doutais de lui. Tommy ne semblait pas s'en émouvoir. Il n'avait pas peur de paraître ridicule alors que ce sentiment confinait plusieurs d'entre nous du même âge sur un terrain vague, trop myopes pour saisir même un aperçu de sa vision.

Tommy aimait les défis. « Oui, bien entendu, Tommy. Tu peux me trouver un emploi d'été. » Le samedi suivant, je ramassais des melons d'eau dans un champ. Quand tout a été ramassé, il m'a trouvé un deuxième travail, comme peintre apprenti. L'été suivant, j'étais paysagiste, grâce à Tommy.

Il ne serait pas tout à fait exact de dire que nous étions de bons amis, mais il serait vrai de dire que nous avons eu beaucoup de bon temps ensemble. Je crois que Tommy a toujours fait en sorte que je me sente comme un de ses meilleurs amis quand nous étions ensemble. Je suis certain de n'avoir pas été le seul.

Il avait l'habitude de porter des souliers de course bleus, faits d'une sorte de toile de parachute, pour courir le mile et le demi-mile au collège. Il n'était pas le meilleur coureur de distance de l'État, mais pour un garçon au cœur fragile, il s'était classé honorablement à plusieurs reprises. Tout autour de la piste, je lui hurlais où était son plus proche compétiteur. « Accroche-toi, Tommy! Vas-y! Tu es le meilleur! » Quand c'était mon tour de courir mon relais d'un quart de mile, personne dans le stade ne criait plus fort que lui pour m'encourager.

Quand j'ai failli mourir une première fois, il était là. Nous étions sur le chemin du retour de la plage. Je conduisais, la tête de mon amie reposait sur mes genoux. Tommy avait tiré les coussins arrière de sa Barracuda décapotable rouge pour pouvoir de l'intérieur s'installer dans le coffre arrière, où il dormait. Tout le monde était au pays des rêves et je roulais à près de cent quarante kilomètres à l'heure dans la bruine. Arrivé à cette courbe, j'ai senti le vent m'envelopper, dense et rapide, et soulever complètement la voiture du pavé, comme si une immense fenêtre s'était ouverte avec fracas puis refermée presque aussitôt. Les quatre pneus se sont agrippés de nouveau sur l'asphalte. Je sais que nous serions tous morts si Dieu l'avait voulu.

Ce n'est que trois jours plus tard que Tommy a parlé de l'événement. Il s'est approché de moi dans le vestiaire, m'a donné un coup de serviette en disant : « Tu as presque perdu le contrôle samedi, en revenant de la plage, non? »

« Je croyais que tu dormais », lui ai-je répondu. Il a ri de moi et je l'ai frappé au bras aussi souvent que j'ai pu avant qu'il me remette la monnaie de ma pièce.

Ces coups de poings étaient très importants pour nous. Je me souviens que Tommy s'est presque cassé la main en frappant sur un stop, parce qu'il était grandement troublé par une dispute qu'il avait eue avec son amie. Il a épousé Mélanie peu de temps après. C'était une fille de la campagne qui lui était très bien assortie. Gentille et jolie, elle ne se laissait pas impressionner par le genre d'insolences de Tommy. Il a tellement pleuré en disant ses vœux de mariage que j'ai pensé qu'il n'y arriverait jamais. Il était tellement heureux de l'épouser.

Les jumeaux sont nés et, avec les années, nous nous voyions sporadiquement et de moins en moins souvent. Les dernières fois où nous nous sommes vraiment vus, c'était pendant les parties de football des Gators de l'Université de Floride. Tommy était responsable de l'équipe qui fournissait les hot-dogs pour tout le stade et j'étais son assistant. Une partie de cette responsabilité consistait à se réunir sur le terrain à 4 heures du matin pour préparer l'armée de dix mille hot-dogs. Laissez-moi vous dire que lorsque vous vous levez au beau milieu de la nuit la fin de semaine pour ouvrir des pains pendant qu'un gars vous passe les saucisses toute la journée, pour le simple plaisir de lui frapper le bras à tout bout de champ — c'est parce que vous l'aimez.

Je crois que j'ai fait tout ça parce que, lorsque nous étions ensemble, nous avions bien des choses en commun. Nous l'avons fait en partie parce que nous avions à peu près la même taille, et peut-être aussi parce que parfois nous ne nous sentions pas à notre place, nulle part.

C'est pourquoi j'ai l'impression qu'il me semble important de rendre les souliers. Il m'a donné beaucoup de choses, dont ces souliers de course, et je suis frustré de les chercher sans les trouver. En fouillant dans la dernière boîte au fond de la grange, j'aperçois la pointe d'un soulier que j'ai immédiatement reconnu. Je le sors comme un prix dans une boîte de céréales et j'enlève la coquerelle qui s'était installée à l'intérieur. Mais, il n'y avait qu'un seul soulier. Le gauche n'est pas là. Comment puis-je remettre à la progéniture de mon vieil ami un soulier défraîchi et usé qui avait appartenu à leur père il y a près d'un quart de siècle? Déprimé, j'ai fermé les yeux et j'ai demandé à Tommy ce que je devais faire. Sa réponse, comme d'habitude, a été rapide et sans hésitation : « Donne le fichu soulier aux enfants et n'en parle plus. »

Tommy ne m'a jamais induit en erreur.

Samuel P. Clark

À ceux que j'aime

Quand je serai parti, libérez-moi, laissez-moi aller,
J'ai tant de choses à voir et à faire,
Vous ne devez pas vous accrocher à moi par des larmes,
Soyez heureux de tant d'années passées ensemble.
Je vous ai donné mon amour. Vous ne devinerez jamais
Tout le bonheur que vous m'avez donné.
Je vous remercie de votre amour pour moi,
Le temps est venu de voyager seul.
Donc, pleurez-moi un temps si vous le devez,
Puis, que la confiance sèche vos pleurs,
Notre séparation n'est que temporaire.
Alors, chérissez les souvenirs avec votre cœur.
Je ne serai pas loin, car la vie continue.
Si vous avez besoin de moi, appelez et je viendrai,
Vous ne pourrez me voir ou me toucher, mais je serai près,
Et si vous écoutez avec votre cœur, vous entendrez
Tout mon amour vous entourer, avec douceur et clarté.
Ensuite, quand vous devrez prendre seuls ce chemin,
Je vous accueillerai en souriant,
Et vous serez bienvenue à la maison.

Anonyme

Journées perdues

Ce jour-là, quand le téléphone a sonné, notre vie était particulièrement agitée. Notre fille avait deux ans et notre fils de trois mois souffrait de coliques. Au cours du dernier mois, nous avions traversé Noël, des rhumes et des grippes. Mon mari et moi étions épuisés. En fait, il avait même pris un après-midi de congé, fait sans précédent, pour pouvoir se reposer un peu.

L'appel provenait de nos amis Otis et George. Ils venaient de reconduire Dan, un ami commun, à l'hôpital. Le médecin qui avait fait l'admission leur avait dit : « Je n'ai pas besoin d'un test de VIH pour vous dire ce que vous savez déjà. Votre ami est en train de mourir du SIDA. Je n'ai jamais examiné une personne pour la première fois dont l'état est aussi avancé. Il pourrait mourir au cours du week-end.

Nous étions sidérés. Dan était notre grand ami. Il était brillant, traitait les gens pompeux avec un sarcasme mordant, et il était tendre et gentil avec les animaux comme avec les enfants. Ses yeux bleus étaient vifs et brillaient lorsqu'il riait de lui-même ou de nous. Nous l'aimions.

Bienvenue dans le monde adulte des mourants, me suis-je dit. Mon père est mort quand j'étais adolescente et mes grands-parents sont tous décédés au cours des cinq années suivantes, je croyais donc connaître la douleur et la perte. Ce que j'ignorais — et allais bientôt apprendre — était que la perte d'un être aimé est non seulement douloureuse mais est aussi extrêmement dérangeante.

Dan s'est rétabli et une semaine plus tard, il quittait l'hôpital. Je me suis jointe à un groupe d'amis très proches pour aider à prendre soin de lui. Notre amie Linda lui rendait visite fidèlement chaque jour, qu'il soit à l'hôpital ou à la maison. George et Otis se sont occupés des assurances, de l'assistance publique, de la préparation d'un testament et des arrangements funéraires. Ils ont aussi informé la mère de Dan et l'ont accompagnée en ville lorsqu'elle venait en visite. Je restais en contact avec Dan par téléphone, j'allais le voir et parfois je le véhiculais pour ses traitements de chimiothérapie. J'avais, à cette époque, engagé une *baby-sitter* pour avoir le temps d'écrire. La première fois qu'elle est venue, j'ai utilisé les heures gagnées à préparer un dîner au jambon que j'avais promis à Dan et je le lui ai apporté en automobile, en pleine heure de pointe.

Les crises des autres peuvent déranger sérieusement nos vies. À des degrés divers, nous faisons ce que nous savons faire. Nous envoyons des cartes et des plats cuisinés. Nous parlons au téléphone. Nous nous assoyons avec ceux qui nous sont chers et nous ressassons les vieilles blagues et les moments heureux. Au fond de nous-mêmes, nous aimerions que les choses reviennent à la normale pour que cessent tous ces efforts, pour que nous puissions retrouver notre souffle et digérer l'impact de la crise, pour nous débarrasser de la culpabilité de ne pas en faire plus, pour pouvoir pleurer la perte d'un ami au lieu de pleurer sur le désordre qui règne dans notre vie.

Nous avons tous une assez bonne idée du déroulement de nos journées. Nous souhaitons des nuits de sommeil ininterrompu, des repas à heures régulières et un foyer calme où règne un certain ordre. Nous voulons que nos soirées en famille soient remplies d'activités que nous avons choisies.

Ce que nous n'aimons pas, ce sont les journées perdues, les horaires interrompus, le désordre imprévu et les appels téléphoniques pendant notre sommeil. Quand nous regardons notre émission de télévision favorite, faites en sorte que l'adolescent des voisins ne frappe pas à notre porte après avoir été chassé de chez lui. Quand nous entreprenons un nouvel emploi, faites en sorte que maman n'ait pas besoin qu'on la conduise chez le médecin chaque semaine. Quand nous devons faire appel à toutes nos ressources pour gérer notre vie très occupée et un bébé souffrant de coliques, je vous en prie, mon Dieu, faites en sorte que notre meilleur ami ne s'écroule pas avec le SIDA.

Au cours de ces mois, j'ai beaucoup réfléchi au stress. J'ai pensé à cette liste très publicisée des causes du stress dans la vie de quelqu'un au cours d'une année donnée et j'en suis venue à la conclusion que, même avant la maladie de Dan, nous étions à la limite de l'acceptable. Il devenait accablant d'avoir à composer avec cette situation, en plus de tout le reste.

Je me souviendrai toujours d'un certain matin, un peu avant que Dan ne meure. C'était un autre de ces samedis chargés. Après avoir nourri le bébé, je l'ai confié à mon mari et je suis partie avec notre fille, Lilly, pour une réunion. Après la réunion, je me suis rendue chez Dan et j'ai traîné mon bébé mouillé et sommeillant de la voiture jusqu'au troisième étage où habitait Dan.

Il était décharné et faible. Il m'a serrée dans ses bras pour ensuite s'effondrer dans les oreillers. J'ai installé Lilly sur la table de la salle à manger avec de la gouache et du papier. Nous l'avons regardée en silence, souriant tous deux quand elle sortait la langue du coin de la bouche, à son insu, en dessinant des soleils et des fleurs. Elle était encadrée par la fenêtre de la cuisine dont la lumière illuminait ses cheveux pâles et son cou.

Je vois encore Dan allongé dans son lit. Parfois ses yeux se fermaient doucement; parfois, ils étaient ouverts et on y voyait un regard inhabituel, humide et rempli de souffrance. Mais quand il regardait Lilly, la souffrance semblait disparaître pour un moment. Je voyais qu'il savourait l'image douce et pleine de vie de ma fille.

Je savais que nous en étions à nos dernières heures ensemble. Mais j'étais aussi inquiète. Il me faudrait bientôt allaiter le bébé, Lilly devait manger et faire sa sieste et mon mari avait besoin de la voiture. Comment un moment comme celui-là peut-il à la fois être rempli d'autant d'amour, d'émotion… et de soucis?

Si devenir adulte est le processus par lequel on se crée des idées et des rêves sur ce que la vie devrait être, alors la maturité est la nécessité de lâcher prise de nouveau. Dan est mort quelques semaines plus tard. Mon amie et mentor, Nancy, est morte l'année suivante. Ma sœur est décédée après une dure lutte de deux ans contre le cancer.

Chaque fois, je me dis que je ne suis pas suffisamment compétente, dévouée ou perspicace. Je ne console et ne réconforte pas comme j'imagine que je le devrais. En même temps, notre vie de famille est inégale. Nous laissons de côté notre routine et nos plaisirs afin de trouver le temps et l'énergie pour faire une aquarelle à Dan, pour écrire tôt le matin une lettre à Nancy, pour faire le gâteau moka spécial de maman pour ma sœur.

Tout comme les malades et les mourants abandonnent leur vie, nous abandonnons notre droit à des nuits calmes et à des journées ordonnées. Ce sont peut-être ceux qui meurent qui nous apprennent finalement que dans les fissures de nos journées se trouvent souvent la vie et l'amour, et les instants de relations intenses.

Mary Beth Danielson

Chaque perte est une mini-mort

« Je ne veux pas mourir, mais à moins d'un miracle, je crois bien que ce sera bientôt », m'a dit ma grande amie. Elle avait cinquante-deux ans et elle avait été en bonne santé jusqu'à il y a quatre mois.

Le jour où elle m'a dit cette phrase, je devais partir pour une réunion de famille dans un centre de ski de randonnée. La famille avait planifié cet événement des mois auparavant, pour le seul week-end où nous pouvions tous nous réunir pour pratiquer notre sport favori. Normalement, j'aurais éprouvé beaucoup de joie à la pensée de ce week-end. Pourtant, aujourd'hui, j'avais le cœur brisé. J'ai dit bonjour à mon amie en me demandant si je la reverrais.

Mon amie pouvait vivre encore des semaines, mais elle pouvait aussi mourir à tout moment. Notre grande amitié de plus de vingt-cinq ans et ma formation de travailleuse sociale en soins palliatifs me disaient qu'elle voulait que je sois présente au moment de sa mort pour lui apporter, ainsi qu'à sa famille, un soutien émotif. Comment pourrais-je m'amuser à faire du ski quand je désirais par-dessus tout être avec elle dans ces moments critiques?

Déchirée entre mon amie et ma famille, je ressentais une colère irrationnelle contre la personne qui avait organisé ce voyage. J'ai pleuré pendant les quatre heures du trajet vers le centre de villégiature au nord de la Nouvelle-Angleterre. L'ambiance paisible et le confort douillet de la vieille auberge me faisaient sentir un imposteur d'être ici.

Le lendemain, en partant tous faire du ski, je ne pensais qu'à la profonde tristesse que j'éprouvais pour mon amie et sa famille. Pendant des heures, nous nous sommes enfoncés dans la forêt sombre, montant des pentes raides, en descendant d'autres longues et sinueuses, en route vers le sommet de la montagne. Soudain, la forêt a pris fin pour faire place à une vue à couper le souffle qui nous commandait de nous arrêter pour admirer la nature majestueuse. Au même instant, les nuages ont disparu et le soleil est apparu pour transformer la neige en un éblouissant tapis de diamants. Des collines ondulantes se terminaient dans une forêt d'arbres près de l'auberge à la taille d'une maison de poupée. Plus bas, il y avait un lac entouré de montagnes. Un silence total nous enveloppait, rompu seulement par un aigle qui planait au-dessus de nos têtes.

Soudain, les larmes me sont montées aux yeux et je me suis sentie envahie par une profonde impression de paix et par la certitude que j'étais là où je devais être à ce moment. J'ai eu la révélation étonnante que mes sentiments ambivalents concernant l'abandon de mon amie pour le week-end relevaient de la même dynamique que le chemin menant à la mort que nous empruntons tous — le refus de partir, les larmes et la tristesse de partir, le combat avec la dernière énergie pour combattre le changement et le regret de ce que nous laissons derrière. Pourtant, à l'arrivée, nous trouvons une impression de paix et de beauté, de joie et d'amour, et un profond sentiment de bien-être.

Je me suis rappelé les paroles que j'avais entendues au cours d'une retraite spirituelle : « Toute perte est une mini-mort. Pendant notre vie, nous vivons plusieurs mini-morts — chacune nous préparant à la mort finale. » J'ai su que même si mon amie mourait pendant mon absence, c'était ainsi que cela devait se produire.

De retour à la maison, j'ai partagé avec mon amie ce que j'avais appris ce jour-là sur la montagne. Cet échange nous a permis de confirmer que nous croyions toutes deux à la vie après la mort. Quelques jours plus tard, j'ai eu le privilège de passer la dernière journée de la vie de mon amie sur la terre avec elle et sa famille.

Carol O'Connor

Je ne pense pas à la misère mais à toute la beauté qui demeure.

Anne Frank

Karen, Le connaissez-vous?

Les miracles ne sont pas en contradiction avec la nature, mais en contradiction avec ce que nous connaissons de la nature.

Saint Augustin

J'étais interne en pédiatrie, frais émoulu de l'école de médecine. J'avais la tête pleine de données, mais je manquais d'expérience clinique. C'est la raison d'être de l'internat.

Une de mes premières et mémorables patientes a été une jeune fille nommée Karen. Elle avait été transférée d'un village de la Caroline du Nord à notre hôpital en ville parce qu'elle donnait des signes de faiblesse et d'anémie. Dès que j'ai rencontré Karen, j'ai su qu'il s'agissait d'une personne hors de l'ordinaire. Elle n'était pas intimidée par mon titre de « Docteur » ou par mon sarrau blanc et elle disait toujours ce qu'elle pensait. Pendant notre première entrevue, Karen a voulu connaître en détail mes qualifications, et elle voulait que je sache qu'elle savait que j'étais *seulement* un interne. Elle avait quatorze ans et elle était pleine de vie.

Malheureusement, nos examens ont révélé qu'elle souffrait d'une forme rare de leucémie, qui ne répondait pas aussi bien aux différents traitements que les autres formes. Selon nos pronostics, il était peu probable qu'elle survive plus d'un an.

On a commencé la chimiothérapie et Karen ne s'est jamais gênée pour nous dire que nous la rendions très malade avec nos médicaments. Elle n'a jamais fait preuve de la moindre méchanceté, elle ne faisait que nous dire ce qu'elle ressentait. Si nous avions de la difficulté avec une intraveineuse, elle ne manquait pas de souligner notre incompétence. Par contre, elle nous pardonnait volontiers et reconnaissait notre compétence lorsque nous réussissions à poser l'intraveineuse dans ses veines fragiles à la première tentative.

Étonnamment, après trois mois, Karen a connu une rémission, libérée de sa maladie. Elle a continué ses visites pour de la chimiothérapie de routine. Au cours de ces courtes visites, Karen et moi sommes devenus amis. Par une étrange coïncidence des tours de garde, j'étais toujours son médecin. Quand elle me voyait arriver, elle disait toujours : « Oh! Non! Est-ce qu'il *faut* absolument que je sois traitée par le Dr Brown? » Parfois, elle le disait à la blague, parfois non. Mais elle s'assurait toujours que je l'entendais.

Environ un an après le premier diagnostic, sa maladie est revenue. Quand ce type de leucémie reprend, il est presque impossible d'avoir une autre rémission parce que la totalité des traitements possibles ont déjà été utilisés. Néanmoins, encore une fois — étonnamment sinon miraculeusement — Karen a connu une nouvelle rémission. J'étais maintenant résident de deuxième année, un peu plus compétent et beaucoup plus attaché à cette famille. Pendant l'année et demie qui a suivi, j'ai continué à voir Karen et sa famille. Elle poursuivait ses études secondaires et elle était toujours une adolescente qui aimait s'amuser mais qui, comme toujours, ne mâchait pas ses mots.

J'étais maintenant rendu en dernière année d'internat et à mon dernier mois de garde à l'hôpital, avant de terminer ma formation. Karen nous est revenue, car sa maladie s'était aggravée et elle était très malade. Tous ses organes étaient touchés, même le cerveau, et nous avions vraiment épuisé tous les agents chimiques. Nous étions impuissants. Nous soulagions Karen en lui administrant des liquides par voie intraveineuse et des médicaments contre la douleur. Après de longues discussions, les médecins de Karen et sa famille en sont venus à la conclusion que l'objectif serait de la rendre confortable et de lui éviter la souffrance. Aucune mesure exceptionnelle ne serait prise pour tenter de retarder l'inévitable. En fait, il ne nous restait aucune mesure exceptionnelle.

Karen est rapidement entrée dans le coma. Nous en avons compris la raison après l'examen des scanographies et vu que le cerveau était largement atteint. Nous nous attendions à ce qu'elle meure d'une journée à l'autre. Elle avait les yeux fixes et sans réponse, et sa respiration était faible. Son cœur était toujours solide, comme nous nous en doutions. Cependant, la maladie attaquait son système sanguin et son cerveau, et nous craignions une pneumonie des deux poumons. Nous savions qu'elle mourrait bientôt.

J'ai commencé à redouter que Karen ne meure pendant mes tours de garde. Je ne voulais pas constater son décès. J'en étais venu à souhaiter qu'elle meure pendant les nuits où j'étais en congé de l'hôpital parce que je craignais ne pas pouvoir être d'un grand réconfort pour la famille et même de ne pas pouvoir faire mon travail de médecin. Cette famille était devenue très proche de moi.

Nous étions le mercredi soir et Karen était dans le coma depuis quatre jours. J'étais le résident senior de garde sur les étages. J'ai parlé avec la famille et j'ai examiné Karen. J'ai noté qu'elle respirait encore plus faiblement et que sa température était très basse. La mort était imminente. En mon for intérieur, j'en étais venu à souhaiter bien égoïstement qu'elle ne meure que le lendemain. J'ai terminé mon travail vers trois heures du matin et j'ai pu enfin dormir. À quatre heures du matin, mon téléavertisseur a sonné pour me dire que ma présence était requise dans la chambre de Karen. J'étais d'autant plus intrigué que nous avions décidé de ne pas tenter de traitements extraordinaires. Peu importe, je me suis précipité vers sa chambre.

L'infirmière m'attendait à l'extérieur de la chambre et elle a pris mon bras : « Karen veut vous parler. » J'ai pensé que l'infirmière était devenue folle. Je ne pouvais imaginer de quoi elle parlait — Karen était dans le coma. À ce moment de ma vie, ma pensée était toute newtonienne, parce que c'est l'approche qu'on nous enseigne chaque jour en médecine. J'avais négligé les autres dimensions, les aspects spirituels plus importants de mon être, ignorant l'instinct qui sait ce que la raison ne peut pas savoir.

Je suis entré dans la chambre et, à mon grand étonnement, Karen était assise dans son lit. Sa mère était à la gauche du lit et son père à la droite. Je me suis approché du père en silence, car je ne savais que dire. Les yeux de Karen, qui étaient vitreux depuis quatre jours, étaient maintenant pétillants et clairs. Elle a simplement dit : « Dieu est venu me chercher. Il est temps que je parte. » Puis, elle s'est approchée de chacun de nous qui étions à son chevet et, tour à tour, elle nous a serrés fermement dans ses bras. C'étaient des étreintes très fortes, et je me disais que c'était impossible. Je ne pouvais que revoir sa scanographie et la grande détérioration de son cerveau. Comment était-ce possible?

Puis, Karen s'est couchée. Mais elle s'est redressée aussitôt, comme si elle avait oublié quelque chose. Elle a de nouveau fait le tour du lit de ses yeux pénétrants qui fixaient nos regards. Pas d'étreintes cette fois, mais ses mains étaient fortes et solides quand elle serrait nos épaules en nous parlant. « Dieu est ici », dit-elle. « Le voyez-vous? Le connaissez-vous? » J'avais peur. Rien dans mon expérience ne me permettait d'expliquer ce qui se passait ici. À court de paroles, j'ai simplement murmuré : « Oui. Au revoir. Merci. » Je ne savais que dire. Puis, Karen s'est allongée et elle est morte — ou je devrais plutôt dire qu'elle a cessé de respirer et que son cœur a cessé de battre. Son esprit puissant a continué de vivre.

Je n'ai pu raconter cette histoire que des années plus tard, même à ma femme. Je ne peux toujours pas la raconter sans ressentir de très fortes émotions. Aujourd'hui, je sais qu'on ne peut expliquer cette expérience par les connaissances limitées de la science. Nous sommes, par essence, des êtres spirituels dans un univers spirituel, gouvernés non pas par les lois de Newton, mais par les lois de Dieu.

James C. Brown, M.D.

Ce ne sont peut-être pas des étoiles mais plutôt des ouvertures dans le Ciel d'où l'amour de nos disparus se déverse et nous illumine pour nous faire savoir qu'ils sont heureux.

Inspiré d'une légende inuite

Il est permis de pleurer

Nous préférons que les autres compatissent avec nous plutôt que d'agir pour nous.

George Eliot

Mes parents m'ont obligé d'aller à l'école ce jour-là, même si je ne voulais voir personne. Comment m'isoler des autres dans une école?

J'ai fini par entrer dans la classe d'anglais parce qu'elle était vide, à l'exception de Madame Markle qui corrigeait des devoirs. Je me suis assis devant elle. Elle a levé les yeux et a souri, comme s'il était normal qu'un garçon entre dans la classe d'anglais quand il n'en avait pas l'obligation.

« Il est mort », ai-je dit, la voix étranglée.

« John? »

J'ai fait signe que oui de la tête. « C'était mon meilleur ami. »

« Je sais, *Kirk.* » Elle est allée fermer la porte, puis est revenue à son bureau.

« Il me manque », dis-je.

« Je sais », a-t-elle répété. « Et c'est ce qui fait mal. Quand quelque chose nous fait vraiment de la peine, il est permis de pleurer. » Elle a déposé une boîte de mouchoirs de papier devant moi, puis elle est retournée à sa correction pendant que j'éclatais en sanglots. Je me suis senti soulagé qu'elle ne me regarde pas.

« Rien de tel ne m'est jamais arrivé », dis-je. « Je ne sais pas quoi faire. »

« Tu n'as pas vraiment le choix », m'a-t-elle dit. « John est mort et il ne reviendra plus. »

« Mais, que puis-je faire? »

« Continue de souffrir jusqu'à ce que tu commences à guérir un peu. »

« Je ne crois pas que je me remettrai jamais de sa mort. »

« Tu y arriveras un jour, même si aujourd'hui tu ne crois pas que ce soit possible. »

« J'imagine. »

« C'est parce que nous savons avec notre tête », a dit Mme Markle, « mais nous croyons avec nos émotions. »

Je suis resté assis à réfléchir à ses paroles pendant quelques minutes.

« Tu pourrais peut-être soulager la peine de la famille de John en leur rendant visite », a suggéré doucement Mme Markle.

Je n'avais pas pensé à la famille de John jusqu'à présent. Si c'était difficile pour moi, ce devait être pire pour eux.

« Les parents de John ne m'aiment pas », ai-je expliqué. « Ils croient que j'étais une mauvaise influence pour lui. »

« Et il est probable que tes parents n'aient pas été enchantés que tu fréquentes John. »

« Vous avez raison. » J'étais surpris de voir que Mme Markle en savait autant. Elle n'était qu'une vieille enseignante d'anglais.

« Les parents sont ainsi faits », dit-elle. « Les jeunes font ensemble des choses qu'ils n'oseraient pas faire seuls. Alors les parents pensent que leurs fils et leurs filles sont influencés par leurs amis. »

« Hé! Vous avez raison. »

« Kirk, va voir la famille de John. Ils changeront d'avis à ton sujet. Tu verras. Et s'ils ne le font pas, au moins tu auras essayé. »

« Je me sens coupable pour certaines choses que John et moi avons faites », ai-je dit. « Dieu nous fait peut-être sentir coupables pour nous punir. »

Mme Markle a secoué la tête. « Je ne crois pas que Dieu veuille que nous traversions la vie en portant le poids de la culpabilité. Par contre, Il nous a donné une conscience pour que nous demandions pardon et pour que nous apprenions de nos erreurs. C'est ainsi que nous devenons de meilleures personnes. »

Ces paroles me paraissaient sensées, mais je ne savais pas comment me débarrasser de ma culpabilité. Mme Markle a semblé deviner ma pensée. Elle a dit : « Tu sais que la culpabilité peut être une béquille. »

« Une béquille? »

« En effet. La culpabilité est une sorte de punition qu'on s'impose à soi-même. Si tu te sens suffisamment coupable, tu n'as plus besoin de travailler sur toi-même. »

« Travailler sur moi-même? »

« Comme améliorer ton comportement, par exemple. »

La cloche a sonné. Je me suis levé pour partir.

« Incidemment », dit Mme Markle, « je suis contente que tu n'aies pas été dans cette voiture avec John quand l'accident s'est produit. »

« C'est une des choses qui fait que je me sens coupable », ai-je admis. « Que John soit mort et pas moi. »

Mme Markle a dit : « Tu ne devrais pas te sentir coupable de vivre alors qu'un autre est mort. »

« Ah! » dis-je. « Bien, merci de m'avoir aidé. Mes parents ne comprenaient pas ce que je ressentais. »

« Comment le sais-tu? »

« Ils m'ont forcé à venir à l'école. »

« Au contraire, c'est peut-être parce qu'ils comprenaient. Ils se sont dit que tu serais mieux à l'école pour partager ton chagrin avec tes camarades. »

« Ah! Je n'avais pas vu les choses de cette façon. Je me demande… »

Aller voir la famille de John était l'une des choses les plus difficiles que j'ai eu à faire. Je voulais en parler à mes parents, mais je craignais qu'ils ne me comprennent pas. Pourtant, Mme Markle avait dit qu'ils seraient peut-être plus compréhensifs que je ne le pensais.

Au souper, maman a dit : « Nous savons que tu te sens mal à propos de John. Y a-t-il quelque chose dont tu voudrais parler? »

C'était l'ouverture que j'attendais. « Je devrais aller voir la famille de John, mais ils ne voudront probablement pas me voir. »

« Et pourquoi pas? » a demandé papa.

« Parce que John et moi nous mettions parfois dans de sales draps. »

« Il arrive que le chagrin rapproche les gens », dit ma mère. « Si j'étais à leur place, je suis certaine que j'apprécierais ta visite. »

Je me suis donc efforcé d'aller chez John. Une femme que je ne connaissais pas m'a ouvert et m'a conduit au salon. La mère, le père et la sœur de John étaient assis comme des poupées brisées, les yeux fixes. Je ne savais que faire et j'ai tenté d'imaginer qu'ils étaient mes parents et non ceux de John. Il m'a alors semblé tout naturel d'aller vers Mme Roper et de la prendre dans mes bras. Elle a éclaté en sanglots. Elle a mis son bras autour de ma taille et a posé sa tête sur mon épaule. « Pardonne-moi, je n'ai pu me retenir », dit-elle. « Je pensais que j'avais pleuré toutes les larmes de mon corps. »

« Il est permis de pleurer », lui dis-je. Et soudainement, j'ai pleuré à mon tour. La sœur de John, Adèle, n'avait que onze ans. Elle s'est approchée et nous a étreints, sa mère et moi. Je me suis senti désolé pour le père de John, assis seul dans son coin. Après un moment, je suis allé vers lui et j'ai posé ma main sur son bras.

« Je suis content de t'entendre dire qu'il est permis de pleurer », m'a-t-il dit. « J'ai de la difficulté à me retenir. »

D'autres personnes ont fait leur entrée à ce moment et j'ai dit que je devrais maintenant partir.

Mme Roper m'a accompagné à la porte. « Kirk, ta visite nous a réconfortés. »

« Je croyais que vous ne m'aimiez pas beaucoup. »

« Nous t'aimons parce que John t'aimait. Et Kirk, ne t'inquiète pas du passé. Toi et John n'étiez pas parfaits; vous vous comportiez en adolescents, c'est tout. La mort de John n'est la faute de personne. »

« Je reviendrai vous voir », ai-je promis.

« Promis? Ça nous ferait tellement plaisir. »

Sur le chemin du retour, je me sentais bien. Mieux que jamais depuis cette minute apocalyptique où j'avais appris la nouvelle de la mort de mon meilleur ami. Je me suis promis de parler à Mme Markle de ma visite chez les parents de John, dès le lendemain.

Kirk Hill

Rester en contact

Pour une mère qui pleure la perte d'un enfant, la route s'annonce longue et difficile. Ce qui brise encore et encore le cœur d'une mère, c'est de ne pas avoir l'opportunité de mener son enfant à l'âge adulte. Chaque jour, on se demande ce qu'il devient. Est-il bien? Et on prie pour qu'il soit heureux.

Le premier Noël que j'ai passé sans mon fils, Justin, a été un combat douloureux. Je n'ai pas trouvé la force de décorer un arbre avec toutes les belles décorations que Justin et ma fille, Stéphanie, avaient fabriquées au cours des années. J'ai plutôt décoré l'arbre de ma vieille mère et nous avons passé Noël avec elle. Cela nous a permis de survivre à la première année.

L'année suivante, j'ai pris tout mon courage pour décorer l'arbre de Noël avec des lumières de couleur, mais, cette fois encore, les décorations de Justin et de Stéphanie sont demeurées dans leur rangement. C'est tout ce que j'ai pu faire, mais c'était déjà un grand pas en avant.

Justin aimait Noël et pendant les seize années de sa vie, il avait toujours aidé à décorer l'arbre. En fait, depuis que Stéphanie était partie à l'université, il s'était chargé de la décoration. Il aimait particulièrement monter la scène de la nativité sous l'arbre. Mon père avait fabriqué la crèche avec du bois provenant de la grange de mon grand-père et j'avais peint les figurines pendant un cours de céramique. Cette crèche revêtait donc une signification particulière pour notre famille.

Au troisième Noël, je me sentais plus forte. J'avais besoin de reprendre contact avec les Noëls d'antan, où Justin était encore vivant. Cette fois, j'ai installé l'arbre et je l'ai décoré avec amour en utilisant les décorations des enfants. Puis, je suis allée chercher la boîte où étaient la crèche et les figurines de céramique qui n'avaient pas été touchées depuis trois ans.

Quand j'ai regardé dans la crèche en bois de grange, j'ai découvert une minuscule carte de Noël. Elle représentait un petit garçon qui portait une montagne de cartes de Noël pour les distribuer. J'ai ouvert la carte et j'ai lu le message à l'intérieur :

Si j'avais le choix,
Je partirais dès maintenant, je crois,
Pour être avec toi la veille de Noël.

J'ai immédiatement su que je m'en tirerais non seulement pendant les Fêtes, mais pendant tout le long voyage qui me restait à faire sans Justin. Je n'ai jamais su comment la carte s'était retrouvée dans la crèche, mais j'ai considéré sa présence comme un cadeau de mon fils. J'ai su, au plus profond de mon cœur, que la petite carte, avec son message qui souhaitait d'être ensemble la veille de Noël, était le contact avec Justin dont j'avais tant besoin. Elle m'a permis de survivre à ce troisième Noël, et par la suite.

Patricia Chasse

Une couverture pour une amie

Quand Meghan est morte dans un accident de voiture à l'âge de seize ans, Colleen Keefe a écrit le texte commémoratif qui suit, qu'elle et Shauna Dickey ont dédié à leur amie :

Shauna et moi avons eu la chance de te faire nos adieux la semaine dernière. En réalité, nous avons encore un bon bout de chemin à faire ensemble. Le fait d'être ici devant toi et d'avoir la possibilité de te parler et de parler de toi devant ta famille et tes amis m'a aidée à accepter, bien que momentanément, ton départ soudain, toi, notre amie.

Quand j'ai appris que tu nous avais quittés si tôt, tout ce que j'ai pu faire a été de m'envelopper dans ma couverture et fermer les yeux en espérant que le cauchemar serait parti quand je les rouvrirais. Mais il est toujours là, m'enveloppant dans un nuage noir. En me rendant consoler ton père et ta mère, j'ai compris qu'il fallait que je te donne une partie de moi qui symboliserait notre amitié de manière à intriguer tous ceux que tu croiserais là-haut; tous se demanderaient ce que c'est. Je ne peux pas découper mon cœur, bien qu'il soit brisé en ce moment. C'est ainsi que je te donne, à toi mon amie, un morceau de ma couverture en forme de cœur. J'y ai attaché une photo de nous trois — toi, moi et Shauna. Elle a de la difficulté à accepter le comment et le pourquoi de cette tragédie, comme plusieurs autres personnes.

Je dois t'expliquer que cette couverture est un cadeau de mon grand-père qui est au ciel avec toi. Il la reconnaîtra. Peut-être ne reconnaîtra-t-il pas ma photo, car il nous a quittés il y a plus de quatorze ans. Tu vois, nous avons la même date d'anniversaire et il me l'a offerte pour me garder au chaud. Alors, je te la donne pour te garder au chaud. Et lorsque grand-papa Joe t'arrêtera et qu'il fera entendre sa grosse voix, n'aie pas peur — c'est un vrai nounours. Serre-le bien dans tes bras, embrasse-le pour moi et dis-lui que je lui demande de prendre soin de toi. Il le fera de toute façon, il est comme mon papa.

Maintenant que nous savons qu'on s'occupe de toi, nous pouvons continuer notre vie. Ton souvenir restera à l'abri dans nos pensées, et comme Shauna et moi venons de comprendre que tu nous regarderas de là-haut, nous sommes certaines que nous te ferons bien rire à notre manière habituelle, folle et maladroite. Continue à sourire, car c'est l'image de toi que nous conservons.

Nous avons appris qu'un des receveurs de ton don d'organes se porte bien. Même après ta mort, tu continues d'aider les autres. Nous rendrons bientôt visite à ta famille et nous resterons en contact avec tous.

Adieu mon amie, tu nous manques déjà. Tu ne seras jamais loin dans nos pensées. Donne-nous un petit coup de coude quand nous nous engagerons dans la mauvaise direction et, bien sûr, n'arrête pas de « danser ». Shauna te demande de dire bonjour à Elvis pour elle. Tu le trouveras probablement dans l'aire de restauration.

Chaque fois que je m'enveloppe dans ma couverture, je sens ta présence. Garde-toi bien au chaud.

Colleen Keefe et Shauna Dickey
Soumis par Brian Keefe

Le papillon-cadeau

Adina, ma fille de quatre ans, s'est éveillée tôt un dimanche. Assis sur le plancher de la cuisine, nous avons fait des figurines en pâte à modeler — un homme, un cheval, un chien et un poulet. Après le petit-déjeuner, je suis allé dans mon bureau pour lire un peu. Adina m'a suivi et m'a dit : « Papa, faisons quelque chose. » Je lui ai répondu : « D'accord, chérie. Dis-moi ce que tu veux faire et nous le ferons. »

Après avoir longuement réfléchi, elle est revenue et m'a dit : « Papa, faisons un papillon. » Nous avons pris une carte de 7 cm sur 12 et je lui ai montré comment dessiner la forme des ailes. Elle a colorié pendant longtemps, puis nous avons fait une base pour faire tenir le papillon. Elle était très fière lorsqu'elle m'a montré son chef-d'œuvre terminé. Je lui ai dit : « Mais, Adina, ton papillon n'a pas de bouche! »

Elle s'est remise au travail et a dessiné une bouche avec une petite langue qui pendait en coin. Nous avons ri quand nous avons placé le papillon sur mon bureau, puis nous sommes sortis pour profiter de cette belle journée d'automne.

Tard, ce soir-là, Adina s'est éveillée et a crié : « Papa, j'ai mal à la tête et je ne me sens pas bien. » Elle faisait de la fièvre. Le lendemain, sa maman l'a emmenée chez le médecin, puis nous nous sommes tous rendus à l'hôpital où on a diagnostiqué qu'Adina souffrait de méningite cérébro-spinale.

Elle a été durement frappée. Cinq médecins ont tenté de la sauver toute la nuit. Mais vers six heures, mardi matin, Adina nous a quittés. Sa vie était terminée.

Le lendemain, je suis allé dans mon bureau pour commencer à préparer les arrangements funéraires pour ma petite fille. J'étais fatigué, en colère, frustré et démoralisé. J'étais complètement perdu. Tous mes efforts dans la vie m'ont semblé si futiles et l'équilibre de la vie si fragile. Comment tout cela avait-il pu se produire?

Puis, je l'ai aperçu. Sur mon bureau, il y avait ce papillon d'une beauté incroyable. Les ailes multicolores, les grands yeux ronds, une langue tirée au monde et, derrière tout cela, un beau ciel bleu. C'était un symbole d'amour, de beauté, et une approche positive de la vie. C'était un incroyable cadeau d'Adina qui a changé ma vie.

Adina a laissé beaucoup de choses derrière elle. Sur les vitres, elle a laissé des empreintes de ses « baisers de fenêtre » qu'elle me donnait chaque jour quand je partais au travail. Elle a laissé des traces de doigts dans le carré de sable que je venais de lui construire. Elle a laissé sa nouvelle balançoire s'agiter dans le vent. Mais le cadeau le plus significatif que m'a laissé Adina était son papillon.

Je porte maintenant une bague en forme de papillon qui me rappelle toujours l'importance de nos relations avec ceux que nous aimons. La vie est faite pour vivre, se soucier, espérer et partager avec les gens que nous aimons. Il arrive parfois que ces vies soient très courtes.

Que les papillons vous rappellent toujours l'importance des relations avec ceux que vous aimez!

Wayne Cotton

L'horizon

La vie est éternelle, l'amour est immortel,
et la mort n'est qu'un horizon;
et un horizon n'est rien d'autre
que la limite de notre vue.

Rossiter Worthington Raymond

Je suis sur le rivage de la mer.

Près de moi, un bateau déploie ses voiles blanches
dans la brise du matin et se dirige vers l'océan bleu.

C'est une création d'une grande beauté et d'une grande force.

Je le regarde jusqu'à ce qu'il ne soit plus qu'un petit nuage blanc à l'horizon,
là où se confondent la mer et le ciel.

Alors quelqu'un à mes côtés dit : « Voilà, il est parti. »

« Parti où? »

Il est parti hors de ma vue. C'est tout.

Mats, coque et espars sont toujours aussi grands
que lorsqu'il m'a quitté,
et il peut encore mener sa charge d'êtres vivants à destination.
Moi je le vois plus petit, mais il est toujours aussi grand.
Et au moment même où quelqu'un à mes côtés dit :
« Voilà, il est parti », d'autres yeux le voient venir,
et d'autres voix s'apprêtent à lancer le cri joyeux :
« Le voilà! »

Mourir, c'est ça.

Anonyme

La rose sans épines

La bonté est un langage que le muet peut parler et que le sourd peut entendre et comprendre.

Christian Nestell Bovee

Un jeune homme portant un étui à guitare est monté dans l'autobus d'écoliers de l'après-midi à la rue Maple. Mal à l'aise, il a trouvé un siège, a appuyé la guitare à ses côtés dans l'allée et l'a retenue avec son bras. Il a regardé autour de lui nerveusement, puis il a baissé la tête et commencé à glisser ses pieds d'avant arrière sur le plancher de l'autobus.

Mélanie le regardait. Elle ne le connaissait pas, mais à son apparence, elle a décidé qu'il devait être un vrai perdant.

Kathy, l'amie de Mélanie, a levé les yeux de son livre. « Eh ben! C'est encore Carl l'idiot. »

« Qui est Carl l'idiot? » a demandé Mélanie en rejetant ses cheveux blonds vers l'arrière.

« Tu ne connais pas ton voisin immédiat? »

« Mon voisin immédiat? Les Bell ont emménagé dans cette maison. Nous avons fait leur connaissance avant de partir pour les vacances du printemps. »

« C'est bien son nom, Carl Bell. »

L'autobus roulait sous les gros arbres le long de la rue Elm. Kathy et Mélanie fixaient le nouveau venu et son gros étui à guitare.

Quand le chauffeur a crié « Sycamore », le nouveau garçon a maladroitement ramassé son étui et il est descendu. Mélanie aurait dû descendre là, elle aussi, mais elle n'a pas bougé. Lorsque l'autobus est reparti, elle a sonné pour descendre à l'intersection suivante. « À demain, Kathy. »

Mélanie a couru jusqu'à la maison, a escaladé l'escalier et a franchi en coup de vent la porte d'entrée. Elle a crié : « Maman, ce cinglé habite-t-il vraiment à côté? »

Sa mère est sortie de la cuisine. « Mélanie, on ne qualifie pas les gens d'idiots. Oui, les Bell ont un fils handicapé. Ce matin, j'ai appelé Madame Bell et elle m'a parlé de Carl. Il n'a jamais pu parler. Il a une malformation cardiaque congénitale et des troubles nerveux. Ils lui ont trouvé un professeur privé et il prend des cours de guitare pour améliorer sa coordination. »

« C'est l'enfer! Juste à côté! » s'est exclamée Mélanie.

« C'est un garçon timide. Tu dois être une bonne voisine. Salue-le quand tu le croises. »

« Mais il voyage dans l'autobus scolaire et les autres rient de lui. »

« Garde-t'en bien », lui conseilla sa mère.

Ce n'est qu'une semaine plus tard que Carl a repris l'autobus scolaire. Mélanie a eu l'impression qu'il l'avait reconnue. Avec réticence, elle le salua. Quelques jeunes ont commencé à murmurer et à faire des blagues. Peu après, les boulettes de papier mâché ont commencé à voler. « Du calme! » cria le chauffeur. Carl frottait ses pieds contre le plancher. Chaque fois qu'une boulette l'atteignait, il sursautait. Quand son étui à guitare est tombé bruyamment, le chauffeur leur a encore demandé de se calmer — cette fois, d'un ton plus menaçant. Le calme revint dans l'autobus, mais les taquineries n'ont pas cessé pour autant. Les garçons qui étaient assis derrière Carl ont commencé à lui souffler dans le cou pour faire dresser ses cheveux. Ils croyaient que c'était amusant.

À l'approche de la rue Sycamore, Carl s'est levé, a tiré la sonnette, a mis la bandoulière de sa guitare sur son épaule et s'est dirigé vers la porte. L'étui à guitare a basculé frappant Chuck Wilson au cou. Carl s'est précipité vers la porte, son étui toujours en travers de l'allée. Quand Chuck l'a rattrapé pour lui donner un coup, la bandoulière s'est détachée et l'étui a glissé le long des marches jusque dans le caniveau. Carl a trébuché hors de l'autobus et s'est mis à courir dans la rue, oubliant sa guitare derrière.

Mélanie était restée bien assise. « Je ne descendrai plus jamais à cet endroit », dit-elle à Kathy. Cette fois encore, elle attendit à l'intersection suivante avant de descendre. Elle est revenue sur ses pas vers la rue Sycamore. L'étui ouvert gisait toujours dans le caniveau. Elle l'a ignoré et s'est dirigée vers la maison. *Quel phénomène!* pensa-t-elle. *Qu'est-ce que j'ai fait pour le mériter comme voisin?*

Un demi-pâté de maison plus loin, elle a eu mauvaise conscience d'avoir laissé la guitare de Carl là où n'importe qui pouvait la ramasser. Elle est retournée la chercher. La courroie et la poignée de l'étui étaient brisées. Elle a donc dû porter l'étui dans ses bras avec ses livres. *Pourquoi je fais cela?* s'étonna-t-elle. Puis, elle s'est souvenue de l'horrible situation quand les autres se moquaient de lui.

Madame Bell a ouvert la porte avant que Mélanie puisse frapper. « Mélanie, je suis si heureuse de te voir! Que s'est-il passé? Carl était tellement troublé qu'il est monté directement à sa chambre », dit-elle en posant la guitare sur une chaise.

« Ce n'était qu'un malheureux accident. » Mélanie ne voulait pas l'inquiéter en lui racontant toute l'histoire. « Carl a oublié sa guitare, j'ai pensé la rapporter. »

Après cet incident, Carl n'a jamais repris l'autobus. Ses parents le conduisaient à ses leçons de guitare. Mélanie ne le voyait que lorsqu'il travaillait dans sa roseraie.

Les choses auraient dû s'améliorer, mais les jeunes le harcelaient toujours. Ils rôdaient près de son jardin et lui lançaient des glands en ânonnant « Carl l'idiot, le roi du banjo, prend des leçons de musique, mais il joue comme un pied. »

Par une chaude journée, Carl se détendait sur la pelouse avec un soda. Les jeunes sont arrivés et ont repris leur petit refrain. Mélanie a regardé par la fenêtre juste au moment où la bouteille de soda éclatait sur le trottoir à leurs pieds.

Le lendemain, à l'école, Kathy lui a dit : « As-tu entendu parler que Carl l'idiot a tailladé des jeunes avec un tesson de bouteille? »

« Pas étonnant », a répliqué Mélanie. « Ils ne le lâchent pas. »

« Tu es avec nous ou avec lui? » rétorqua Kathy.

« Je ne prends pas parti, mais je les ai entendus le harceler. »

« Je gage que vous vous prenez la main à travers la clôture », dit Kathy d'un air sarcastique.

À la cafétéria, à l'heure du midi, une compagne de classe a taquiné Mélanie. « Si tu demandes à Carl l'idiot de t'accompagner à notre banquet de fin d'année, je serai heureuse de te débarrasser de Jim. »

Avant la fin de la journée, quelqu'un avait écrit sur le tableau : « Mélanie aime Carl l'idiot. »

Mélanie a réussi à garder son calme juste assez pour se rendre à la maison. Elle est entrée en courant et a éclaté en sanglots. « Maman, je t'ai dit que c'était l'enfer d'avoir cet idiot comme voisin. Je le hais. » Elle a raconté à sa mère ce qui s'était passé à l'école.

« Ça fait mal quand tes amis se retournent contre toi », dit Mélanie. « Surtout sans raison! » C'est alors qu'elle a songé à quelque chose qu'elle n'avait jamais considéré jusqu'alors. « Carl a dû pleurer souvent. »

« J'en suis certaine », acquiesça sa mère.

Pourquoi suis-je si méchante envers Carl? se demanda-t-elle. *Ou je ne le suis peut-être pas. Je pense peut-être que je dois l'être parce que tout le monde le fait.*

« Parfois, maman, je ne réfléchis pas assez. » Mélanie s'est essuyé les yeux. « Jim vient me chercher. Je dois me laver la tête. » Elle courut à l'étage.

Le dernier jour d'école, Mélanie est rentrée tôt. Carl était dans sa roseraie. Quand il l'a vue, il a coupé une rose et s'est rendu à la barrière où il a attendu. Comme toujours, Mélanie le salua. Il lui tendit la rose. Au moment où elle allait la prendre, il a levé son autre main pour lui signifier d'attendre et il s'est mis à casser les épines. Il s'est piqué un doigt, a froncé les sourcils, a essuyé son doigt sur la manche de sa chemise et a continué à arracher les épines.

C'était la soirée du banquet de fin d'année et Mélanie voulait rentrer tôt pour se préparer. Pourtant, elle se tenait là et attendait.

Carl lui donna la rose sans épines. « Merci, Carl. Ainsi, je ne me piquerai pas les doigts », dit-elle en tentant d'interpréter la signification de son geste. Émue par son sourire d'enfant, elle a tapoté sa joue, l'a remercié une nouvelle fois et est rentrée à la maison. À la porte, elle s'est retournée. Carl était toujours là, tenant sa main contre sa joue qu'elle avait touchée.

Une semaine plus tard, Carl est mort d'une insuffisance cardiaque congestive. Après les funérailles, les Bell sont partis quelque temps en voyage.

Un jour, une lettre de Mme Bell est arrivée. Il y avait une note spéciale pour Mélanie.

Chère Mélanie,

Je crois que Carl aurait aimé que tu aies la dernière page de son journal intime. Nous l'incitions à écrire au moins une phrase par jour. La plupart des jours, il avait peu de bonnes choses à raconter.

Monsieur Bell et moi voulons te remercier d'avoir été son amie — la seule amie de jeunesse qu'il a jamais eue.

Nous t'aimons,

Carla Bell

Les derniers mots de Carl : *Mlanie est rose sans épines.*

Eva Harding

5

UNE QUESTION DE PERSPECTIVE

Rien n'est bon ou mauvais,
c'est la façon de penser qui le détermine.

William Shakespeare

Une action héroïque

Il y a quelques années, je m'étais arrêté un soir dans une épicerie du voisinage pour une crème glacée. En sortant de la voiture, un jeune homme m'a fait signe de l'autre côté de la rue. Il avait l'âge d'un étudiant universitaire et était tiré à quatre épingles : chandail luxueux, chemise de soirée et pantalon très bien repassé. J'ai pensé qu'il voulait demander son chemin; il avait le regard de quelqu'un en retard, pressé d'aller à une soirée. Quand il m'a rejoint, il a soulevé son chandail et a habilement tiré un pistolet placé sous sa ceinture. « Entre dans la voiture », m'a-t-il ordonné.

Mon cerveau fonctionnait à une vitesse folle. Je me souvenais avoir écouté un expert en sécurité personnelle dans une entrevue télévisée, qui conseillait aux victimes de ne pas regarder avec insistance le visage d'un assaillant. Il faisait la recommandation suivante : si le voleur ne craint pas d'être identifié, il sera moins enclin à vous tuer. Personne n'a demandé jusqu'à quel point il serait moins enclin. Vu l'importance de mon avenir, j'ai plutôt regardé son arme — un Smith & Wesson .38 bleu acier à canon court. J'avais déjà utilisé une arme semblable dans un champ de tir. Ce n'était pas un jouet. J'ai nerveusement dirigé mon regard plus bas. Ses souliers étaient brillants comme des sous neufs. Aussi étrange que cela puisse paraître, j'admirais son élégance.

Le bruit d'armement du revolver m'a fait relever la tête et mes yeux ont rencontré les siens. C'en était fait de ne pas le regarder en face. Contrairement à la croyance que, lorsque la mort semble imminente, la vie entière d'une personne se déroule devant elle, j'étais totalement absorbé par l'instant présent. Mon instinct me disait qu'un voyage en auto avec cet homme se transformerait en un aller simple. J'ai sorti mes clés. «Prenez ma voiture», ai-je dit d'un ton qui, je l'espérais, inspirerait le calme et la raison. « Je n'entre pas. »

Il a hésité, puis ignorant mon offre, il a tendu la main et m'a arraché mon sac en bandoulière. Mon porte-monnaie s'y trouvait, de même que quelques vidéocassettes louées. Il a reculé d'un pas, l'arme toujours pointée vers moi. Ni lui ni moi n'avons parlé.

Un grand rire a rompu le silence et nous nous sommes retournés tous les deux. Plusieurs couples sortaient d'un restaurant chinois au coin de rue opposé. Le bandit les a regardés rapidement, puis il a abaissé son revolver. Le tenant près de son corps pour le dissimuler, il a commencé à marcher rapidement dans la rue pratiquement déserte, mon sac sous le bras.

Incroyablement, je lui ai couru après. « Hé! » ai-je crié aux gens en face du restaurant. « Cet homme vient de me voler. » J'étais au milieu de la rue quand j'ai compris que mon soi-disant détachement ne suivait pas. Le bandit, conscient de ma proximité, s'est retourné dans ma direction. Pendant que je le regardais lever son arme, tout s'est mis à tourner au ralenti. Une langue de feu est sortie du canon relevé, suivie d'une détonation retentissante. J'ai perdu l'équilibre. Je ne ressentais aucune douleur, mais en regardant par terre, j'ai vu ma jambe gauche affalée sur le côté près du tibia. Du sang tachait mon jeans. Quand j'ai levé les yeux, mon assaillant courait dans une rue secondaire sombre.

Plus tard cette nuit-là, dans un hôpital voisin, on m'a dit que la balle m'avait fracturé le tibia et le péroné, les deux os qui relient le genou et la cheville. Les médecins ont inséré une tige de métal retenue par quatre vis dans ma jambe. Ils m'ont aussi donné une carte de « port de prothèse » pour montrer au personnel de sécurité, au cas où la tige déclencherait un détecteur de métal.

Presque immédiatement, une chose remarquable s'est produite : ma popularité a augmenté. Quand des amis me présentaient comme « le gars qui s'est fait tirer », les femmes qui m'ignoraient l'instant d'avant accouraient vers moi comme des admiratrices. Les hommes voulaient m'offrir des consommations. Ils me croyaient « brave » d'avoir couru après un tireur. Je me rappelais les films de guerre dans lesquels les nouveaux fantassins se comportaient avec respect face aux vétérans aguerris qui avaient été « dans le feu de l'action ».

J'ai trouvé difficile de me pardonner pour ce que je considère un acte de pure folie. Parfois, je pensais que j'avais poursuivi ce jeune par rage d'avoir été persécuté; d'autres fois, j'attribuais mon geste à une poussée d'adrénaline qui avait besoin d'un exutoire physique. Quelle que soit la raison, je savais que la bravoure n'avait rien à voir là-dedans.

De toute évidence, on me louangeait pour quelque chose que je ne méritais pas; et pourtant, j'étais peu enthousiaste à abandonner mon nouveau statut. Après tout, ce n'était pas comme si je prenais une part active dans une duperie; c'était simplement permettre à des personnes d'en arriver aux conclusions qu'elles souhaitaient. Finalement, j'ai décidé de maintenir le statu quo : je considérais toute mauvaise perception comme ma compensation pour avoir vécu une situation horrible.

Tout alla bien jusqu'au jour où un mendiant m'approcha. Sur un coup de tête, je lui ai dit que je n'avais pas d'argent parce que je n'avais pas pu travailler depuis le jour où on m'avait tiré dessus lors d'un vol. Ses yeux se sont agrandis, et il était évident que mes propos l'avaient impressionné. « C'est énorme », a-t-il dit. Puis en se rapprochant, il a ajouté : « Vous êtes-vous fait prendre? »

Rulon Openshaw

Qui était cet homme masqué?

L'ouragan Bertha m'avait mis de mauvaise humeur. Malgré les tentatives de presque tout le monde pour me remonter le moral, rien n'y fit. Il y avait des fuites au plafond de la galerie, les planchers étaient inondés, les vitrines étaient sales, il n'y avait pas d'air climatisé ni d'électricité, et plus d'une centaine d'artistes m'avaient téléphoné pour savoir si leurs œuvres avaient été endommagées. Par-dessus tout, il fallait que j'aille à Jacksonville par une pluie diluvienne et une chaleur étouffante, et l'air climatisé de mon camion ne fonctionnait plus.

Je n'étais pas heureux.

En conduisant sur l'autoroute 24 de la Caroline du Nord vers Jacksonville, mon fidèle camion essayait de me dire quelque chose... quelque chose d'important comme TU AS OUBLIÉ DE FAIRE LE PLEIN D'ESSENCE! Pour la première fois de ma vie, je manquais d'essence. Je souriais toujours en coin quand la chose arrivait à mes amis et à des membres de ma famille, comme pour leur dire : « Comment peut-on être aussi stupide? Il y a une jauge sur le tableau de bord pour indiquer si votre réservoir est vide. Il suffit de regarder. »

J'avais raison : il y *avait* une jauge et elle indiquait VIDE.

Je n'étais pas heureux.

Je me suis rangé sur l'accotement en maugréant sur mes facultés mentales... sur l'ouragan Bertha... en jurant de rester là jusqu'à ce que le damné camion pourrisse et tombe en morceaux.

Pendant que je jonglais avec la possibilité de m'engager dans la Légion étrangère française, j'ai entendu une moto qui se rangeait près de moi : une énorme Harley-Davidson au grondement puissant. J'ai ouvert la porte et me suis retrouvé face à face avec un survivant des années soixante. Des serpents étaient peints partout sur son casque et sur sa visière, et tout son corps était tatoué. Il portait l'accoutrement traditionnel Harley-Davidson : veste en denim, jeans et bottes de moto. Des chaînes pendaient de tous les endroits possibles. Il avait les cheveux si longs qu'il les avait séparés et attachés pour éviter qu'ils ne se prennent dans les roues. La Harley sortait tout droit de *Easy Rider* — prolongement de la fourche avant, panier suicide à l'arrière, peinture noire, violette et verte, et le réservoir à essence peint de façon à ressembler à un crâne avec des yeux verts brillants.

« Qu'es qu'y a? » dit-il. Sa visière et son casque lui masquaient complètement le visage.

« Panne d'essence », ai-je murmuré.

« J'reviens. » Il est parti. Environ quinze minutes plus tard, il est revenu avec un contenant d'essence.

Quand j'ai voulu le payer, il a dit : « Attends d'arriver à la station. »

J'ai démarré le camion et je me suis dirigé à la station, quelque 4 à 5 kilomètres plus loin, pendant qu'il me suivait (sous la pluie diluvienne). De nouveau, j'ai offert de le rembourser. Il m'a dit : « Paye le gars en d'dans. Ça va, maintenant? » J'ai dit : « Oui! » Il a répondu : « Salut! » Les cheveux défaits volant au vent, la Harley grondant et crachant, l'homme s'est éloigné pour reprendre l'autoroute 24 vers Jacksonville.

Après avoir pris pour trente-cinq dollars d'essence, je suis entré dans la station et j'ai donné quarante dollars au commis. Il a dit : « Vous ne devez que cinq dollars. L'autre homme a payé trente dollars et m'a dit de vous dire "passe-les à d'autres, mon frère". »

Je n'oublierai jamais la bonté de l'étranger aux serpents et aux chaînes sur la Harley, aux yeux verts rayonnants, et je ne jugerai jamais plus personne sur son apparence (une promesse que je m'étais souvent faite). De plus, je me demanderai toujours : « Qui était cet homme masqué? »

Quant aux trente dollars... je les ai passés à d'autres.

Robert R. Thomas

Dans une cathédrale de piquets de clôture et de Harley

Je n'ai posé que deux conditions pour décider quels mariages je célébrerais et lesquels je refuserais : je dois d'abord pouvoir rencontrer les futurs époux avant la cérémonie et je ne célèbre pas de mariages dans des endroits inhabituels (comme en parachute ou sous l'eau).

Mais j'ai violé ces deux conditions une fois et ce fut le mariage le plus riche de sens que je n'ai jamais célébré.

J'ai accepté de célébrer ce mariage à deux jours d'avis, car le ministre qui devait officier a dû s'absenter pour cause de mortalité dans sa famille. Je connaissais l'emplacement (très loin de la ville, sur une ferme); je connaissais les noms des époux; et je savais aussi qu'ils avaient suivi des cours de préparation au mariage avec l'autre ministre.

On m'avait également parlé des invités au mariage et du cadre particulier qu'ils avaient choisi pour célébrer leur union. Cent quarante motards étaient venus pour le week-end. Le mariage était une prime — une surprise pour tous, sauf quelques initiés.

Je dois admettre que c'est avec beaucoup d'inquiétude que j'ai quitté la route pour entrer sur la propriété et que j'ai aperçu le décor pour la première fois. Le stationnement était rempli de douzaines de motocyclettes. La plupart étaient des Harley-Davidson, le choix des motards sérieux. Une musique très forte provenait d'une aire de rafraîchissements au milieu du champ. Un peu partout, il y avait des tentes. On se serait cru à un concert Woodstock “heavy-metal”.

Ma Jetta était la seule en vue. Je me suis garé et je me suis dirigé vers la maison.

À mon grand soulagement, il semblait y régner un certain ordre. On m'a présenté les parents de la mariée et ceux du futur époux pendant que la mariée se préparait. Ce fut vite fait; un jeans et un T-shirt noir ne demandaient que quelques fleurs dans les cheveux. On m'a présenté le futur époux sous le nom de « Bear » (ours). Il était facile de voir d'où lui venait son surnom — Bear faisait deux fois mon poids au moins. Il arborait une barbe épaisse et touffue et il avait plusieurs tatouages sur les bras. Bear n'était pas loquace.

Nous avons vérifié que le certificat était en règle et, quand tout a été prêt, je me suis dirigé vers la grande tente. Je ne suis pas très habile à me faufiler dans les foules, car je suis du type humble et doux, mais j'ai tout de même réussi à me rendre en avant. J'ai demandé un microphone, j'ai attendu que la musique cesse, je me suis présenté et j'ai annoncé que j'étais là pour célébrer un mariage. Je ne savais pas très bien à quelle réaction m'attendre.

Plusieurs motards se sont immédiatement dirigés vers le stationnement. L'air s'est rempli des vibrations des puissants moteurs. Puis, avec une précision quasi militaire, les motos ont quitté le stationnement pour se diriger droit sur moi à travers le champ. À quelques mètres de moi, ils se sont séparés pour former une double rangée, face à face — une garde d'honneur qui formait une allée pour la mariée. Les moteurs tournaient à plein régime et leur vrombissement se répercutait dans la vallée.

Pendant que la mariée descendait cette allée, lentement et gracieusement, chaque moto qu'elle passait éteignait son moteur. Quand elle a passé la dernière paire et que tous les moteurs se sont tus, on aurait entendu une mouche voler. Elle s'est dirigée vers Bear d'un air gêné. Celui-ci avait les larmes aux yeux. C'est alors que les oiseaux se sont mis à chanter.

Autour du couple-hôte étaient rassemblés leurs amis, les membres et les familles des Sober Riders (les Rouleurs Abstinents), chacun d'eux étant un alcoolique en recouvrance, chacun d'eux, un motard. Tous avaient la tête baissée en prière pendant que nous vivions un moment solennel.

La mariée ne m'avait donné qu'une seule consigne pour la cérémonie. « Assurez-vous de faire un sermon », avait-elle dit. « Ces gens veulent entendre la parole de Dieu. »

« Ces gens. » Ses gens. Et l'espace d'un après-midi, mes gens. J'étais au milieu d'un champ parmi une assemblée de T-shirts, de jeans et de tatouages, devant un marié et une mariée qui savaient exactement ce qu'ils faisaient et pourquoi, dans une cathédrale faite de piquets de clôture et de Harley et, ensemble, nous avons rendu grâce à Dieu.

Le Révérend Neil Parker

L'occasion de fraterniser se présente d'elle-même chaque fois que vous rencontrez un être humain.

Jane Wyman

L'ange du grand magasin

Si les portes de la perception étaient nettoyées, tout apparaîtrait dans sa réalité : infini.

William Blake

Tôt un vendredi matin d'octobre, j'ai appelé ma mère de quatre-vingt-neuf ans pour l'inviter pour le lunch. Avant d'accepter l'invitation, elle a dû consulter son calendrier pour voir quelles activités étaient prévues à la maison de retraite ce jour-là. Elle ne voulait rien manquer, qu'il s'agisse d'un cours de gymnastique, d'un bingo, d'un thé avec les autres résidents, d'une fête d'anniversaire ou de toute autre activité sociale. Elle a accepté l'invitation en me disant qu'elle était libre entre 13 h 00 et 14 h 30, mais qu'elle voulait rentrer à temps pour le défilé de mode. Je lui ai dit que j'irais la chercher à 13 h 00 et que je la ramènerais à 14 h 30.

Mon mari et moi partions le lendemain matin pour une semaine de détente à San Diego et il me restait quelques courses de dernière minute. Avant d'aller chercher maman, je me suis donc arrêtée au centre commercial.

Je m'en voulais. Sachant que j'étais déjà pressée et dépassée par tout ce qui restait à faire avant le départ en voyage, j'avais compliqué ma journée davantage en invitant maman pour luncher. J'avais même pris une journée de congé à mon travail pour avoir plus de temps pour me préparer. Il y avait simplement trop à faire. Je n'aurais peut-être pas dû prendre d'engagement pour le lunch. En m'arrêtant pour manger, j'empiétais sur mon temps de magasinage. J'étais déjà en retard et il ne me restait qu'une heure à peine pour magasiner avant d'aller chercher ma mère. Je savais, par contre, que si je ne lui avais pas téléphoné, je me serais sentie coupable de partir une semaine en Californie sans la voir.

Dans un grand magasin, j'ai remarqué que les chaussures en suède noir Easy Spirit que je regardais depuis deux semaines étaient en solde. Je me suis assise sur la première chaise d'une rangée de huit, je les ai essayées rapidement et j'ai décidé de les acheter.

« Elles vous vont bien. Sont-elles confortables? »

J'ai regardé au bout de la rangée de chaises et dans la dernière, j'ai vu une dame d'environ soixante-dix ans. Elle était là, simplement assise avec un très gentil sourire, jolie dans son chemisier rose, sa jupe fleurie et son collier de perles. Elle n'essayait pas de chaussures et il était évident qu'elle n'était pas une employée.

Je lui ai répondu : « Oui, et elles sont très confortables. »

« Croyez-vous qu'elles seront trop hivernales pour la Californie? »

« Étrange que vous disiez cela », répondis-je d'un ton surpris, « car je pars demain matin pour la Californie. »

« Ah oui? » dit-elle. « Je pars moi-même pour la Californie ce lundi matin pour aller vivre à San Diego, même si je n'ai jamais mis les pieds en Californie. »

D'une voix triste elle m'a raconté que son mari était décédé plus tôt dans l'année. Ils avaient vécu dans la même maison à Cincinnati depuis leur mariage. Ils avaient eu un fils qui vivait à San Diego avec sa famille. Grâce à son encouragement et à son aide, elle avait vendu sa maison ainsi qu'une grande partie de son ameublement. Ses biens les plus précieux seraient livrés à la maison de retraite de San Diego que son fils avait choisie.

« Oh! C'est bien », ai-je dit. « Vous serez plus près de votre fils et vous pourrez le voir plus souvent. »

Elle a dit d'une voix brisée : « J'ai peur. Je n'ai jamais vécu ailleurs qu'à Cincinnati et non seulement dois-je abandonner ma maison et beaucoup de mes possessions, mais je dois en plus quitter mes amies. » En poursuivant son histoire, elle s'est levée pour s'approcher de moi. Nous nous sommes assises côte à côte et j'ai déposé la boîte de chaussures et mon sac à main sur le sol.

Après l'avoir écoutée pendant quelque temps, j'ai dit : « Vous savez, ma mère de quatre-vingt-neuf ans habite une maison de retraite et elle était également craintive avant d'entreprendre ce grand changement, il y a quatre ans. » Je lui ai ensuite dit que ma mère et mon père avaient été mariés pendant cinquante-cinq ans quand il est décédé. Ma mère était ménagère et mère de neuf enfants. Alors sa vie entière était évidemment centrée sur sa famille. Elle n'avait pas beaucoup de temps pour des activités sociales, sauf le bénévolat qu'elle faisait à l'église. Sa famille était sa vie et, bien sûr, quand vint le temps de décider de vendre sa maison, elle a eu peur, elle aussi.

Quand elle a décidé d'aller dans une maison de retraite, mes sœurs et moi avons choisi celle qui était le plus près de nous et nous l'avons aidée à déménager. Nous étions, évidemment, inquiètes. Aimerait-elle cette nouvelle vie? Elle l'a adorée dès le premier jour! Elle rencontre plus de gens que jamais et il y a plus d'activités dans la maison qu'elle peut en suivre. Ce qui est bien, c'est qu'on leur propose beaucoup d'activités; par contre, elle est entièrement libre de choisir d'y participer. En riant, j'ai raconté à cette dame que ma mère était si occupée qu'elle a dû d'abord consulter son calendrier avant d'accepter mon invitation à luncher.

Cette étrangère et moi parlions comme si nous nous connaissions depuis très longtemps. Quelques minutes plus tard, nous nous sommes levées pour nous dire adieu. Elle m'a remerciée et m'a dit qu'elle se sentait beaucoup mieux. J'ai hésité avant d'ajouter les paroles suivantes, mais déjà je ressentais particulièrement une affinité avec elle et je sentais une profonde spiritualité chez cette dame, ce qui a calmé mon appréhension. Je me suis tournée vers elle et j'ai dit : « Je crois que Dieu met certaines personnes sur notre chemin, même si ce n'est que pour une brève rencontre, pour nous aider à traverser un moment difficile. Je ne crois pas que notre rencontre soit une coïncidence. Je crois que c'est sa manière de nous dire : *Ça va, Je suis avec toi.* »

« Et je crois qu'Il nous a envoyées l'une vers l'autre aujourd'hui. Voyez-vous, je me sentais dépassée par tout ce que j'avais à faire aujourd'hui, et un peu irritée de m'être mise dans une situation qui me laissait si peu de temps pour moi-même. Cet échange avec vous m'a aidée à apprécier combien ma mère est heureuse et satisfaite de sa nouvelle vie et cela m'a fait prendre conscience de ma chance qu'elle soit toujours vivante. »

« Oh! » dit-elle. « Votre mère est bien chanceuse de vous avoir pour fille. Je vois bien que vous l'aimez. »

« En effet, et votre fils vous aime tellement qu'il veut que vous vous rapprochiez de lui. Je suis certaine qu'il a choisi une très bonne maison de retraite. Vous êtes une personne agréable et vous n'aurez aucune difficulté à vous intégrer et à vous faire de nouveaux amis. De plus, San Diego est une ville magnifique et vous aimerez son climat. »

Nous étions face à face et nous nous tenions les mains. « Puis-je vous prendre dans mes bras pour vous souhaiter bonne chance? » ai-je demandé. Elle a souri et fait signe que oui de la tête. Il y avait une douceur particulière dans notre étreinte, comme si nous nous connaissions depuis longtemps. J'ai dit : « Je vais certainement acheter ces chaussures aujourd'hui et chaque fois que je les porterai, je penserai à vous et je dirai une prière à votre intention pour que tout se passe bien. » À cet instant, j'ai été touchée par sa beauté et sa chaleur. Son visage semblait rayonner.

Je me suis penchée pour ramasser ma boîte à chaussures et mon sac à main. Quand je me suis relevée, elle n'était plus là. Comment avait-elle pu disparaître si rapidement? J'ai regardé partout autour de moi et je me suis même promenée dans le magasin, espérant la voir une dernière fois. Mais je ne l'ai vue nulle part. Il y a des moments dans la vie où la présence de Dieu est vraiment tangible. J'en vivais un. J'ai eu l'impression que j'avais parlé à un ange.

J'ai regardé ma montre et j'ai vu qu'il était déjà temps d'aller chercher maman. En route vers sa résidence, alors que j'étais profondément absorbée par cette rencontre étrange mais merveilleuse, j'ai croisé une maison de retraite et j'ai vu une affiche dans le jardin où il était écrit : « La meilleure façon de vous sentir mieux face à vous-même, c'est d'aider quelqu'un d'autre à se sentir mieux. »

En me garant dans l'espace réservé aux visiteurs à la maison de retraite de ma mère, je me suis soudainement sentie détendue. Je savais que maman et moi allions passer ensemble un agréable après-midi.

Priscilla Stenger

« *Hé! Garde... merci* »

Le surnaturel, c'est le naturel qui n'a pas encore été compris.

Elbert Hubbard

« Hé! Garde! »

C'était une voix masculine, forte et bourrue, qui provenait de la chambre 254. Je prenais un raccourci vers l'unité de télémétrie après une autre journée très occupée aux soins intensifs. Comme il ne s'agissait pas de mes patients, j'ai poursuivi ma route.

« Hé! Blondinette! »

Je me suis arrêtée et j'ai regardé autour de moi. Il n'y avait aucune autre infirmière en vue, je me suis donc dirigée vers la porte de la chambre 254 et j'ai regardé à l'intérieur. Un homme costaud avec un gros visage souriant était assis sur le lit. Il a parlé avant que j'aie pu ouvrir la bouche.

« Vous souvenez-vous de moi? Vous étiez mon infirmière au quatrième étage? »

« Désolée, monsieur, mais je travaille aux soins intensifs. Vous devez me confondre avec une autre. »

J'ai souri et lui ai souhaité bon après-midi. Je m'apprêtais à partir quand sa voix tonitruante m'a figée sur place.

« Non, attendez. » Il faisait claquer ses doigts. « Vous vous appelez... oh! laissez-moi réfléchir... »

En me retournant, je l'ai vu qui regardait le plafond, un petit sourire au visage. Puis, il a porté son regard vers moi.

« Jackie, non? Vous aviez une longue queue de cheval blonde, n'est-ce pas? »

J'étais abasourdie.

« Oui », ai-je répondu en regardant discrètement ma poitrine pour m'assurer que j'avais retiré mon nom. (Je l'avais fait.) J'ai porté la main au chignon serré derrière ma tête. J'ai ensuite étudié ses traits, espérant rafraîchir ma mémoire. Il avait des yeux calmes, bleus et brillants. Des cheveux frisés poivre et sel encadraient son visage.

« Désolée, je ne travaille pas au quatrième étage et je ne me souviens pas de vous. »

« Pas de problème, Jackie. Je suis simplement content de vous avoir revue. Il y a environ trois semaines, vous êtes entrée dans ma chambre. Mon cœur avait cessé de battre et vous avez mis ces palettes sur ma poitrine. Je me souviens que vous criiez toutes sortes de mots techniques et que vous disiez à tout le monde de s'écarter. Puis, avec les palettes, vous m'avez redonné la vie. »

Soudainement, je me suis souvenue. J'avais été appelée dans cette chambre par un code d'urgence. J'avais oublié l'incident. À ce moment-là, il était différent — inerte, les pupilles dilatées et le visage rouge et bleu.

« Qui vous a dit que je vous ai aidé ce jour-là? » ai-je demandé alors que, curieuse, je m'avançais dans la chambre.

Il a ri et regardé de nouveau le plafond.

« Personne ne me l'a dit. J'étais là-haut au plafond et je vous regardais. C'est ainsi que j'ai vu votre longue queue de cheval blonde. Puis, quand vous vous êtes tournée vers le moniteur, j'ai vu votre beau visage. Je suis si content de vous revoir. »

Son regard s'est posé sur moi, il ne souriait plus. Je voyais bien qu'il refoulait ses émotions.

« Je voulais vous dire merci. Merci beaucoup… »

Depuis ce temps, chaque fois que je passe devant la chambre 254, une impression de réconfort m'envahit. Je suis reconnaissante d'avoir pris ce raccourci ce jour-là et d'avoir répondu à l'appel : « Hé! Garde! »

Jacqueline Zabresky, R.N.

La petite boîte noire

La chose la plus difficile à faire est de trier les possessions d'un être cher après sa mort.

Papa était à la fois mère et père pour moi, car ma mère était morte alors que je n'avais que cinq ans. Sa mort d'un cancer du foie, à l'âge de soixante-quinze ans, m'a anéantie. Je m'imaginais qu'il vivrait éternellement. Je devais maintenant faire le tri dans ses tiroirs pour jeter ou donner ses biens. On ne sait jamais ce qui pourrait servir à quelqu'un dans le besoin.

Quand j'étais jeune, papa disparaissait dans sa chambre et en revenait avec de l'argent pour moi lorsque j'en avais besoin. Je n'ai jamais su d'où cet argent venait et je m'étonnais qu'il y ait toujours des sous pour moi dans cette chambre. Un jour, j'ai entendu papa dire à ma sœur aînée d'aller dans sa chambre et de prendre de l'argent dans la boîte noire. Pour quelle raison n'avais-je pas la permission de voir la boîte noire et d'en examiner son contenu? Étais-je trop jeune? Ou ma sœur avait-elle des privilèges que je n'avais pas?

La boîte noire m'obsédait. Au cours des années, elle m'a hantée. Qu'était donc cette boîte et où était-elle? Quels trésors y étaient cachés et quand me permettrait-on de voir son contenu magique?

Les années ont passé, j'ai grandi et papa a vieilli. Étrangement, nous nous attendons à ce que nos parents restent éternellement jeunes. Ses cheveux sont devenus gris, son visage s'est ridé et son corps s'est voûté, mais chaque fois que je le voyais, il avait toujours ce sourire dans les yeux, qu'il a gardé jusqu'à son dernier souffle.

Pendant que j'emballais et que je triais ses choses dans sa chambre ce jour-là, je n'ai pas pensé à cette boîte noire. Les larmes me montaient aux yeux, mais la nécessité de terminer cette tâche les refoulait. C'était le dernier chapitre de la vie de mon père, toutes les choses indispensables et tous les souvenirs étaient réduits à des sacs à ordures et des boîtes.

Une fois la penderie et les tiroirs de la commode vidés, de la chambre émanait une solitude. Papa était parti, ses possessions suivraient bientôt. Quant à moi, je commençais une nouvelle étape de ma vie. Comment continuer lorsqu'on a perdu une personne qu'on aimait tant, sans qu'elle soit là quand on a le plus besoin d'elle? Qui répondra au téléphone quand j'appellerai pour dire « Papa, je t'aime »?

Il restait le tiroir de la table de nuit. Cette table de nuit avait été au centre de ses derniers jours — c'est là qu'il posait le téléphone, ses médicaments et ses lunettes. J'ai ouvert le tiroir et mes yeux ont vu la petite boîte noire. Ce n'était pas ce que j'avais imaginé... savais-je même à quoi m'attendre? Aurait-elle dû être sertie de pierres et garnie de satin? Connaissant mon père, cette boîte était exactement ce qu'elle devait être : une petite boîte métallique, simple, recouverte de cuir avec les coins en lambeaux et usés, débordante de papiers.

Les mains tremblantes, je l'ai prise, j'ai fermé la porte de la chambre et j'ai versé le contenu sur le lit. Ce que j'ai trouvé dans cette boîte m'a fait revivre ma vie, étape par étape — ma mère, mon enfance, la tragédie, le bonheur, l'amour.

Il y avait dans cette boîte les restes de tout ce que mon père avait aimé durant toute sa vie. Son certificat de mariage avec maman, froissé et séché par le temps; le certificat de décès de maman; quelques pièces de monnaie qui avaient probablement eu une signification particulière pour lui; des lettres de remerciements d'un vieil ami très cher, décédé depuis longtemps, et que mon père avait aidé pendant des moments difficiles; une photo favorite de maman dans sa robe jaune que papa aimait tant et dont il parlait si souvent; une photo de moi à six ans avec un message écrit d'une main d'enfant : « À papa, je t'aime, Debbie »; et des cartes. Plusieurs cartes que je lui avais offertes à Noël, à son anniversaire, à la fête des Pères, d'années anciennes et récentes — chacune contenant un petit mot de moi, où j'ouvrais mon cœur et lui disais ce que je ressentais vraiment pour lui.

J'étais dans cette boîte. Ma mère y était. Il n'y avait ni argent, ni polices d'assurance, ni documents juridiques importants — seulement des objets sans importance, sauf aux yeux d'un homme pour qui ils signifiaient tout. Je me demandais combien de fois il avait pris cette boîte pour lire et relire les papiers qu'elle contenait, en souriant ou en pleurant. J'imagine qu'il a dû le faire souvent, car les papiers semblaient avoir été maintes fois manipulés.

Je n'avais jamais su que j'étais une des possessions les plus chères de mon père. La boîte me l'a dit, la boîte me l'a prouvé et elle m'a redonné ce que j'avais perdu quelques jours auparavant — l'esprit d'un père et son amour éternel pour sa fille.

Aujourd'hui, la boîte noire m'appartient. Quand mes derniers jours viendront et que mes possessions seront réduites à des sacs verts, mes enfants trouveront cette boîte. À l'intérieur, ils trouveront les choses qui m'étaient les plus chères dans la vie. Quand tout sera terminé, mes enfants auront la chance de se retrouver, ainsi que mon âme et mon amour, dans cette petite boîte noire, et ils comprendront que la seule chose importante dans la vie est l'amour que nous éprouvons les uns pour les autres.

Deborah Roberto McDonald

Dîner en ville

La tragédie et la comédie ne sont que deux aspects de la réalité; que nous en voyions le tragique ou le comique n'est qu'une question de perspective.

Arnold Beisser

En rentrant du travail un soir, la voix de ma femme, depuis de nombreuses années, m'a accueilli avec un sonore « Devine! » Dans ces cas-là, je prends toujours une grande respiration. « Quoi? » demandai-je.

« J'ai gagné un concours de ventes au bureau et le prix est un repas pour deux au nouveau luxueux restaurant au bord de la rivière! »

Son excitation était contagieuse. Nous savions que le restaurant était chic parce que nous ne comprenions qu'une partie du menu. « Je t'avais bien dit que je trouverais une occasion de porter ma nouvelle tenue printanière », m'a-t-elle rappelé avec une fausse timidité.

« Ce petit jeu se joue à deux », lui ai-je répondu. « Je porterai mon costume gris, mon chapeau de paille Borsalino et une nouvelle cravate de soie. Nous serons sur notre trente et un. Cette ville ne sera jamais plus la même. Presque comme notre première sortie ensemble! »

C'était au début du printemps et la nuit tombait lorsque le maître d'hôtel nous a escortés vers une table près d'une fenêtre donnant sur la rivière. La table était magnifique avec une nappe gris fumée, accentuée de serviettes d'un rouge vif, des tranches de citron dans les verres à eau sur pied, des fleurs fraîches — tout le tralala!

Nous avons parlé de nos enfants et de nos petits-enfants, et de leur impact sur notre vie. Le souvenir d'un délicieux repas dans un tel décor ne devrait pas s'oublier facilement. En réalité, il est probable que nous n'oublierons jamais celui-ci.

Alors que les ombres s'allongeaient et que les embarcations se balançaient à leur poste d'amarrage, j'ai murmuré : « Pourquoi ne pas déambuler le long de l'esplanade comme nous l'avons fait à Paris, il y a quelques années? Tu te souviens du plaisir que nous avions eu? »

Main dans la main, nous nous sommes promenés le long des magasins. Les gens nous souriaient et hochaient la tête. En fait, il y avait beaucoup de sourires et de hochements de tête. « Je n'avais jamais remarqué combien les gens aimables sont nombreux, particulièrement ce soir, ma chérie », ai-je observé.

« C'est probablement à cause de ton nouveau chapeau de paille. Ou le fait que tu sois un bel homme », a-t-elle rétorqué.

Nous avons terminé notre promenade le long des vitrines des magasins. Après avoir répondu à plusieurs sourires, nous étions revenus au restaurant et nous regardions notre reflet dans la vitre. C'est là que j'ai compris la raison de tous ces sourires.

Prise dans la fermeture éclair de mon pantalon, pendait de toute sa longueur une serviette de table rouge vif appartenant au restaurant!

Duke Raymond

La force d'une promesse

Depuis sa naissance et pendant toute sa vie, il y a toujours eu trois constantes dans la vie de ma fille Laurie : son grand-père, sa mère et une de ses tantes.

En mai 1993, on a diagnostiqué que mon père avait un cancer en phase terminale et on lui donnait six ou sept mois à vivre. Laurie avait posé sa candidature dans cinq universités canadiennes pour son cours de droit. En juin, elle a été acceptée à l'Université d'Alberta, à Edmonton, son premier choix.

Elle est allée voir son grand-père et lui a dit qu'elle n'était pas certaine si elle devait déménager à Edmonton maintenant ou attendre un an à cause de sa maladie. Il l'a fixée dans les yeux, a fait non de la tête et lui a dit : « Je veux que tu ailles à l'université à Edmonton. C'est pour cela que tu te prépares depuis des années. C'est ce que tu as toujours désiré et c'est ce que je veux pour toi. »

Elle a préparé son déménagement et, avant de partir, elle est allée dire au revoir à son grand-père. Elle lui a dit : « Grand-papa, je ne veux pas que tu t'en ailles pendant que je serai partie. Si c'est la dernière fois que nous nous voyions, alors je ne peux pas partir. » Il lui a promis qu'il n'irait nulle part. « Je serai ici à t'attendre quand tu reviendras », dit-il. Mon père a toujours été un homme de parole.

Laurie est partie pour Edmonton et a commencé son cours de droit pendant que les autres membres de la famille s'occupaient de la maladie de mon père, jour après jour. Papa a toujours accepté avec bonne humeur et optimisme le sort que la vie lui réservait. Il était solide comme un roc. Nous avons toujours tellement compté sur lui. Quand nous avions un problème, nous allions voir papa et il nous prodiguait toujours des encouragements et des conseils.

Sa santé se détériorant rapidement, il nous a préparés à sa mort inévitable. Il s'est même occupé de ses funérailles pour nous éviter ce fardeau dans notre chagrin.

Le 29 novembre, papa nous a demandé de l'amener à l'hôpital. Il avait développé de sérieuses réactions allergiques à un des médicaments qu'il prenait, ce que nous ignorions à l'époque. Il était très faible. Son corps était couvert de rougeurs et sa peau avait commencé à peler. Pendant les jours qui ont suivi, la famille entière s'est relayée à l'hôpital pour qu'il ne se retrouve jamais seul.

Il souffrait beaucoup; pourtant, il gardait sa bonne humeur. Je me rappelle un jeudi soir en particulier. Il était assis dans un fauteuil inclinable entre les deux lits. Il avait fermé les yeux, mais il était conscient de ce qui se passait autour de lui. Au canal météo de la télé, on jouait des airs de Noël. Lorsque *Winter Wonderland* a commencé à jouer, il battait la mesure avec son pied. Noël était une de ses périodes préférées.

Je tenais Laurie continuellement informée de l'état de santé de papa. J'essayais de ne pas trop l'inquiéter, car je voulais qu'elle continue de se concentrer sur ses études. Elle s'en rendait compte et, quelques semaines auparavant, au cours d'une de nos conversations, elle m'avait dit : « Maman, je ne veux pas que tu me téléphones pour me dire de rentrer pour les funérailles de grand-papa. Je veux revenir à la maison avant cela. »

Le vendredi matin, j'ai parlé de cette conversation avec un des médecins de papa. Il m'a répondu : « Vous devriez l'appeler aujourd'hui. » Ce matin-là, vers 11 h, papa a commencé à recevoir de la morphine et, dès cet instant, il n'a plus prononcé une parole.

J'ai tenté de rejoindre Laurie pour lui dire de rentrer au plus tôt, mais elle était à l'école. J'ai appelé plusieurs fois, sans pouvoir la rejoindre. Je lui ai laissé des messages lui demandant de me rappeler à l'hôpital dès qu'elle rentrerait. Le même soir, l'infirmière de nuit nous a informés que papa était « en transition », ce qui veut dire qu'il pouvait mourir à tout instant.

J'ai passé beaucoup de temps au chevet de papa à lui masser les mains et les pieds, car cela le soulageait. Vers 1 h, j'ai remarqué que ses pieds étaient froids ainsi que ses jambes jusqu'au genoux. Ses mains et ses bras, jusqu'aux coudes, étaient froids aussi. Quelque temps après, ma sœur m'a dit qu'elle avait tenté de prendre son pouls, mais qu'il ne semblait pas y en avoir.

Vers 2 h 30, on m'a demandée au téléphone — c'était Laurie. Je l'ai mise au courant de la situation et je lui ai dit que la fin était proche. J'ai ajouté qu'il ne vivrait probablement pas jusqu'au matin. Elle m'a priée de retourner vers grand-papa, de lui dire qu'elle prendrait le premier avion du matin et qu'elle arriverait à Winnipeg autour de 10 h. Elle serait à l'hôpital entre 10 h 30 et 11 h. Je lui ai dit que je ne croyais pas pouvoir faire ce qu'elle demandait, car il avait terriblement souffert et je ne voulais pas prolonger son agonie, particulièrement dans son état. Elle m'a suppliée : « Maman, s'il te plaît, va lui dire ce que je t'ai dit. »

Je suis allée au chevet de papa. Je lui ai pris la main et je lui ai dit que je venais de parler à Laurie : elle allait prendre le premier vol vers Winnipeg et elle serait à l'hôpital vers 10 h 30. Elle voulait qu'il essaie de l'attendre. J'ai ajouté : « Papa, si c'est trop douloureux d'attendre, ne t'en fais pas. Laurie comprendra. » Il n'a pas répondu. Je ne savais pas s'il pouvait même m'entendre. Puis, quelque chose de très étrange s'est produit.

Je suis retournée à son chevet et j'ai pris sa main. *Elle était chaude.* Pourtant, il était froid des poignets aux coudes. Même situation avec ses pieds. Ils étaient chauds, mais ses jambes, des chevilles aux genoux, étaient froides.

Laurie est arrivée vers 10 h 35. Je l'ai accueillie à la porte de la chambre pour la préparer puisqu'elle n'avait pas vu son grand-père depuis septembre. Il avait beaucoup changé au cours de cette période, particulièrement au cours de la dernière semaine.

Elle s'est avancée à son chevet, a pris sa main et lui a dit qu'elle était là. Elle lui a parlé pendant environ dix minutes et elle lui a fait ses adieux. Pendant qu'elle lui parlait, il lui serrait la main. Puis, sans la lâcher, il a pris une profonde inspiration et il est parti. Il était 10 h 50.

Papa avait tenu sa promesse. Il n'était allé nulle part avant que Laurie ne revienne.

Dianne Demarcke

Le sourire en coin

En poussant la civière de la petite Mary, cinq ans, dans la salle de résonance magnétique, j'essayais d'imaginer ce qu'elle ressentait. Elle avait subi une attaque qui l'avait laissée paralysée du côté gauche, elle avait été hospitalisée pour traiter une tumeur au cerveau et elle avait récemment perdu son père, sa mère et sa maison. Nous nous demandions tous comment Mary réagirait.

Elle est entrée dans la machine à résonance magnétique sans un mot et nous avons commencé l'examen. À cette époque, les patients devaient demeurer parfaitement immobiles pendant cinq minutes pour chaque séquence d'imagerie. C'était difficile pour toute personne, encore plus pour une enfant de cinq ans qui avait tellement souffert. Nous prenions une image de sa tête. Conséquemment, tout mouvement de son visage, y compris le fait de parler, causerait une distorsion de l'image.

Deux minutes après le début de la première série, nous avons vu la bouche de Mary bouger sur le moniteur vidéo. Nous entendions une voix assourdie par l'interphone. Nous avons interrompu l'examen et gentiment rappelé à Mary qu'elle ne devait pas parler. Elle a souri et a promis de ne pas parler.

Nous avons redémarré l'appareil et recommencé. De nouveau, nous avons vu son visage bouger et entendu faiblement sa voix.

Nous ne pouvions discerner ce qu'elle disait. Tout le monde devenait un peu impatient, car nous étions tous débordés de travail, retardés par cette résonance d'urgence pour Mary.

Nous sommes retournés dans la pièce, nous avons fait glissé Mary hors de l'appareil. De nouveau, elle nous a regardés avec son sourire en coin, nullement contrariée. Le technicien, d'un ton peut-être un peu bourru, a dit : « Mary, tu parlais encore et cela déforme l'image. »

Mary a continué de sourire et elle a répondu : « Je ne parlais pas. Je chantais. Vous avez dit de ne pas parler. » Nous nous sommes regardés et nous nous sentions un peu idiots.

Quelqu'un a demandé : « Que chantais-tu? »

« Jésus m'aime », a-t-elle répondu, presque imperceptiblement. « Je chante toujours *Jésus m'aime* quand je suis heureuse. »

Nous sommes tous restés muets. *Heureuse? Comment cette petite fille peut-elle être heureuse?* Le technicien et moi avons dû sortir de la pièce pour retrouver notre contenance, car nous avions les larmes aux yeux.

Souvent, depuis ce jour, quand je me sens stressé, malheureux ou insatisfait d'un épisode de ma vie, je pense à Mary et je me sens à la fois humble et inspiré. Son exemple m'a fait comprendre que le bonheur est un merveilleux cadeau — disponible gratuitement à quiconque veut bien l'accepter.

James C. Brown, M.D.

La plus belle des fleurs

Le banc dans le parc était vide quand je me suis assise pour lire
sous les longues branches broussailleuses d'un vieux saule pleureur.
Désillusionnée par la vie, j'étais justifiée de froncer les sourcils,
car le monde était résolu à avoir ma peau.

Comme si ce n'était pas assez pour gâcher ma journée,
un jeune garçon hors d'haleine s'est dirigé vers moi, épuisé d'avoir joué.
Il s'est planté devant moi, la tête légèrement penchée
et a dit, tout excité : « Regarde ce que j'ai trouvé! »

Dans sa main, il tenait une fleur qui faisait vraiment pitié,
ses pétales étaient flétris — la pluie et la lumière lui ayant manqué.
Voulant qu'il prenne sa fleur morte et qu'il retourne jouer,
je lui ai fait un mince sourire et je me suis détournée.

Au lieu de s'en aller, il s'est assis à mes côtés,
a porté la fleur à son nez et a déclaré avec une surprise non dissimulée :
« Elle sent bon et elle est belle aussi,
c'est pourquoi je l'ai cueillie; c'est pour vous, voici. »

La mauvaise herbe était à l'agonie ou déjà morte.
Ni orangée, ni jaune, ni rouge, ses couleurs étaient fanées.
Si je voulais qu'il parte, je devais l'accepter.
La main tendue vers la fleur, j'ai dit : « Merci, justement ce dont j'ai besoin. »

Au lieu de déposer la fleur dans ma main,
il l'a tenue en l'air sans raison ou dessein.
C'est alors que j'ai remarqué pour la première fois
que le garçon à la fleur ne pouvait pas la voir : il était
aveugle.

J'ai entendu ma voix frémissante et des larmes ont coulé
de mes yeux.
En le remerciant d'avoir choisi ce qu'il y avait de mieux.
Il a répondu « De rien », il souriait et est retourné à ses
jeux,
sans savoir qu'il avait transformé ma peine en jour
radieux.

Je me suis demandé comment il avait pu apercevoir
une femme sous un vieux saule, en plein apitoiement.
Comment avait-il senti ma détresse complaisante?
Sans doute était-il béni de voir la vérité avec les yeux
du cœur.

Par les yeux d'un enfant aveugle, j'ai enfin pu voir
que c'était moi, et non le monde, qui broyais du noir.
Parce que j'avais si souvent moi-même ignoré la beauté,
j'ai juré de voir la beauté dans la vie et d'apprécier
chaque seconde qui me serait donnée.

J'ai porté la fleur fanée à mon nez
et j'ai senti le parfum d'une magnifique rose.
J'ai souri en voyant ce jeune garçon, une autre
mauvaise herbe dans la main,
s'apprêter à changer la vie d'un vieil homme
sans soupçons.

Cheryl L. Costello-Forshey

Locaux c. Visiteurs

Ma grand-mère était une bonne âme. Elle était née à une époque où la vie était simple et peu compliquée. Elle fuyait tout ce qui était nouveau. Chaque dimanche matin, elle m'emmenait à l'église, où elle se sentait à l'aise dans un environnement familier. Comme sa vue était faible, nous prenions toujours place à l'avant, en face d'un tableau sur lequel on inscrivait combien de paroissiens locaux et de visiteurs avaient assisté au service du dimanche.

Plus je vieillissais, plus je me rendais compte à quel point sa vie avait été protégée et je l'incitais à tenter de nouvelles expériences. Un soir, je m'apprêtais à assister à un match local de basketball et je lui ai demandé de venir avec moi. À ma grande surprise, elle a accepté. Je savais qu'elle n'avait jamais assisté à un tel événement et je m'efforçais de lui expliquer les règles du jeu. Elle a écouté attentivement et fait semblant de comprendre.

En fait, elle a semblé bien s'amuser et elle s'est laissé gagner par l'excitation des acclamations. Après le match, nous avons rejoint maman pour le café et grand-maman lui a raconté les faits saillants de sa soirée. Elle s'est tournée vers ma mère et lui a dit : « Tu aurais dû voir la foule. Il y avait plus de monde qu'à l'église le dimanche. »

« Comment le sais-tu? » a demandé maman.

En toute candeur, ma grand-mère lui a répondu : « Bien, il y avait un tableau des présences à l'extrémité du gymnase, tout comme à l'église, et on pouvait y lire : "Locaux 134, Visiteurs 120". Or, dimanche dernier, nous n'avions que 122 locaux et Dieu sait que nous n'avons jamais eu autant de visiteurs! »

S. Turkaly

6

SURMONTER LES OBSTACLES

La difficulté attire l'homme de caractère,
car c'est en l'étreignant qu'il se réalise lui-même.

Charles de Gaulle

Rodeo Joe

David était un garçon de neuf ans qui avait une forme inusitée de cancer des muscles de sa jambe. On l'avait diagnostiqué à l'âge de huit ans et il avait subi d'importantes excisions. Il recevait régulièrement des traitements de chimiothérapie. L'opération avait affaibli sa jambe gauche et il boitait visiblement. Pour le reste, il était en santé. Ses parents m'ont dit qu'il était encore le meilleur travailleur de leur petite ferme de la Caroline du Nord. La tâche favorite de David était de soigner son cheval et meilleur ami, Rodeo Joe. À l'hôpital, en faisant connaissance avec David et sa famille, nous avons aussi tout appris sur Rodeo Joe. Le cheval de selle de vingt-cinq ans avait été une bonne monture pour rassembler le bétail et, depuis sa retraite, il était devenu le meilleur ami d'un petit garçon de ferme de neuf ans.

À dix ans, David est entré de nouveau à l'hôpital avec des signes et symptômes qui indiquaient que sa maladie récidivait. En effet, elle recommençait violemment. Il y avait récurrence locale; la moelle osseuse, le système sanguin et le foie étaient atteints. David était très, très malade. Nous avons entrepris une autre série de chimiothérapie sachant très bien que les chances d'une réaction favorable étaient au mieux minimes.

La chimiothérapie a souvent des effets négatifs sur le corps. Lorsque ces substances puissantes attaquent les cellules des tumeurs, elles attaquent aussi les cellules normales et saines dont nous avons besoin pour survivre. La chimiothérapie est en soi létale. L'équilibre entre trop et/ou pas assez de chimiothérapie est en effet un art délicat réservé aux oncologues pédiatriques très qualifiés.

La tumeur et les métastases de David ont commencé à répondre aux médicaments; malheureusement, son système immunitaire a été lourdement affaibli et il a rapidement développé des infections impliquant ses poumons et le liquide céphalo-rachidien. David était un garçon intelligent. Il savait qu'il était malade et qu'il pouvait mourir. Plus il devenait faible, plus il parlait de Rodeo Joe. Pendant nos tournées médicales, David nous parlait des talents de Joe avec le bétail, et de tous les rubans qu'il avait remportés dans sa jeunesse. Il nous racontait que Joe savait quand arrivait l'autobus scolaire et qu'il l'attendait à la barrière. David le montait souvent sans selle pour une petite randonnée dans le pré avant de vaquer à ses occupations.

David devenait de plus en plus faible. Bientôt, il ne pouvait que tenir une photo écornée de Rodeo Joe qu'il montrait parfois à ses visiteurs. Les seules paroles qu'il nous adressait étaient : « Est-ce que je reverrai Joe une autre fois? Puis-je le monter une autre fois... juste une fois? » L'infection était si agressive qu'elle était difficile à contrôler. David est bientôt entré dans un coma. Nous, médecins, étions certains que la maladie et l'infection étaient probablement trop avancées et qu'il mourrait bientôt.

Comme tous les parents, ceux de David étaient totalement dévoués à leur fils. Ils étaient loin d'être riches et les exigences de la petite ferme qui assurait leur subsistance n'avaient pas diminué. Heureusement, des voisins compatissants leur donnaient un coup de main, mais M. et Mme Statler devaient partager leur temps entre les travaux à la ferme, située à plusieurs kilomètres de l'hôpital, et réconforter leur fils. Ils rognaient sur leurs repas et leur sommeil.

Quand je repense au coma de David, trois choses me viennent à l'esprit. D'abord, la force remarquable, puis la détermination et la foi des parents, et enfin leur très grand amour. Chaque jour, M. Statler me disait : « Je crois fermement que David montera encore ce vieux hongre, je le crois. » Ensuite, je me souviens des centaines de cartes et de lettres accrochées partout dans la chambre de David, pendant que des groupes de prière du pays tout entier priaient pour lui. Enfin, je me rappelle clairement toutes les photos de ce vieux cheval, collées à la tête de son lit d'hôpital. Nous souhaitions tous que David monte ce cheval une autre fois. Nous espérions qu'il sortirait de son coma assez longtemps pour au moins le voir, et nous avions fait des plans pour transporter Joe sur le terrain de l'hôpital. Nous pensions aussi que nous prenions nos désirs pour des réalités, car l'état de David se détériorait progressivement.

Soudain, vraiment miraculeusement, pour des raisons que le médecin ne comprend pas, la santé de David s'est améliorée — rapidement. L'infection a commencé à se résorber. Les cellules immunitaires de David ont repris de la force. En moins de quarante-huit heures, il était sorti de son coma, alerte, et il nous parlait encore de Rodeo Joe. Vu l'état avancé de son cancer, nous pensions que ce n'était qu'une rémission temporaire et nous voulions tenter un retour à la maison pour qu'il monte Joe une dernière fois. Cependant, quand nous avons fait des tests pour évaluer l'étendue de son cancer, il n'en restait aucune trace. Ni dans la jambe, ni dans le foie, ni dans le liquide rachidien.

Une semaine plus tard, David est rentré chez lui, à la ferme, et a retrouvé Rodeo Joe. Quelques mois ont passé. J'ai décidé d'aller rendre visite à David et à sa famille et voir ce fameux cheval dont j'avais tellement entendu parler.

Il faisait une superbe journée d'automne en Caroline du Nord, les feuilles multicolores brillaient au soleil d'octobre. La petite ferme était située sur une route secondaire. Elle était facile à trouver. En m'engageant dans le chemin d'accès, j'ai vu Rodeo Joe sous un grand chêne orangé. David était assis sur son dos, faisant face à l'arrière, et il lui brossait la croupe. David ne s'était pas encore aperçu de ma présence et je pouvais voir qu'il parlait à Joe. Il lui racontait peut-être l'histoire des médecins qui n'avaient pas cru qu'il puisse rentrer pour monter Joe, mais que tous deux, ils en étaient convaincus.

Je suis resté là pendant quelques minutes à comparer cette image à celle de l'hôpital, tout en tentant de comprendre. J'ai regardé les automobiles qui roulaient sur la route et leurs occupants qui voyaient un jeune garçon et un cheval sous le grand chêne. J'avais envie d'arrêter les voitures et d'expliquer à ces gens que la scène bucolique d'automne qu'ils voyaient était en fait un vrai miracle. Un miracle! Je ne l'ai pas fait. J'ai simplement regardé.

James C. Brown, M.D.

Il n'y a pas d'excuse qui tienne

Je remercie Dieu pour mes handicaps; par eux, je me suis trouvée, j'ai découvert ma voie et mon Dieu.

Helen Keller

Il y a vingt-quatre ans, Jim Ritter était un étudiant actif typique — intéressé aux sports, aux filles, le bouffon de sa classe, cherchant toujours à paresser. Il était capitaine des équipes de football et de lutte de son école, jouait au baseball et était doué sur le trampoline. Il pouvait faire le triple saut périlleux et la vrille et demie.

À seize ans, sa vie a été définitivement bouleversée.

Pendant l'été, Jim travaillait pour l'entreprise forestière de son père dans la petite ville de Montesano, Washington. C'était un vendredi. Habituellement, Jim ne travaillait pas le vendredi, mais son père l'avait réveillé à 4 h 30 et lui avait demandé de l'accompagner.

Après avoir aidé son père à faire fonctionner la chargeuse, à travailler à la scie mécanique et à conduire le camion de billots, Jim s'est glissé dans le grappin servant à ramasser les billots pour une sieste d'après repas. Il s'y est étendu comme dans un hamac, les pieds d'un côté et la tête appuyée de l'autre.

Il ne se souvient que d'un éclair de lumière et d'avoir senti comme si on l'avait frappé derrière la tête et donné un coup sur le nez. Le père de Jim avait démarré le moteur pour déplacer le grappin sans savoir que son fils était étendu dans les serres, bien endormi.

« Mon Dieu », a crié le père de Jim, « je lui ai cassé le cou! »

Le père de Jim a aussitôt lancé un appel à l'aide sur la bande CB de son radio. Par hasard, un hélicoptère d'une société forestière était dans les parages pour faire des relevés topographiques. Le pilote a entendu l'appel à l'aide et a emmené Jim à l'hôpital d'Olympia, à cent kilomètres de là. Que ces hommes aient été là tenait du miracle! L'entreprise forestière du père de Jim était dans un coin perdu et les hélicoptères y passaient rarement.

Les troisième, quatrième et cinquième vertèbres cervicales de Jim avaient été écrasées. Après l'intervention chirurgicale, le médecin avait dit à ses parents que ses chances de survie étaient nulles. Il lui donnait trois jours, cinq au plus. Toutes ses fonctions vitales s'étaient arrêtées, sauf son cœur qui battait toujours. « Il devra vivre à l'aide d'un respirateur le reste de ses jours », avait dit le médecin à la famille. « Il sera une tête avec un bâton dans la bouche — un légume. »

Pourtant, Jim les a tous fait mentir. Même s'il était paralysé de la tête aux pieds, ses reins et autres organes vitaux ont recommencé à fonctionner. Il était confiné dans une armature de Stryker, comme dans un sandwich. Le personnel médical le changeait de côté aux deux heures! Après deux mois, Jim était très frustré. À cause du respirateur, il ne pouvait dire que cinq mots d'affilée avant d'être interrompu par le sifflement de la machine. Il avait de la difficulté à comprendre pourquoi Dieu avait permis que cet accident se produise.

Jim a passé neuf semaines aux soins intensifs, puis il a été envoyé dans un hôpital orthopédique de Seattle, où il est devenu une inspiration pour les infirmières et les autres patients par son vif sens de l'humour.

Un jour, une bénévole est entrée dans la chambre de Jim et elle lui a demandé s'il voulait essayer de faire du dessin.

« Impossible », lui a répondu Jim, « je suis paralysé. » Mais elle n'a pas abandonné. Pour elle, la paralysie n'était pas une excuse. Elle lui a montré le dessin qu'avait fait une jeune fille paralysée dans le même hôpital, en tenant un stylo entre ses dents. En voyant le dessin, Jim a décidé de tenter sa chance : si une fille pouvait y arriver, il le pourrait aussi!

Au début, il lui était difficile de dessiner en tenant un crayon entre les dents et il était malhabile. Jim travaillait chaque jour; progressivement, ses dessins ont évolué, de gribouillages amateurs à de superbes illustrations. Avant son accident, Jim n'avait jamais dessiné, encore moins suivi un cours d'art.

La mère de Jim s'est occupé de lui pendant les six années qui ont suivi, jusqu'à sa mort d'un cancer du poumon. Les résidents de Montesano ont été d'un grand soutien — ils ont organisé des collectes de fonds pour Jim et ils ont recueilli 2 000 $ pour lui acheter une camionnette. Un entrepreneur en construction a fait don de son temps et de matériaux pour aménager et recouvrir de béton la cour arrière pour un fauteuil roulant. Ses amis lui ont acheté une bague de sa promotion et ont organisé des surprises-parties. Un principal d'école à la retraite (qui avait toujours été un vieux grincheux, craint de tous les élèves) a donné de son temps en venant à la maison enseigner les mathématiques à Jim pour lui permettre d'obtenir son diplôme d'études secondaires.

En réadaptation, Jim a fait la connaissance de Joni Eareckson, une artiste paralysée de réputation nationale qui a écrit un livre et a été la vedette d'un film qui racontait son histoire. Elle lui a été d'une grande inspiration.

Aujourd'hui, rien n'arrête Jim. Il chante dans la chorale de l'église, voyage et donne des conférences dans des églises, des écoles et des maisons de retraités. Jim forme un couple heureux avec Sandy et ils sont les fiers parents d'une petite fille de quatre ans, Désirée. Jim est devenu un artiste de grand talent. Il a créé des centaines de dessins à l'encre et des aquarelles, en tenant la plume et le pinceau entre ses dents. Son portfolio comprend des paysages d'hiver, des scènes religieuses et des personnages saugrenus. Il subvient à ses besoins en faisant des expositions partout au pays.

Jim a transformé quelques-uns de ses dessins les plus inspirants en magnifiques cartes de Noël et calendriers. Dans chacune des cartes de Jim se trouve un verset de la Bible. Au verso, on peut lire : « Peint avec la bouche par Jim Ritter. Jim est paralysé du cou jusqu'aux pieds et dessine en tenant ses crayons et ses pinceaux entre ses dents. »

Il est tellement facile de justifier l'abandon de nos rêves par une excuse toute prête. « C'est trop difficile. » « Je ne suis pas assez talentueux. » « Je n'ai pas le temps. » Jim Ritter est la preuve vivante qu'il n'y a aucune excuse qui tienne.

Sharon Whitley

Matière à réflexion

Toute grande réalisation demande du temps.

David Joseph Schwartz

Méditez sur ce qui suit :

Robert Frost, un des plus grands poètes américains, a travaillé pendant vingt ans sans connaître la gloire ni le succès. Il avait trente-neuf ans quand il a vendu son premier livre de poésie. Aujourd'hui, ses poèmes sont publiés en vingt-deux langues et il a remporté le prix Pulitzer de poésie à quatre reprises.

On rapporte qu'Albert Einstein, souvent considéré comme l'homme le plus intelligent de tous les temps, aurait dit : « Je pense et je pense pendant des mois, des années. Quatre-vingt-dix-neuf fois ma conclusion est fausse. Ce n'est qu'à la centième fois que j'ai raison. »

À la fin de la Deuxième Guerre mondiale, le journaliste réputé de la CBS, William Shirer, a décidé d'écrire professionnellement. Au cours des douze ans qui ont suivi, il s'est investi dans son écriture. Malheureusement, ses livres se vendaient mal et il avait souvent de la difficulté à subvenir aux besoins de sa famille. Cependant, au cours de cette période, il a produit un manuscrit de 1200 pages. Tous — son agent, son réviseur, son éditeur, ses amis — lui disaient que son livre ne se vendrait jamais parce qu'il était trop long. Quand Shirer a finalement publié son livre, il se vendait dix dollars, le livre le plus cher à cette époque. Personne ne croyait qu'il serait d'un quelconque intérêt, sauf pour les érudits. Mais *Le troisième Reich* est entré dans l'histoire de l'édition. Le premier tirage s'est vendu dès le premier jour. Encore aujourd'hui, cette œuvre demeure la plus vendue de tous les temps au *Book-of-the-Month Club*.

Lorsque Luciano Pavarotti a terminé l'université, il hésitait entre une carrière dans l'enseignement et le chant. Son père lui a dit : « Luciano, si tu essaies de t'asseoir sur deux chaises, tu tomberas entre les deux. Tu dois choisir une seule chaise. » Pavarotti a choisi le chant. Il lui a fallu sept années d'études et de frustrations avant son premier concert professionnel, et sept autres années avant qu'il n'entre au Metropolitan Opera. Mais il a choisi sa chaise et a atteint le succès.

Quand Enrico Caruso, le grand ténor italien, a pris sa première leçon de chant, son professeur a déclaré qu'il n'avait aucun talent. Il a dit que sa voix ressemblait au vent qui siffle par une fenêtre.

Walt Disney a été congédié par l'éditeur d'un journal pour manque d'imagination. Disney a raconté ses jours difficiles : « J'avais vingt et un ans quand j'ai connu ma première faillite. Je dormais sur les coussins d'un vieux sofa et je mangeais des haricots froids à même la boîte. »

Scottie Pippen, qui a gagné quatre bagues du championnat de la NBA et deux médailles d'or olympiques, n'a reçu aucune bourse de sport d'une université et son premier poste dans la petite équipe de son collège a été celui de préposé à l'équipement.

Gregor Mendel, le botaniste autrichien dont les expériences sur les pois ont donné naissance à la génétique moderne, n'a même pas réussi son examen pour devenir professeur de sciences au secondaire. Il avait échoué en biologie.

L'échec n'est que l'occasion d'essayer de nouveau, plus intelligemment.

Henry Ford

Henry Ford a oublié de mettre un embrayage arrière à la première voiture qu'il a inventée. De plus, il n'a pas fait la porte de l'édifice, où il l'a construite, assez large pour pouvoir sortir la voiture. Encore aujourd'hui, si vous visitez Greenfield Village, vous pourrez voir la trace du trou qu'il a dû faire dans le mur pour sortir la voiture.

Le Dr Benjamin Bloom, de l'Université de Chicago, a mené une étude de cinq ans auprès d'artistes, d'athlètes et d'érudits en faisant des entrevues anonymes auprès des vingt meilleurs dans divers champs d'activité et auprès de leurs amis, de leurs familles et de leurs professeurs. Il cherchait à identifier les caractéristiques communes à toutes ces personnes qui leur avaient valu un tel succès. « Nous nous attendions à entendre des histoires de grands talents naturels », a commenté Bloom. « Nous n'avons rien trouvé de tout cela. Même les mères disaient souvent que c'était un autre enfant qui était le plus doué. » Ils ont plutôt entendu des histoires de travail acharné et de détermination : le nageur qui faisait des longueurs pendant deux heures chaque matin avant l'école et le pianiste qui avait pratiqué plusieurs heures par jour pendant dix-sept ans. La recherche de Bloom a conduit à la conclusion que la volonté, la détermination et le travail acharné — et non un grand talent — étaient la raison du succès extraordinaire de ces personnes.

Les joies différées, méritées au prix de sacrifices, sont toujours les plus douces.

Mgr Fulton Sheen, évêque

Arthur Rubenstein a étonné un jeune homme en lui déclarant qu'il pratiquait le piano huit heures par jour, chaque jour de sa vie. « Mais, monsieur! » dit le jeune homme, « vous êtes tellement bon. Pourquoi pratiquez-vous tant? » « Je veux devenir superbe », a répondu le grand pianiste.

Une étude des meilleurs violonistes a montré que le nombre d'heures de pratique était le seul facteur qui différenciait les futures étoiles de la musique des autres qui étaient simplement bons. En analysant la carrière des violonistes qui étudiaient à l'Académie de musique de Berlin-Ouest, des psychologues ont découvert qu'à dix-huit ans, les meilleurs musiciens avaient pratiqué en moyenne 2000 heures de plus que leurs collègues.

Un visiteur a déjà dit à Michel-Ange : « Je ne vois aucun progrès depuis ma dernière visite. » Michel-Ange lui a répondu : « Au contraire, j'ai fait énormément de progrès. Regardez attentivement et vous verrez que j'ai retouché cette partie, que j'ai peaufiné celle-là. Voyez, j'ai travaillé sur cette partie et j'ai adouci les lignes, là. »

« Je veux bien », répondit le visiteur, « mais ce ne sont que des choses sans importance. »

« Peut-être », répondit Michel-Ange, « mais ce sont les choses sans importance qui font la perfection et la perfection n'est pas une chose sans importance. »

Plus la difficulté est grande, plus grande est la gloire de l'avoir surmontée.

Épicure

Une des plus belles voix parlées de la scène et du cinéma est celle de James Earl Jones. Saviez-vous que

Jones a longtemps été aux prises avec un grave problème de bégaiement? Entre l'âge de neuf ans et la mi-adolescence, il devait communiquer avec ses professeurs et ses camarades de classe au moyen de notes écrites. Un professeur d'anglais à la fin du secondaire lui a donné l'aide dont il avait besoin, mais, encore aujourd'hui, il se bat avec ses problèmes de bégaiement. Pourtant, il n'y a pas plus belle voix que la sienne. On l'a récemment inclus dans la liste des dix acteurs qui avaient la plus belle voix parlée.

Charles Darwin a passé la majeure partie de sa vie adulte à souffrir d'une mystérieuse maladie ou d'une autre. Pourtant, il a contribué de façon incommensurable à l'étude de l'origine de la vie.

Né prématurément et laissé aux soins de ses grands-parents, Sir Isaac Newton a été retiré de l'école très tôt et est devenu un garçon de ferme incompétent. Aujourd'hui, on le considère comme une des plus grandes figures de l'histoire des sciences.

Paul Galvin a créé Motorola des cendres de sa propre société en faillite. En 1928, Galvin a pu trouver assez d'argent pour racheter une petite division d'une société dont il avait été le propriétaire et qui était mise à l'encan. De cette division, il a bâti Motorola, une société du *Fortune 500* qui a connu un très grand succès.

Rien n'est trop difficile si vous le divisez en petites tâches.

Henry Ford

Le *Livre Guinness des records* rapporte l'histoire vraie d'un homme qui a mangé une bicyclette entière, pneus compris! Mais il ne l'a pas fait d'un seul trait. Pendant une période de dix-sept jours, du 17 mars au 2 avril 1977, Michel Lotito de Grenoble, en France, a fondu toutes les pièces en petites unités qu'il pouvait avaler et les a toutes consommées.

Personne ne se fait tout seul. On ne peut atteindre ses objectifs qu'avec l'aide des autres.

George Shinn

George MacDonald a déjà observé qu'un cheval de trait peut déplacer un poids de 2000 kilos. Cependant, deux chevaux de trait, attelés et travaillant ensemble, peuvent déplacer un poids de 23000 kilos.

Jack Canfield et Mark Victor Hansen

Le miracle de l'amour

Une mauvaise herbe n'est qu'une fleur qui manque d'amour.

Ella Wheeler Wilcox

David avait douze ans quand il s'est présenté à mon camp d'été et il est arrivé avec un lourd « bagage ». Il avait grandi avec un père alcoolique, colérique et abuseur, et il l'avait souvent vu battre sa mère. David avait une sœur de douze ans qui était très calme et qui avait développé l'art de devenir « invisible », comme le font souvent les enfants qui grandissent dans de tels foyers. David, lui, était devenu le paratonnerre de la colère et de la rage de ses parents. Il avait souvent été humilié et battu. On lui avait accolé plusieurs étiquettes tels troubles déficitaires de l'attention, difficultés d'apprentissage, troubles du comportement et troubles de conduite. Il était toujours mêlé à des batailles à l'école, bien qu'on lui ait administré une demi-douzaine de médicaments différents, allant du Ritalin au Prozac. Quand David est arrivé au camp, nous avons observé un garçon qui ne pouvait regarder les gens en face, qui se traînait les pieds, les épaules basses, le teint pâle et l'air colérique. En résumé, il avait l'air abattu.

Pas étonnant que dès la première journée au camp, David ait provoqué une bagarre pendant notre réunion d'accueil. Il n'est pas sorti gagnant de l'altercation de dix secondes qui lui a valu une lèvre inférieure enflée. Une fois de plus, il était maltraité et isolé, un reflet de ce qu'il ressentait intérieurement. Les premiers jours, David a été difficile à rejoindre — il résistait, il était isolé et coupé même des autres enfants. Pourtant, lentement, il a commencé à nous faire confiance.

Le troisième jour de nos sessions de groupe, nous l'avons rejoint. David a parlé de son père, des abus, de sa peur, de sa colère et de sa tristesse. Il a commencé à pleurer et lentement les pleurs se sont transformés en sanglots, en gros sanglots, pendant que s'échappaient la douleur et la tristesse profonde qu'il avait refoulées pendant des années. Après cette session, David a changé. Il a repris des couleurs. Il souriait, regardait les gens dans les yeux et jouait plus avec les autres enfants. Il a permis aux conseillers « adultes » de passer du temps avec lui. Il a repris vie. C'était incroyable de le voir sortir de sa coquille et être lui-même. Il a été notre plus grand miracle de la semaine.

L'après-midi de l'avant-dernier jour où les parents devaient venir reprendre leurs enfants, David a provoqué une bataille. Il ne s'était pas comporté de la sorte depuis le premier jour, même s'il arrive fréquemment que nos campeurs se sentent nerveux la veille de l'arrivée de leurs parents. Ils sont nerveux parce que certains d'entre eux retournent dans leur milieu malsain; nerveux et tristes parce qu'ils devront bientôt quitter les nouveaux amis avec lesquels ils ont tissé des liens très étroits. Nous avons séparé les garçons et ils se sont expliqués. Puis, j'ai demandé à David de venir marcher avec moi. En marchant, je lui ai dit combien j'étais fier de lui à cause de tous les efforts qu'il avait faits au cours de la semaine; combien il avait été ouvert et avait montré sa vulnérabilité; comment il avait accepté de nous faire confiance et de nous accueillir; combien il avait changé.

Au même moment, un magnifique papillon a virevolté autour de nous avant de se poser dans le chemin, tout juste devant nous. Nous nous sommes arrêtés un moment pour l'admirer. J'ai dit à David que la présence de ce papillon convenait bien à la situation, car dans la culture amérindienne (dont nous avions parlé pendant la semaine), lorsqu'un papillon croise votre chemin, cela signifie que vous allez vivre un grand changement (tout comme la chenille devient papillon). C'était approprié, car le papillon venait renforcer ce que je lui disais à propos des changements qu'il avait vécus cette semaine. David m'a regardé avec son vieil air découragé et m'a dit : « Et si le papillon n'était pas ici pour moi? S'il était ici pour vous? »

Ça alors! J'ai été surpris sur le coup et mon esprit cherchait avidement une belle réponse rassurante. Avant que je puisse dire quoi que ce soit, la nature a parlé, comme toujours. Le papillon s'est soudainement envolé, a virevolté autour de nous pendant quelques instants et s'est posé directement sur la chemise de David, juste sur son cœur! Nous avons gardé le silence. Il n'était pas nécessaire de parler. Je n'oublierai jamais le regard de ce garçon pendant ce moment miraculeux. C'était de la joie pure et de l'espoir — espoir qu'il pouvait être différent, espoir que sa vie et son avenir pouvaient changer. C'était comme si, à ce moment précis, il avait assimilé toutes les leçons qu'il avait apprises pendant la semaine. Des leçons qui disaient : je peux faire confiance aux gens; il n'y a pas de danger à s'ouvrir aux gens; il y a des gens qui m'accepteront et m'aimeront pour ce que je suis.

Il m'arrive parfois de m'inquiéter de campeurs comme David qui retournent à des foyers qui ne sont pas aussi sains et n'offrent pas tout l'encouragement et l'amour qu'ils mériteraient. Cependant, j'ai bon espoir que les moments magiques qui se sont produits grâce à nos sessions de groupe, à nos conseillers aimants et à ce miraculeux papillon se logeront dans leur cœur pour créer un lieu où ils pourront se réfugier dans les moments difficiles et lorsqu'ils auront besoin de se souvenir combien ils sont réellement adorables et merveilleux.

Tim Jordan, M.D.

Médicalement impossible

Je me souviens qu'on était presque à Noël, parce que la radio du poste de garde jouait des cantiques. Je suis entré dans la chambre de Jimmy. Petit garçon de sept ans, il ressemblait à un nain dans l'immense lit d'hôpital et les draps blancs empesés.

Il m'a regardé d'un air méfiant, les yeux creux dans son visage bouffi par les stéroïdes contrôlant l'état de ses reins. *Qu'allez-vous me faire encore?,* semblait-il dire. *Quelle nouvelle analyse de sang allez-vous demander? Ne savez-vous pas que ça fait mal, docteur?*

Jimmy souffrait d'un syndrome néphrétique qui ne répondait à aucun des traitements que nous avions essayés. Il y avait maintenant six mois qu'il souffrait de cette maladie et il était hospitalisé depuis deux semaines. Je me sentais coupable de l'avoir laissé tomber. En lui souriant, mon cœur s'est alourdi encore plus.

Dans ses yeux, il y avait l'ombre de la défaite.

Oh, non! pensai-je. *Il a abandonné.* Lorsqu'un patient abandonne, les chances du médecin de l'aider baissent de façon dramatique.

« Jimmy, je veux essayer quelque chose. »

Il s'est calé dans les draps. « Ça fera mal? »

« Non, nous utiliserons l'intraveineuse qui est déjà installée dans ton bras. Pas d'aiguilles additionnelles. » J'avais essayé le traitement que j'avais en tête deux semaines plus tôt, sans succès. Je lui avais donné du Lasix par voie intraveineuse, un médicament qui devait « désengorger » ses reins.

Cette fois, j'avais prévu une nouvelle méthode dont l'efficacité était mise en doute par le néphrologue mais qu'il valait la peine d'essayer. Une demi-heure avant d'injecter le Lasix, je lui injecterais de l'albumine, une protéine simple qui aspirerait l'eau des cellules bouffies vers le système sanguin. Ensuite, au moment de l'injection de Lasix, l'eau qui inondait le flux sanguin pourrait couler dans les reins et les désengorger. Mais il y avait un côté négatif. Si les reins ne se désengorgeaient pas, les vaisseaux sanguins « inondés » de Jimmy pourraient créer une congestion pulmonaire tant que son corps ne se serait pas réajusté. J'en avais parlé avec ses parents qui, désespérés, avaient accepté qu'on tente l'expérience.

J'ai donc injecté de l'albumine dans l'intraveineuse. Une demi-heure plus tard, je suis revenu injecter le Lasix. Sa respiration était plus difficile et il semblait effrayé. J'ai eu une idée. Je n'ai jamais cru en l'intervention divine, mais la famille de Jimmy était très religieuse.

« Tu pries beaucoup? » lui ai-je demandé.

« Oui », a-t-il répondu. « Je prie chaque soir. Mais je crois bien que Dieu ne m'entend pas. »

« Il t'entend », lui ai-je dit, sans savoir en toute honnêteté si Dieu l'entendait ou non, mais Jimmy avait besoin qu'on le rassure et qu'on le convainque. « Essaie de prier pendant que je t'injecte le médicament. Et, je voudrais que tu imagines que tu vois tes reins — tu te souviens de toutes ces photos que je t'ai déjà montrées? »

« Oui. »

« Eh bien! Je veux que tu imagines que tes reins déversent toute l'eau en surplus de ton corps dans ta vessie. Tu te souviens de la photo de la vessie que je t'ai montrée? » Je me suis dit qu'il n'y aurait pas de mal à essayer la visualisation. Nous étions au début des années

70. Quelques articles avaient été écrits sur le sujet et il y avait quelques témoignages de son efficacité — du moins occasionnelle.

« Ouais. »

« Bon. Commence maintenant. Concentre-toi sur tes reins. » J'y ai apposé les mains et j'ai fermé les yeux en me concentrant pour lui montrer comment faire. Ensuite, j'ai injecté le Lasix.

Jimmy a fermé les yeux, s'est concentré et a dit une prière.

À tout prendre, j'ai prié moi aussi, même si je savais que cela ne donnerait rien. Je ne croyais pas en l'intervention divine. Après ma mort, je questionnerais Dieu : pourquoi permettait-Il que de telles souffrances arrivent à certains enfants? Un de mes amis m'a laissé entendre qu'à ma mort, Dieu m'enverrait très loin, simplement pour ne pas avoir à me répondre. Mais lorsque le vin est tiré, il faut le boire.

« Combien faudra-t-il de temps pour avoir un résultat? » m'a demandé l'infirmière en ajustant le flot de l'intraveineuse. Je lui ai fait signe de sortir de la chambre avec moi.

« Chez une personne dont les reins sont normaux, il faut compter vingt minutes — quinze au mieux », lui ai-je répondu. « Dans le cas de Jimmy, j'espère que ce sera une demi-heure. Je dois pourtant vous dire que c'est risqué. Restez auprès de lui. S'il a de la difficulté et a besoin d'oxygène, appelez-moi. Je serai au poste de garde en train de consigner cette procédure. »

Je me suis assis et j'ai ouvert le dossier de Jimmy, avec sa couverture de métal froid, en maudissant presque l'ironie du chant de Noël qui jouait à la radio, *Ô Sainte Nuit*. Je n'avais pas terminé d'écrire ma première phrase que l'infirmière a sorti la tête de la chambre de Jimmy. « Vous avez dit 20 minutes avant d'avoir des résultats? » a-t-elle demandé.

« Pour des reins normaux. »

« Autrement, quinze minutes au mieux, n'est-ce pas docteur? »

« C'est ce que j'ai dit. »

« Eh bien, les écluses sont ouvertes : il urine abondamment. Après seulement deux minutes, il a demandé l'urinoir. Je dois aller en chercher un autre. »

Deux minutes? Impossible. Je me suis rendu à la chambre aussi rapidement que ma canne me le permettait. Jimmy avait déjà rempli l'urinoir de plastique jaune. L'infirmière est entrée en trombe avec deux autres. Il en a attrapé un et a commencé à le remplir aussitôt. Il m'a souri, ses yeux bleus avaient retrouvé leur éclat.

J'ai quitté la chambre, le corps et l'esprit en état de torpeur. Ce n'était pas possible. S'il faisait une diurèse — si ses reins débloquaient — il était en voie de guérison. Non, ça ne pouvait pas se produire si vite. Impossible. Médicalement impossible. Et pourtant...

Était-ce une déviation des règles de la pharmacologie et de la physiologie? Était-ce la visualisation?

J'entendais clairement une partie d'un chant de Noël à la radio. J'en ai eu la chair de poule : « Mettez-vous à genoux, entendez la voix des anges... »

J'ai pensé à une paraphrase de la dernière réplique du film *Miracle dans la 34e rue* : « Il se peut aussi, une fois encore, que *je* n'aie pas fait quelque chose de si extraordinaire, après tout. »

John M. Briley Jr., M.D.

Un pas à la fois

J'ai toujours beaucoup aimé courir. Pendant quinze ans, j'ai couru huit kilomètres par jour, quatre jours par semaine. Je réussissais bien comme représentant des ventes et mon travail me demandait beaucoup de déplacements. Je vivais près du lac Ontario et mon territoire comprenait l'État de New York, l'ouest de la Pennsylvanie et l'est de l'Ohio. Je parcourais près de 60 000 kilomètres par année pour rencontrer mes clients. J'étais très actif, toujours occupé.

Il y a quelques années, j'ai commencé à ressentir une faible irritation dans mon œil gauche. Après plusieurs mois, j'ai décidé de voir un médecin. Les radiographies ont révélé une petite tumeur derrière l'œil. Elle ne semblait pas cancéreuse, mais les chirurgiens ont recommandé que je la fasse enlever le plus rapidement possible.

Comme je ne voyageais pas beaucoup dans la période de Noël, j'ai choisi de me faire opérer le 19 décembre. Je n'avais pas particulièrement hâte à l'opération mais au moins, pendant ma convalescence, je pourrais rester à la maison et profiter de la présence de ma femme, Barbara, et de nos trois enfants : Denise, qui avait dix-neuf ans à l'époque, Barry, dix-sept ans et Chuck, douze ans.

À mon réveil après l'intervention chirurgicale, rien ne semblait clair. Les conversations n'avaient aucun sens. Je me souviens que je percevais tout comme une série de courtes situations, comme des rêves. J'avais l'impression d'être perdu dans l'hôpital et que personne ne pouvait m'aider. *Réveille-toi, Jerry,* me suis-je dit. *Ce rêve est angoissant!* En réalité, je ne rêvais pas du tout.

Pendant l'intervention, un des vaisseaux sanguins qui évacuent le sang du cerveau avait été sectionné. Même si c'était une opération de routine, elle a eu un effet dévastateur. Mon cerveau a commencé à enfler. Le lendemain, j'ai subi une attaque qui a touché le lobe temporal gauche et qui a affecté ma faculté de parler. Je ne pouvais plus communiquer et ma fille a compris mes craintes en voyant la panique dans mes yeux.

Mon cerveau a continué à enfler et, ce soir-là, j'ai subi une autre attaque qui a affecté ma vue. J'avais perdu la vision périphérique droite dans les deux yeux. On m'a opéré d'urgence. Le seul recours qui restait aux médecins était de retirer une petite partie de mon cerveau qui était déjà endommagée pour laisser de la place à une enflure additionnelle. Après l'opération, les médecins ont dit à ma femme : « Nous avons fait tout ce que nous pouvions, son sort est maintenant entre les mains de Dieu. » Ils ont expliqué à Barbara que je pourrais rester paralysé, aveugle et incapable de parler.

J'ai été hospitalisé trois mois au St. Mary's Brain Injury Rehabilitation Unit à Rochester, New York. Pendant cette période, on m'a présenté ma femme et mes enfants, mais je ne les ai pas reconnus. Quand je suis retourné à la maison pour une courte visite, terrifié, j'ai demandé à ma femme où nous étions. Je ne reconnaissais rien. J'ai dû tout réapprendre, absolument tout.

À ma sortie de St. Mary's, j'ai participé à leur programme de réadaptation externe pendant une année complète. Avec le merveilleux encouragement des thérapeutes, des médecins, de ma famille et de mes amis, j'ai commencé à réapprendre tous les gestes de la vie quotidienne. Pendant cette période, j'ai souvent vu un homme avec des cheveux longs et une barbe, portant des vêtements rouges et blancs. Ses bras étaient tendus et il avait un cœur rayonnant au milieu de la poitrine. J'aimais beaucoup regarder cette merveilleuse vision. À l'époque, je ne savais pas que cet homme apparaissait dans la partie de mon champ de vision qui était censée être aveugle.

Au centre, j'utilisais toujours le tapis roulant pendant les pauses. Mon corps a lentement recommencé à ressentir le besoin de courir. Mais à cause de ma cécité récente, on m'a dissuadé de le faire. Un jour, pendant mes prières, j'ai éclaté en sanglots à la pensée que je ne courrais jamais plus. Soudain, j'ai senti une main chaude sur ma jambe et j'ai entendu les mots : « Tu peux encore courir. »

Soutenu par ma seule foi inébranlable en ces mots, je me suis graduellement entraîné à courir à l'intérieur sur le tapis roulant. Nous étions en février 1996. Petit à petit, j'en faisais de plus en plus et, en mars, j'ai recommencé à courir à l'extérieur. Ma famille me surveillait de peur que je me perde ou me blesse. Il y avait plus d'un an que je n'avais pas couru à l'extérieur, mais mon corps s'y adaptait bien. Le jour où je me suis rendu au lac, j'ai crié : « Salut, lac Ontario! C'est moi, Jerry Sullivan! »

Je suis lentement remonté à trente kilomètres par semaine. Mes amis m'ont emmené à la course de 8 km de la Saint-Patrice. Quel plaisir j'ai eu! Je pouvais courir de nouveau et il me semblait que je reprenais vie.

Ensuite, j'ai réappris à conduire, malgré ma cécité à 50 pour cent. Quand j'ai passé mon examen de conduite, ma belle-mère m'a donné un cadeau — un petit collant religieux pour ma voiture. Le collant représentait un homme avec des cheveux longs et une barbe, portant des vêtements rouges et blancs. Sur sa poitrine, il y avait un cœur rayonnant. C'était le même homme que j'avais vu si souvent pendant ma réadaptation.

Je ne sais trop comment interpréter cette coïncidence, mais je connais le pouvoir extraordinaire de la foi. Si elle peut faire courir un aveugle, elle peut vraiment opérer des miracles dans notre vie.

Jerry Sullivan

La quête d'une mère

« Pourriez-vous déposer ceci dans le Mur des Lamentations pour moi, s'il vous plaît? »

Je tenais précieusement le petit bout de papier qui représentait le Mur ouest de Jérusalem. Sous l'illustration, à l'encre, soigneusement calligraphiés, les mots : « Pour retrouver mon fils Pieter. »

« Évidemment, cela me fera plaisir », ai-je dit à mon amie Marti Nitrini lorsqu'elle a appris mon départ prochain pour Israël. « Les non-juifs peuvent-ils placer des choses dans le Mur des Lamentations? »

Marti, survivante de l'Holocauste, m'a assurée qu'ils le pouvaient. « Mais les femmes ont leur endroit réservé », a-t-elle expliqué.

J'ai rencontré Marti il y a plusieurs années quand j'ai écrit un article dans le *San Diego Union-Tribune* sur *Le Journal d'Anne Frank*. Elle m'avait téléphoné.

« J'étais dans le même camp de concentration qu'Anne Frank », a-t-elle dit doucement. Intriguée, j'ai posé quelques questions à Marti sur sa vie. Nous avons décidé de nous rencontrer.

Un matin, en prenant un thé à son condominium de Mission Valley, Marti m'a raconté son histoire d'horreur avec force détails qu'elle n'avait que peu révélés à quiconque jusqu'alors.

Née à Prague en 1918, elle et ses deux frères aînés avaient eu une enfance heureuse, privilégiée. Son père hongrois et sa mère allemande étaient propriétaires d'une chaîne de petits magasins à rayons qui vendaient de la maroquinerie et des bijoux faits sur commande. Ses parents voulaient qu'elle fréquente une école pour filles. Elle est donc allée au cloître des environs.

« C'était une école catholique et j'étais la seule juive sur 500 élèves », dit Marti. « Les religieuses étaient très gentilles et merveilleuses. Je n'ai jamais oublié mon école. Quand je retourne à Prague, je vais faire une visite. »

Marti s'est mariée très jeune, à quinze ans, à un bel homme de dix ans son aîné, dont elle était éperdument amoureuse. Malgré les réserves initiales de ses parents, ils furent très heureux. Leur petit garçon, Pieter, est né en 1938.

Le monde heureux de Marti s'est écroulé un jour de 1942, quand sa famille a reçu l'ordre de se rassembler à un certain endroit pour être transportée à « un lieu de villégiature » réservé aux Juifs.

« Si vous ne vous présentiez pas, les soldats venaient et vous fusillaient », se souvenait-elle. « Ils ont ainsi rassemblé des milliers et des milliers de personnes. Vous ne pouviez prendre avec vous que ce que vous pouviez porter. »

Marti, son mari et leur jeune fils ont été envoyés dans un camp de concentration tchèque qui s'appelait Theresienstadt. Pieter et elle vivaient dans une petite salle de vingt-huit mètres carrés avec quatre autres mères et sept autres enfants. Son mari habitait dans une autre baraque. Plus tard, on les a envoyés à Auschwitz, en Pologne. Marti se souvient n'avoir eu qu'un bol de soupe avec des pelures de patates et une mince tranche de pain comme nourriture pour une journée entière. Les seuls vêtements qu'elle portait pendant l'hiver froid étaient une chemise de coton et une jupe.

« C'est à Auschwitz que nous avons commencé à comprendre… que nous avons vu les cheminées et que nous avons compris ce qui se passait », se souvient-elle doucement. « C'était incroyable. Une personne normale ne pouvait pas croire que de telles choses se passaient. Mais nous voyions les cheminées et nous sentions l'odeur douceâtre de la viande qui brûlait. »

Quand les troupes du Général George S. Patton ont écrasé Hambourg, il a fallu 5 000 personnes pour nettoyer les ruines. « Mon mari est venu me voir et m'a dit : "Écoute, si tu restes ici, tu n'as aucune chance de survivre. Je garderai Pieter avec moi." »

Marti se souvient avoir dû « parader nue devant les SS » pour être « choisie », puis d'avoir voyagé dans des wagons de chemin de fer pendant trois jours vers Hambourg où elle avait si faim qu'elle fouillait dans les poubelles pour se nourrir.

« Un jour, j'ai trouvé une crêpe brûlée que quelqu'un avait jetée », dit-elle. « Ce fut un grand moment, une crêpe brûlée. Si vous trouviez un navet, c'était comme un million de dollars. Nous avions l'habitude de manger du bois brûlé et des feuilles. »

Marti a tenté de s'évader, mais elle a été reprise, battue, puis envoyée aux travaux forcés. Puis, le 1er avril 1945, jour de son anniversaire, elle a été envoyée à Bergen-Belsen, où la seule nourriture consistait en une unique tranche de pain par jour que les SS empoisonnaient, rendant tout le monde malade et faible. C'est à Bergen-Belsen que Marti a vu Anne Frank.

« Elle gisait sur une couchette, dans le coma », dit Marti. « Je me souviens de ses cheveux noirs et de ses grands yeux. Elle était seule à cet endroit, étendue sur le lit comme un squelette. » Anne est décédée peu de temps après.

Le 15 avril, les Anglais ont libéré Bergen-Belsen et Marti a aidé à transporter les corps qui gisaient partout pour permettre aux chars de pénétrer dans le camp. Des 50 000 détenus qui ont survécu et assisté à la libération, 25 000 sont morts dans les jours qui suivirent.

Marti a perdu quarante-trois membres de sa famille pendant l'Holocauste, dont ses parents et son mari. Aujourd'hui encore, elle ignore ce qui est arrivé à son fils, Pieter Reich, qui aurait cinquante-neuf ans.

Elle est arrivée aux États-Unis en 1945 et s'est remariée quatre fois — divorcée une fois et veuve trois fois. Elle n'a pas eu d'autres enfants. Récemment, Marti a été filmée par la société de Steven Spielberg pour la Fondation Shoah, laquelle se documente sur les histoires des survivants de l'Holocauste pour que personne n'oublie jamais ce qui s'est passé.

Il y a quelques années, Marti s'est rendue en Israël pour tenter de retrouver Pieter au Hall of Names du Yad Vashem Holocaust Memorial à Jérusalem. Elle a retrouvé son nom sur une liste qui disait qu'il avait été vu pour la dernière fois à Bergen-Belsen. Aujourd'hui encore, elle garde toujours espoir qu'il soit vivant et elle a fait de nombreuses démarches pour le retrouver.

Quand j'ai visité Yad Vashem récemment avec un groupe de l'Église presbytérienne de Solana Beach, j'ai traversé le Mémorial des Enfants qui rappelle le million et demi d'enfants juifs morts durant l'Holocauste. Dans une petite pièce calme et sombre, entourée de miroirs, cinq cierges commémoratifs allumés se reproduisent à l'infini dans les miroirs et rappellent les âmes de ces enfants. Sur un fond musical triste et angoissant, le nom, l'âge et le lieu de naissance de chaque enfant sont lus d'une voix solennelle. J'ai pensé au fils de Marti, Pieter, qui n'avait que six ans la dernière fois qu'elle l'a vu.

J'entendais les sanglots étouffés des gens, de toutes croyances et nationalités, qui traversaient le lieu commémoratif.

Plus tard, à la section réservée aux femmes du Mur ouest, je me suis arrêtée brièvement et j'ai relu le plaidoyer poignant de Marti pour son fils. *Comment une mère peut-elle endurer de ne pas être certaine du sort de son enfant?* me suis-je demandé. *Comment Marti a-t-elle pu supporter ce chagrin pendant toutes ces années?*

Puis, je me suis avancée vers le mur, j'ai plié sa note le plus possible et je l'ai insérée dans une fissure. *C'est la moindre des choses que je puisse faire pour toi, Marti,* ai-je pensé, en disant une prière pour elle et Pieter. Depuis que je connais Marti, j'ai admiré sa force émotionnelle et son attitude joviale malgré les horribles malheurs qu'elle a dû endurer.

Je me suis souvenue de ce que Marti m'avait dit déjà. « Il faut continuer à vivre. Une porte se ferme, une autre s'ouvre et on doit continuer. »

Sharon Whitley

Nous sommes les membres d'un grand orchestre cosmique dans lequel chaque instrument vivant est essentiel à l'interprétation complémentaire et harmonieuse de l'ensemble.

J. Allen Boone

Le but

La vie était bonne pour Jim Colbert. Il avait une maison confortable, une gentille femme, trois enfants et un bon emploi. Il avait atteint l'âge plaisant de vingt-huit ans, âge où la maturité commence vraiment à s'installer pour de bon.

Puis, la vie de Jim a soudainement pris une autre tournure. Au lieu de rentrer dans son confortable foyer, il s'est retrouvé plongeant précipitamment, comme s'il était sur des rails menant à la caverne la plus noire qu'il n'avait jamais connue.

La première chose que Jim a su, peu après le jour où il a éprouvé de la difficulté à marcher, c'est qu'il était hospitalisé, enfermé dans un poumon d'acier, confiné à une machine qui ressemblait à un cercueil. Seule sa tête en dépassait. Pendant neuf mois, Jim a été incapable de bouger son corps. Les médecins lui ont dit qu'il avait la polio. S'il sortait de l'appareil, il mourrait. Il ne pourrait plus respirer.

Jim vivait son cauchemar tout à fait éveillé. Il a entendu sa femme, debout près de lui à l'hôpital, lui murmurer qu'elle devait le quitter et qu'elle emmenait les enfants avec elle.

« Vas-y », lui a-t-il dit fermement. « De toute façon, je ne vaux plus rien. » C'est ce qu'il pensait de lui-même. Un homme inutile, avec un corps inutile. Cependant, il avait oublié que son cerveau n'était pas affecté.

Quand il a reçu son congé de l'hôpital, il a contacté le service de réadaptation de l'État et, peu après, il est retourné à l'école pour étudier la psychologie. Il devait accepter le fait qu'il ne marcherait plus jamais.

Sa vie se présentait maintenant sans femme, sans enfants, sans foyer. En retour, il avait un fauteuil roulant et deux colocataires handicapés dans un logis qu'ils partageaient à Los Angeles. C'était une période où Jim aurait pu sombrer dans l'amertume. Les cours étaient difficiles et ses deux compagnons d'appartement aimaient faire la fête. L'un d'eux était aussi en fauteuil roulant et l'autre souffrait d'une maladie fatale, la mucoviscidose. Ils ont tous les trois rapidement appris à s'amuser et à faire des folies. Leur handicap ne les a pas arrêtés. Ils sont même allés faire du camping dans le désert.

Jim se voyait comme la moitié d'un homme, vivant dans un fauteuil roulant. Son attitude a commencé à changer quand des femmes lui ont rendu ses sourires. Il s'est senti soulagé. Peut-être que cette partie de sa vie n'était pas complètement morte. Elle ne l'était pas.

Après quelques années, Jim est devenu psychologue à temps plein. Il a contribué à établir des foyers de placement. Il a travaillé avec des délinquants juvéniles. À la fin, il s'est dirigé vers la pratique privée. Il a très bien réussi et il était respecté dans sa communauté.

Les années ont passé jusqu'à ce qu'un soir, il se réveille en sueurs. Il vieillissait et, d'un seul coup, il a pris conscience qu'il n'avait pas atteint son but dans la vie. Il ne connaissait pas ce but, mais il savait qu'il ne consistait pas simplement à avoir de l'argent et du prestige. Il a commencé à se dépouiller de ses biens, tout comme un serpent se débarrasse de sa vieille peau. Par contre, il ne savait toujours pas précisément ce qu'il était censé faire.

Ses amis et ses collègues ont trouvé la réponse à sa place. « Va à l'institut du comté, où des enfants sont gardés temporairement en famille d'accueil », lui ont-ils demandé avec insistance, « et lis les dossiers des enfants qui n'en sortent pas. »

Il a vu que les enfants qui restaient en établissement spécialisé, sans jamais aller en foyer de placement, étaient ceux qui avaient de graves problèmes médicaux. Ou ils étaient mourants ou ils nécessitaient des soins constants à cause d'une maladie chronique. Le cas qui a causé le déclic a été celui d'un garçon de dix-sept ans qui se frappait la tête toute la journée contre un mur de béton, assis dans son fauteuil roulant. Il n'avait jamais été en foyer d'accueil, ayant passé sa vie dans un établissement spécialisé. Pas d'amour. Pas de tendresse.

Le jour suivant, Jim a donné sa maison qui est devenue l'un des premiers foyers d'accueil pour les enfants mourants et souffrant d'affection chronique. En quatre ans, il a ouvert quatre maisons, en utilisant toutes sortes de stratagèmes avec des amis pour obtenir des logements à prix modique. Il a utilisé des stratagèmes auprès des membres du conseil, auprès des gens afin qu'ils donnent temps et argent. Obligé de gérer toutes les maisons avec un maigre budget, il s'est arrangé pour donner au personnel les plus gros salaires dans l'industrie, ce qui est encore très peu. La philosophie dans chaque foyer (dont un pour les sourds) est de donner le plus d'amour possible à chaque enfant. Voici ce qui est arrivé à certains d'entre eux :

Carlos, douze ans, avait la mucoviscidose. Quand il est arrivé au foyer, il était en colère et amer. Il détestait le foyer. Il détestait le personnel. Après qu'il eut compris que les employés ne l'abandonneraient pas, il a commencé à manifester son amour et son affection qui étaient restés emprisonnés dans son cœur. En peu de temps, il était devenu la mascotte des foyers de placement de Samadana. Tout le personnel l'aimait. Avant de mourir, il avait perdu plusieurs de ses amis emportés par la maladie. Il rêvait qu'il était debout sur une falaise et que ses amis le saluaient. *N'aie pas peur*, lui disaient-ils.

Tu peux respirer tellement mieux ici. Quand tu seras prêt, un cheval blanc viendra et te transportera vers nous. Il est mort en le croyant. Il est mort en se sentant aimé.

Tanya, sept ans, avait la mucoviscidose et un appétit de vivre qui ravissait Jim et son personnel. La chose qu'elle aimait le plus au monde, c'étaient les poupées Barbie. Ceux qui en prenaient soin se sont efforcés de lui offrir les plus grosses et les plus belles Barbies. À chacun des anniversaires de Tanya, elle recevait une Barbie, mais généralement plus d'une. Quand elle a été si malade qu'il a fallu l'hospitaliser, Tim, qui aidait à la gestion des maisons, est venu lui porter la caravane rose géante de Barbie, qui contenait d'autres poupées, simplement pour lui donner le goût de continuer à vivre. Tanya est partie retrouver sa mère.

Alicia, quatorze ans, a eu deux transplantations du foie et son espérance de vie a été estimée à quarante-cinq ans. Rien n'arrête Alicia. Elle vit pleinement sa vie. Quand elle a obtenu son diplôme d'études secondaires, elle a demandé au personnel de lui organiser une fête avec tous ses amis et de payer leur repas. Le personnel l'a fait. Quand, grâce à un programme de son école, elle s'est mérité un voyage à Washington, D.C., ses amis lui ont donné de l'argent de poche. Ils aimaient son caractère et sa joie de vivre. Plus que tout, ils l'aimaient parce qu'elle partageait sa grande réserve de gratitude.

Malgré ses succès, Jim s'inquiète encore. Il prend de l'âge. Il y a encore beaucoup d'enfants à secourir. Il veut s'assurer que son programme continuera et qu'il y aura assez d'argent et d'esprits visionnaires pour grandir, pour se développer. Si son vœu se réalise, il aura trouvé son vrai but dans la vie.

Diana Chapman

Le métier de père

Le 28 août 1982, Carl et Joyce Lambert étaient assis au chevet de leur fille, Karen, en pleurs et en état de choc. Le jour précédent, Karen était une jeune fille de seize ans vive et pleine d'énergie, une bonne étudiante et une musicienne en herbe. Soudain, le téléphone que craignent tous les parents : il y a eu un accident. Karen retournait chez elle après une leçon de flûte quand sa voiture a capoté sur une bretelle d'accès. Elle a été projetée à travers le pare-brise et a atterri sur la chaussée où elle a été frappée par une autre voiture. Pendant que Carl et Joyce étaient près d'elle aux soins intensifs, Carl a ressenti un fort sentiment d'impuissance. Il n'y avait pas d'espoir de sauver sa fille et il ne pouvait rien faire pour l'aider.

Pourtant, Karen a survécu. Elle a subi une chirurgie de douze heures pour soigner une hémorragie interne, de multiples fractures, une épaule et un coude broyés, et un foie perforé qui saignait. Elle était dans le coma avec de graves blessures à la tête, et en état de choc. Carl était expert en informatique, pas médecin. Pendant quatre-vingt-un jours, Joyce et lui n'ont rien pu faire, sauf attendre et prier.

Le quatre-vingt-deuxième jour, Karen s'est réveillée.

C'était leur Karen, mais c'était comme si elle était redevenue bébé. Elle ne savait plus comment avaler, parler, compter, marcher, ni même penser clairement.

Carl se sentait toujours impuissant, même s'il faisait tout ce qu'il pouvait. Karen a passé quatre autres mois à l'hôpital et les six mois suivants en thérapie comme patiente externe.

Les Lambert ont trouvé un arrangement où Joyce a conservé son emploi à plein temps pour les revenus et les avantages sociaux, pendant que Carl restait à la maison avec leur fille.

Quand Karen est arrivée à la maison en fauteuil roulant, ses parents ont été soulagés. Carl et Karen ont entamé le long processus de réhabilitation. Les thérapeutes demandaient des honoraires de 60 $ à 120 $ l'heure, mais Carl lui-même était prêt à consacrer tout le temps nécessaire, car son rôle de parent était sa priorité absolue.

Tout prenait beaucoup de temps et nécessitait la plus grande patience — de la part de chacun. Pour enseigner à Karen à parler de nouveau, Carl lui faisait répéter le mot « hut » cinq heures par jour. Il avait constaté que ce mot étirait les cordes vocales et permettrait de restaurer la parole.

Comme elle faisait des progrès, les deux ont commencé à jouer aux cartes pour aider la concentration de Karen. Chaque petit progrès exigeait de longues périodes de jeu, parfois jusqu'à dix-huit heures par jour. Karen s'améliorait mais le rythme était lent. La pression devenait trop grande pour les deux.

Que pouvait faire un père?

Alors qu'il était sous la douche un matin, il a tout à coup compris. C'est vrai qu'il n'était pas médecin. Il n'était même pas thérapeute professionnel. Mais il *était* expert en informatique. Et c'était peut-être la solution qui pourrait le mieux aider Karen!

Un ordinateur serait l'outil parfait pour aider sa fille à apprendre des choses telles que compter, élaborer des concepts, reconnaître des séquences et résoudre des problèmes. Un ordinateur ne se lasserait jamais des répétitions, pourrait suivre le rythme de Karen et serait disponible vingt-quatre heures par jour. Elle pourrait même y trouver du plaisir!

Carl s'est donc mis au travail. Il a consulté des orthophonistes, des ergothérapeutes, des médecins, des psychologues et même un physiothérapeute. Ils lui ont soumis des problèmes; pour les résoudre, il a créé des programmes informatiques sous forme de jeux et d'activités stimulantes. C'est ainsi que Karen a appris les habiletés de base et qu'elle a retrouvé et développé sa concentration et sa mémoire.

En réalité, les logiciels ont été tellement aidants, motivants et amusants qu'on en a fait un progiciel appelé Programmes de la Fondation Karen Lambert, et on les utilise maintenant partout au pays.

Aujourd'hui, Karen Lambert est redevenue une jeune femme pleine d'énergie avec un délicieux sens de l'humour. Elle a trente et un ans, mariée et heureuse en ménage, et prend plaisir à s'inscrire de temps à autre à des cours à l'université.

Vous auriez de la difficulté à trouver un père plus fier que Carl. Non seulement est-il heureux que Karen ait trouvé son indépendance, mais les jours d'impuissance qu'il a connus sont chose du passé. Il a découvert que c'est très bien d'être un médecin ou un thérapeute professionnel. Mais parfois, c'est encore mieux d'être soi-même.

Sharon Whitley

Ballons de soccer et violons

C'était le début de l'automne. J'aimais mon rôle de bénévole comme aide-entraîneur au soccer pour un groupe d'enfants énergiques de dix ans. Mes tâches consistaient surtout à garder un certain degré de contrôle sur ce groupe exubérant, puisque ma connaissance du jeu était limitée.

Un lundi matin, au travail, je repensais à la pratique de soccer de la veille. On m'avait apporté le dossier de Bradley, dix ans, mon premier examen à l'ultrason de la journée. Je me rappelais très bien du jeune Bradley, même si je ne l'avais pas vu depuis quelques années. À quatre ans, il avait eu un accident d'automobile et il en était resté paralysé de la taille aux pieds.

Malheureusement, dans tout hôpital pour enfants, les situations tragiques ne sont pas rares et la paraplégie est certainement chose courante. Toutefois, ce matin-là en particulier, ma tête était pleine d'images d'enfants de dix ans qui couraient, sautaient et donnaient des coups de pied. Je me sentais donc un peu déprimé en entrant dans la chambre de Bradley, sachant qu'il n'aurait jamais le plaisir de jouer au soccer.

J'ai commencé à examiner Bradley à l'ultrason et nous nous sommes mis à parler des inconséquences de la vie. Soudainement, ses yeux se sont éclairés quand il m'a parlé de sa musique : son violon, son piano et sa flûte. Bradley me disait à quel point il était merveilleux de « faire de la musique ». En fait, Bradley avait été choisi pour participer à une compétition régionale avec l'Orchestre symphonique d'Omaha. Il irradiait tellement la joie et l'enthousiasme! Puis, comme s'il se sentait gêné de cette exubérance, il s'est tourné vers moi et m'a demandé : « Dr Brown, savez-vous jouer d'un instrument de musique? »

« Euh... non! Je ne sais pas », ai-je répondu, quelque peu embarrassé moi-même. Je ressentais le besoin de poursuivre et d'expliquer à Bradley que j'avais bien essayé d'apprendre la musique, et que plusieurs professeurs de piano et de clarinette avaient tenté de m'enseigner. Ils ont finalement tous dit la même chose à mes parents : « Je regrette. Jim fait tout son possible. Il n'a vraiment aucun talent. »

« Oh! » dit Bradley, « je le regrette aussi, Dr Brown. » Il était sincèrement malheureux pour moi; le plus étrange, c'est que moi-même, *je* le déplorais aussi. Nous étions donc là, à regretter tous les deux *mes déficiences musicales*. Puis, l'instant d'après, j'ai éprouvé ce besoin fou de dire à Bradley qu'*il* était celui qui était handicapé ici. L'était-il?

« Merci, Bradley », ai-je dit, « mais c'est bien ainsi. Dieu m'a donné d'autres talents. »

« Je sais, Dr Brown. Vous avez raison et je suis drôlement content que vous soyez un bon médecin. Mais chaque jour, je me trouve si chanceux et j'ai tellement de gratitude parce qu'il n'y a vraiment rien comme pouvoir faire de la musique. »

Nous nous sommes dit au revoir. Son examen à l'ultrason était normal et, tout heureux, il était en route pour un engagement musical. Je me sentais bien et serein. Encore une fois, on m'avait rappelé la fausseté de deux tendances humaines très communes. L'une est la tendance à accorder beaucoup trop d'importance aux choses matérielles (comme courir et sauter), et l'autre est la tendance à laisser une trop petite place à Dieu.

James C. Brown, M.D.

Un point tournant

Pour être réaliste, il faut croire aux miracles.

David Ben-Gurion

Il y a soixante-dix ans, j'étais une toute petite fille, le bébé de la famille, et j'avais un frère et une sœur. Mon père était très malade à ce moment-là et ma mère faisait des travaux de couture de toutes sortes pour nous permettre de vivre. Elle cousait jusqu'à très tard dans la nuit sur une vieille machine à pédale, avec pour tout éclairage une faible lampe au gaz. Elle ne se plaignait jamais, même quand il faisait froid et que la nourriture devenait très rare. Elle cousait jusqu'aux petites heures du matin.

Les choses allaient très mal cet hiver-là. Puis, une lettre est arrivée de l'endroit où elle avait acheté sa machine à coudre, disant qu'on la reprendrait le jour suivant si les paiements en retard n'étaient pas faits. Je me souviens avoir eu peur quand elle a lu la lettre; je nous imaginais mourant de faim, et toutes sortes d'autres scénarios qui pouvaient surgir de l'esprit d'un enfant. Par contre, maman ne semblait pas s'inquiéter et elle prenait la chose avec calme. Quant à moi, je me suis endormie à force de pleurer, en me demandant ce qui arriverait à notre famille. Maman disait que Dieu ne l'abandonnerait pas, qu'Il avait toujours été là. Je ne pouvais pas comprendre comment Dieu pourrait nous aider à garder cette vieille machine à coudre.

Le jour où les hommes devaient venir nous enlever notre seul moyen de subsistance, quelqu'un a frappé à la porte de la cuisine. J'avais peur, comme seul un enfant peut avoir peur, car j'étais certaine qu'il s'agissait de ces hommes redoutables. Plutôt, un homme bien vêtu se tenait à la porte avec un magnifique bébé dans les bras.

Il a demandé à maman si elle était Mme Hill. Quand elle a dit oui, il a poursuivi : « J'ai un problème ce matin et le pharmacien et l'épicier en bas de la rue vous ont recommandée comme étant une femme honnête et merveilleuse. Ma femme a dû aller d'urgence à l'hôpital ce matin et, n'ayant pas de parents ici et devant ouvrir mon bureau de dentiste, je n'ai personne à qui confier mon bébé. Pourriez-vous prendre soin d'elle pour quelques jours? » Il a ajouté : « Je vais vous payer à l'avance. » Sur ce, il a pris dix dollars qu'il a donnés à ma mère.

Maman a dit : « Oui, oui, je serai heureuse de le faire », et elle a pris le bébé dans ses bras. Quand l'homme a quitté, maman s'est tournée vers moi et il m'a semblé qu'une lumière se reflétait sur son visage à travers les larmes qui coulaient sur ses joues. Elle a dit : « Je savais que Dieu ne les laisserait jamais prendre ma machine. »

Adeline Perkins

Une rencontre arrangée par le ciel

Il n'y a aucune souffrance du corps qui ne puisse profiter à l'âme.

George Merideth

Je me brossais et je m'habillais pendant que mon collègue obstétricien gynécologue m'expliquait la situation. Une femme primipare qui portait des jumeaux a commencé ses douleurs trois mois avant terme. Toutes les tentatives pour arrêter le travail ont été vaines. En entrant dans la salle d'accouchement, j'ai vu le père qui encourageait tendrement sa femme pendant qu'elle se préparait pour la naissance.

L'obstétricien m'a regardé étrangement, puis il m'a tendu un objet sous le regard du père. C'était un petit bras. Quelques secondes plus tard, le jumeau A est sorti. Il criait et visiblement, il était prématuré. Rapidement, j'ai transporté le bébé dans le berceau, je lui ai donné de l'oxygène et j'ai vérifié son état. Il respirait avec peine. Prématuré comme il l'était, j'étais certain qu'il souffrirait de la maladie des membranes hyalines (une maladie des poumons des enfants nés avant terme). J'ai laissé le jumeau A avec une infirmière et je suis retourné pour accoucher le jumeau B qui criait vigoureusement, lui aussi. La seule déficience visible était l'absence de son bras gauche.

Les jumeaux ont été emmenés à la pouponnière néonatale. Des radiographies des poumons ont révélé une maladie pulmonaire modérément sérieuse qui nécessitait beaucoup d'oxygène. Une fois les jumeaux stabilisés, j'ai enfin pu m'adresser aux parents, M. et Mme Arnold. Nous avons parlé de la maladie des poumons des prématurés, des complications possibles et à quel point les premières quarante-huit heures étaient critiques dans les soins requis et pour le diagnostic. Puis, j'ai parlé du bras gauche manquant.

J'ai expliqué que lorsqu'un organe du bébé *in utero* perforait la membrane en développement qui entoure le bébé, la membrane se refermait, amputant le bras ou la main. Les Arnold ont accueilli ces graves nouvelles avec beaucoup d'espoir, et j'étais étonné de leur force de caractère. Ils sont demeurés forts pendant les jours qui ont suivi, encourageant avec amour leurs jumeaux, Mathew et Jonathan, qui souffraient de complications.

Les jumeaux ont bien réagi aux traitements. Ce fut une joie de les voir finalement partir pour la maison sans effets résiduels de leur naissance prématurée, comme une maladie pulmonaire permanente ou des dommages au cerveau. Les Arnold continuaient à se dévouer pour leurs enfants, s'empressant de rechercher différentes options de prothèses pour Mathew. Mme Arnold a téléphoné et a consulté plusieurs sources pour savoir quand et comment une prothèse devrait être utilisée avec un enfant en croissance. Elle a dévoré des livres. Elle a fait des contacts partout dans le monde, essayant de trouver les personnes les plus expérimentées pour aider Mathew. C'était un privilège de voir l'amour de cette mère qui essayait de trouver une solution au problème particulier de cet enfant.

Deux ans plus tard, notre famille a déménagé dans le Midwest, mais Mme Arnold me tenait toujours au courant des progrès de Mathew. Environ dix années plus tard, alors que j'étais radiologiste en pédiatrie dans un hôpital pour enfants, j'ai rencontré les Sanders. Ils venaient d'adopter un bébé coréen de six mois. Bébé Billy avait un coude enflé, résultat d'une tumeur dans l'articulation du coude du bras droit. Une biopsie a révélé qu'elle était maligne; en raison du rôle important de l'articulation et de l'os, la seule possibilité était d'amputer le bras au-dessus du coude pour obtenir une guérison complète.

Encore une fois, j'ai été témoin de l'amour et du courage de parents aimants. Immédiatement, Mme Sanders s'est mise à chercher tous les renseignements possibles sur les prothèses. Je savais que Mme Arnold avait investigué le problème à fond. Le rapprochement a été facile. Les deux mères ont communiqué par téléphone et par lettre, et je sais que leur relation a été un support formidable pour les deux familles.

Plus tard, j'ai appris que le jeune Mathew avait commencé à écrire des lettres d'encouragement à Billy. Mathew est devenu un jeune homme hors du commun, tant au plan académique qu'au plan athlétique. Il a pratiqué tous les sports et il s'est démarqué au basketball et au soccer. Dans ses lettres, Mathew donnait à Billy des suggestions utiles pour lacer ses souliers et grimper aux arbres, et sur la façon de se comporter quand les gens le fixaient. Mathew est devenu un modèle à suivre pour Billy, pendant que ce dernier grandissait.

Un été, alors que Billy avait cinq ans et que Mathew en avait quinze, les Arnold ont traversé le pays pendant leurs vacances, ce qui les a conduits dans notre ville. Nous avons fait un pique-nique avec les trois familles dans notre jardin. Il était touchant de voir le jeune Billy avec Mathew, son héros de longue date et son modèle. J'ai vu Billy, terriblement impressionné, regardant Mathew jouer au basketball, et je pouvais presque voir ses neurones s'agiter dans sa tête : « Wow, s'il peut faire ça avec un bras… »

À la fin de la journée, nous étions tous assis autour de la table de pique-nique et je disais à quel point c'était une bénédiction que les familles se soient trouvées, et que Billy ait pu connaître Mathew. Pour moi, il était clair que les problèmes vécus dans l'amour deviennent des bénédictions qui en créent d'autres.

Pendant que nous parlions, tous ont remarqué que les bras manquants de Billy et de Mathew étaient côte à côte. Billy a regardé chaque personne autour de lui et il a dit : « Ouais, je crois que notre rencontre a été arrangée par le ciel. »

Tout le monde a ri — avec des larmes dans les yeux.

James C. Brown, M.D.

Amours de chiots

Pratiquement tout au long de ma vie, j'ai entendu deux choses. La première, que les animaux n'avaient pas d'émotions — même si je savais qu'ils connaissaient la peur et la douleur. La deuxième, c'est que les éleveurs qui ne sont pas heureux avec des chiens imparfaits les font abattre. Quand je suis devenu éleveur amateur, j'ai dû apprendre ces choses par moi-même.

Nous avions, ma famille et moi, une chienne remarquable de la race des dalmatiens, Kami, qui nous avait donné sa compagnie, sa chaleur, son amour et plusieurs baisers mouillés. Nous l'aimions tant que nous avons décidé d'avoir de ses chiots. Nous l'avons donc accouplée avec un chien de sa race nommé Bo.

Nous ne savions pas à quoi nous attendre avec des chiots dalmatiens, mais nous étions certains de trouver des foyers pour tous ceux que nous ne garderions pas. Le soir de leur naissance, nous étions excités. Kami était si grosse et les bébés étaient tellement agités dans son ventre que leurs petits pieds et leurs têtes saillaient sur sa peau.

Ce soir-là, nous avions l'impression de jouer un rôle dans le film *Les 101 Dalmatiens*. Le premier est sorti, puis le deuxième. Nous avons compté lentement pendant toute la nuit, dix… onze… douze. Douze chiots dalmatiens. Nous ne pouvions pas y croire. Le bonheur d'avoir les petits de Kami était incroyable. Je me sentais comme le papa de douze petits chiens. Heureusement, dans notre cas, il n'y avait pas de personnage cruel comme dans le film. Ou du moins, nous le pensions.

Les petits couraient, tombaient, se battaient et se serraient les uns contre les autres. Nous avons dû aider

Kami à nourrir les douze chiots parce que les plus gros repoussaient les petits. Nous avons mélangé du lait avec de la nourriture en boîte pour chiots et nous l'avons mis dans des plats à tartes. Il était toujours très risqué d'essayer de se frayer un chemin sur la pointe des pieds à travers douze petits chiens jappeurs qui pouvaient aisément se faire écraser par un faux pas.

C'est alors que nous avons remarqué une petite pointe de cruauté de la vie — des problèmes avec deux petits. Ils ne nous obéissaient pas comme les autres. Ils n'accouraient pas vers moi quand je les appelais pour l'heure de la bouffe. Ils couraient et frappaient vigoureusement les chiots qui jappaient. Nous avons bientôt appris que les deux frères étaient sourds. On nous a dit que le mieux était de les faire endormir.

J'ai réfléchi pendant un moment. Alors que les éleveurs les auraient endormis en quelques secondes, ce n'était pas du tout ce que moi et les autres membres de ma famille voulaient. J'ai pensé : *Pourquoi deux chiots devraient-ils mourir parce qu'ils sont nés sourds?* Ma décision a été récompensée lors de la bouffe suivante. Je me suis avancé dans la frénésie alimentaire, et seulement dix chiots m'ont sauté dessus. Le onzième m'a regardé et a couru vers les buissons. Il s'est arrêté et m'a regardé de nouveau.

Je l'ai suivi, me demandant ce qu'il faisait. Il m'avait vu transporter les plats pleins de nourriture. *Qu'est-ce qu'il pouvait bien attendre?* En quelques secondes, je l'ai su. En me voyant venir, il a foncé dans les buissons. Peu après, il a réapparu, poussant son frère sourd endormi hors des buissons. Un merveilleux sentiment de loyauté et de satisfaction m'a envahi. J'ai alors découvert les sentiments d'amour, de loyauté et de bienveillance qui animaient le chiot. J'ai aussi compris combien le chiot avait agi de manière généreuse.

Les frères chiots vivent maintenant heureux ensemble dans une maison où ils sont très appréciés par la famille.

Aux dernières nouvelles, ils avaient donné à leur famille adoptive une double ration d'amour et de bonheur.

Mark Malott
Tel que raconté à Diana Chapman

Un géant dans la foule

Puisque la vie est faite de drames, l'enseignement de l'art dramatique nous donne l'occasion d'enseigner la vie. Toutefois, je ne crois pas que mes étudiants aient appris de moi autant que j'ai eu le privilège d'apprendre d'eux. Un de ces étudiants était le géant Jimmy, qui s'est présenté dans ma classe en 1963.

Jimmy était l'un des étudiants en « éducation spéciale » intégré dans le cours normal, et j'étais privilégié de l'avoir. Il s'est avéré qu'il était vraiment « spécial », puisqu'il allait faire notre éducation à tous.

Les étudiants en art dramatique sont très joyeux; ils sont créatifs, spontanés, francs et d'une honnêteté désarmante. Par contre, ces mêmes qualités nuisent parfois à la cohérence. Ainsi, après deux mois, Jimmy était le seul étudiant à avoir complété tous ses travaux. Je ne pouvais qu'imaginer à quel point c'était parfois difficile pour lui. Il avait des problèmes de coordination musculaire, et il avait aussi des problèmes d'élocution et de vision, mais il ne s'est jamais soustrait à ses responsabilités.

Je le louangeais toujours de ne jamais « se donner d'excuses ». Un jour, je l'ai appelé, il m'a regardé, a souri et m'a dit qu'il n'était pas prêt à faire son numéro.

J'ai remarqué une petite lueur dans ses yeux. Je lui ai demandé de rester après la classe pour un moment.

« Jimmy, tu étais prêt, n'est-ce pas? » lui ai-je demandé.

« Oui, monsieur », m'a-t-il répondu.

« Pourquoi, Jim? Tu as fait le travail, tu mérites le crédit. »

Il a frotté ses pieds sur le sol, m'a regardé, a souri et dit : « Voilà. Je ne voulais pas que les autres jeunes se sentent mal à l'aise. J'ai plus de temps libre qu'ils en ont et je ne voulais pas que l'un d'eux se décourage. »

Au cours de l'année, les élèves sont devenus plus conscients de leur bonne fortune d'avoir un génie de la nature humaine parmi eux. J'ai posé cette question à d'innombrables groupes dans des séminaires et la réponse est toujours la même : Quand on voit quelqu'un pleurer, on s'approche et on dit généralement quelque chose. Que dit-on? Tous répondent : « Qu'est-ce qui ne va pas? » Jimmy n'a jamais dit ça. Il demandait toujours : « Est-ce que je peux t'aider? »

Un jour, je lui ai demandé pourquoi il ne posait pas la même question que tout le monde.

« Eh bien! M. Schlatter », dit-il, « je n'y ai jamais vraiment pensé, mais je crois que *ce qui ne va pas* ne me regarde pas. Mais si je peux aider à corriger ce qui ne va pas alors, là, c'*est* mon affaire. »

Nous terminions chaque année par un discours et un banquet de l'art dramatique, prenant exemple sur le Academy Awards [les Oscars]. Les étudiants voulaient rendre un hommage spécial à Jim pour tout ce qu'il leur avait apporté.

Je lui ai donné à lire un poème d'Edgar Albert Guest, intitulé *Moi-même*, croyant qu'il reflétait sa philosophie qui, bien que tacite, n'en était pas moins pleinement vécue.

Nous avions gardé ce moment pour la fin. Après avoir été présenté, il s'est avancé à l'avant de l'auditorium sans son livre. Il ne le lirait pas; il l'avait appris par cœur. Il a souri et lentement, de façon délibérée, il a touché nos cœurs quand il a lu :

Je dois vivre avec moi-même et donc, je veux être capable de me connaître.
Je veux pouvoir, au fil des jours, me regarder droit dans les yeux.
Je ne veux pas, face au soleil couchant, penser à des choses que j'ai faites ou que je n'ai pas faites.
Je veux sortir la tête haute.
Je veux mériter le respect de tous les hommes, je veux pouvoir m'aimer.
Je ne veux pas me regarder en sachant que je suis un fanfaron, un faux et un cerveau vide.
Je ne peux jamais me cacher de moi-même. Je vois ce que les autres pourraient ne jamais voir.
Je sais ce que d'autres pourraient ne jamais savoir.
Je ne peux jamais me leurrer et donc, quoi qu'il arrive, je veux me respecter et avoir la conscience libre.

Tout d'abord, il y a eu un grand silence, puis un tonnerre d'applaudissements. Deux étudiants sont montés sur le podium et ont fait l'accolade à Jimmy, pour ensuite lui remettre un trophée où il était inscrit :

À Jimmy

Merci
Pour l'honneur et le privilège
De te connaître

La classe de '64

L'histoire ne s'arrête pas là. Dans la salle, il y avait une fille de deuxième année du secondaire, Cathy Aquino. Durant l'été, elle avait écrit un discours sur Jimmy, intitulé *Un géant dans la foule*. Elle a prononcé son discours dans des concours, de la Californie jusqu'en Arizona. Plus important encore que les prix qu'elle a remportés a été le fait qu'au cours de l'année, trois filles lui ont dit que son discours les avait convaincues de se diriger vers le domaine de l'éducation spécialisée.

En 1992, j'ai été invité à une réunion de cette classe. Les étudiants avaient fait des efforts particuliers pour s'assurer que Jimmy serait là.

Une des femmes qui avait gradué avec ce groupe me parlait de sa fille, née avec de multiples handicaps, et des grands projets qu'elle et son mari avaient pour sa vie.

« Votre voix est tellement remplie de courage et d'optimisme que cela m'inspire », dis-je.

« À quoi vous attendiez-vous? » répondit-elle, en regardant dans la salle en direction de Jimmy. « Je suis allée à l'école avec un géant. »

Jack Schlatter

7

Sagesse éclectique

Dieu ne demande à aucun homme s'il accepte la vie.
Là n'est pas le choix. On doit la prendre.
La seule question est de savoir comment.

Henry Ward Beecher

La plus belle époque de ma vie

Rien n'est plus précieux qu'aujourd'hui.

Goethe

Nous étions le 15 juin et dans deux jours, j'aurais trente ans. L'entrée dans une nouvelle décade m'angoissait et je craignais que les meilleures années de ma vie soient maintenant derrière moi.

Ma routine quotidienne consistait à me rendre au gymnase pour une séance de mise en forme avant d'aller au travail. Chaque matin, je voyais mon ami Nicholas au gymnase. Il avait soixante-dix-neuf ans et il était dans une forme splendide.

En saluant Nicholas ce matin-là, il a remarqué que je n'avais pas mon entrain habituel et il m'a demandé si quelque chose n'allait pas. Je lui ai dit que je me sentais anxieux d'arriver à trente ans. Je me demandais comment je considérerais ma vie quand j'aurais l'âge de Nicholas, alors je lui ai demandé : « Quelle a été la plus belle époque de votre vie? »

Sans hésiter, Nicholas m'a répondu : « Eh bien, Joe, voici ma réponse philosophique à ta question philosophique :

« Quand j'étais enfant en Autriche, qu'on faisait tout pour moi et que mes parents veillaient à tous mes besoins, c'était le plus beau temps de ma vie.

« Quand j'allais à l'école et que j'apprenais les choses que je sais aujourd'hui, alors c'était la plus belle époque de ma vie.

« Quand j'ai eu mon premier emploi, que j'ai eu des responsabilités et que j'ai été rémunéré pour mes efforts, c'était le plus beau temps de ma vie.

« Quand j'ai rencontré ma femme et que je suis tombé amoureux, c'était la plus belle époque de ma vie.

« La Deuxième Guerre mondiale déclarée, ma femme et moi avons dû fuir l'Autriche pour sauver notre vie. Quand nous étions ensemble et en sécurité sur un bateau en partance pour l'Amérique du Nord, c'était le plus beau temps de ma vie.

« Quand nous sommes venus au Canada et que nous avons fondé une famille, c'était la plus belle époque de ma vie.

« Quand j'étais jeune papa et que je regardais mes enfants grandir, c'était le plus beau temps de ma vie.

« Et aujourd'hui, Joe, j'ai soixante-dix-neuf ans. Je suis en bonne santé, je me sens bien et je suis amoureux de ma femme, tout comme je l'étais quand nous nous sommes rencontrés. C'est la plus belle époque de ma vie.

Joe Kemp

Le gazon

Je crois qu'un brin de gazon n'est rien de moins que l'œuvre des étoiles.

Walt Whitman

Ma mère est morte à quatre-vingt-treize ans. Elle a connu toutes les tragédies de la vie sans aucune compensation. Notre père est mort après seulement quelques années de mariage et elle avait deux jeunes garçons à élever pendant la Dépression de 1929. Elle a quitté son emploi d'infirmière et de gouvernante des enfants d'un millionnaire pour faire des ménages, ce qui lui permettait de garder ensemble notre famille. Bien que ses mains ressemblât à celles d'un travailleur de la construction, à force de frotter des vêtements et des planchers, Dieu, dans sa bonté, lui a donné une assez bonne santé.

Après avoir réussi à nous faire terminer nos études, à mon frère et à moi, ses seules joies étaient un téléviseur que je lui avais acheté, une visite occasionnelle de mon frère, qui vivait au nord de la Californie, et le dimanche matin, quand je l'invitais à prendre le petit-déjeuner.

Nous étions un de ces matins après une semaine de travail, où ma vie semblait un modèle de futilité. Le seul beau côté de ma vie, c'est qu'il restait au moins vingt heures encore avant d'entreprendre une nouvelle semaine de travail.

C'était un matin d'été délicieusement frais de la Californie. En arrivant à la vieille maison de maman, elle était déjà assise sur le porche rudimentaire devant la maison. Maman aimait sa vieille petite maison; c'était peut-être le premier domicile permanent qu'elle ait apprécié. En sortant de l'auto pour me diriger vers le porche, je pouvais voir son vieux visage fatigué qui irradiait la joie et le plaisir de la courte balade en auto jusqu'au restaurant voisin pour le petit-déjeuner.

Comme d'habitude, ses souliers noirs étaient impeccables, aussi propres que sa jupe noire et son simple chemisier blanc. Le chemisier était fermé au cou par une broche bleue en forme d'hirondelle, où le mot « maman » était écrit en lettres d'or. Je me souvenais lui avoir donné ce petit bijou bon marché un jour de la fête des Mères, il y avait au moins quarante ans. Maman n'a jamais rien demandé et, de toute évidence, elle n'a jamais beaucoup reçu.

Elle n'a jamais eu le temps de m'enseigner les choses de la vie et les valeurs. Toutefois, si on prenait le temps d'observer la façon dont elle parlait aux gens et comment elle les traitait, il y avait une mine de connaissances à acquérir sur les valeurs et la manière de vivre.

J'ai sincèrement essayé de faire en sorte que maman sache que ces quelques heures passées avec elle étaient aussi précieuses pour moi qu'elles l'étaient pour elle. Je suis certain d'avoir échoué, à ses yeux comme aux miens. J'étais trop entièrement convaincu de la laideur du monde et de l'importance de mon travail et des gains matériels.

J'ai aidé maman à monter dans la voiture et en démarrant, elle m'a dit, comme à chaque dimanche : « Mon Dieu, Buddy, quelle belle auto! » Moi, je la voyais comme un modèle vieux de deux ans, et encore douze mois de paiements avant d'en acheter une nouvelle.

Chaque fois qu'elle parlait, c'était pour exprimer de la joie et de l'espoir; chaque fois, je m'entendais lui répondre poliment, sans y apporter un réel intérêt ou de l'encouragement. Le petit-déjeuner s'est finalement terminé et, à ma grande honte, j'avais hâte de reconduire maman pour retourner vers le vrai monde, sale et matérialiste.

Maman avait été silencieuse pendant les dernières minutes, en pensant peut-être qu'une autre visite du dimanche se terminait et qu'il ne restait que quelques rues à franchir avant qu'elle ne se retrouve chez elle dans sa solitude.

Je regardais la rue nécessitant des réparations et les maisons en manque de peinture quand maman a dit soudainement, comme si elle voyait un coucher de soleil pour la première fois : « Regarde, Buddy, regarde comme c'est beau! » Il était environ onze heures et il n'y avait pas de coucher de soleil. Qu'est-ce qui pouvait donc être si beau dans cette vieille rue d'un quartier minable? Par politesse, j'ai répondu : « Quoi donc, maman? Qu'est-ce qui peut être si beau? »

« Le gazon, Buddy, le gazon. Regarde le gazon s'il est beau! » *Le gazon est beau?* En me tournant pour regarder le gazon, j'ai vu le vieux visage ridé de maman, ses cheveux blancs de plus en plus fins et ses longues mains aux veines et jointures dilatées, résultat des innombrables années de sacrifice et d'amour. Ses vieux yeux fatigués étaient brillants et lumineux et son visage était radieux alors qu'elle pointait pelouse après pelouse de simple gazon vert.

Je vois de beaux visages depuis des années maintenant, mais aucun aussi beau que cette chère dame qui percevait la beauté dans du simple gazon. Qu'elle était riche d'avoir reçu la grâce de voir et de trouver la beauté dans les choses simples! Que j'étais pauvre et malheureux avec mon sens superficiel des valeurs! En détournant honteusement mon regard de son visage, j'ai, moi aussi, regardé le gazon. *Il était beau!*

J'ai contemplé de nouveau le visage de maman. Elle m'a regardé, l'air de dire : « Tu vois, toi aussi, Buddy, tu peux le voir. Le gazon est beau. »

Je n'ai pas voulu parler. J'avais peur de rompre le charme, peur de perdre cette douce et merveilleuse paix.

Soudainement, je me suis retrouvé en train d'ouvrir la porte avant chez maman. « Bon », dit-elle, « merci, Buddy, pour cette belle matinée. Je sais que tu es très occupé. Que feras-tu le reste de la journée? »

J'espérais qu'elle ne voie pas ma culpabilité, mais qu'elle puisse ressentir ma gratitude pour la leçon que je venais d'apprendre. Je l'ai prise dans mes bras et l'ai serrée fort, en murmurant à son oreille : « Maman, je m'empresse d'aller tout droit à la maison et contempler le gazon. »

John Doll

Un bon cœur sur qui s'appuyer

Enfant, il fut une période, où j'étais gêné d'être vu sur la rue avec mon père. Il était handicapé et très petit. Quand nous marchions côte à côte, sa main sur mon bras pour se tenir en équilibre, les gens nous regardaient avec insistance et je pestais intérieurement contre cette attention non voulue. Si mon père l'a déjà remarqué, ou s'il en a été agacé, il ne l'a jamais montré. Nos pas étaient difficiles à coordonner — les siens hésitants, les miens impatients. C'est pourquoi nous ne parlions pas beaucoup en chemin. Néanmoins, il disait toujours au début de la marche: « Tu donnes le rythme. J'essaierai de m'ajuster. »

Notre marche habituelle consistait à aller ou à revenir du métro, son moyen de transport pour se rendre au travail. Il manquait très rarement une journée de travail et il se rendait au bureau même quand d'autres ne le pouvaient pas. C'était une question de fierté. Il allait au travail malade, et malgré la mauvaise température, la chose la plus difficile à supporter pour lui. Quand le sol était recouvert de neige ou de glace, il ne pouvait pas marcher, même avec de l'aide. Il demandait alors à mes sœurs ou à moi de le tirer dans un traîneau d'enfant par les rues, jusqu'à l'entrée du métro. Une fois arrivé, il s'accrochait à la main courante de ses deux mains jusqu'à ce qu'il rejoigne les dernières marches, là où l'air plus chaud du tunnel empêche la glace de se former. Quand il avait atteint cet endroit, il était en sécurité puisque, à Manhattan, le métro passait au sous-sol de l'édifice où était son bureau. Il n'avait pas à sortir de nouveau jusqu'à ce que nous le rencontrions à Brooklyn pour le retour à la maison.

Quand j'y repense aujourd'hui, je m'émerveille du courage que cet homme adulte a dû manifester pour se soumettre à tant d'indignité et de stress. Il y a aussi la façon dont il l'a fait, sans amertume ni plaintes.

Il ne parlait jamais de lui-même comme d'un objet de pitié et il ne manifestait pas non plus d'envie pour les plus chanceux ou les plus aptes. Même si je crois qu'il a été l'objet de préjugés (il y en a encore aujourd'hui envers les handicapés), lui-même n'en avait pas. Peu lui importaient la religion, l'origine ethnique ou la race d'une personne, il recherchait chez les autres un « bon cœur » et s'il en trouvait un, son propriétaire était assez bon pour lui. Maintenant que je suis plus âgé, j'en suis venu à croire que c'est une bonne mesure pour juger les autres, même si je ne sais pas encore exactement ce que cela veut dire. Par contre, je reconnais les fois où je n'ai pas moi-même un bon jugement.

Incapable de faire quelque activité que les gens sains tiennent pour acquise, il essayait quand même de participer d'une façon ou d'une autre. Il n'a jamais pu pratiquer des sports, mais il était tout de même un amateur de baseball passionné et un connaisseur. Il m'amenait souvent au Ebbets Field pour voir jouer les Dodgers de Brooklyn. Même s'il ne pouvait pas danser, il aimait aller aux soirées dansantes et aux fêtes, où il s'amusait à regarder les autres. Lors d'une fête à la plage, une bataille avait éclaté et tous les autres se frappaient et se bousculaient (aiguillonnés sans doute par de grandes quantités d'alcool-maison). Il était mécontent d'être assis là à regarder, car il ne pouvait pas se tenir debout sans aide dans le sable mou. Dans sa frustration, il a commencé à crier : « Je me battrai contre quiconque s'assoira avec moi! Je me battrai contre quiconque s'assoira avec moi! » Personne n'a relevé le défi. Le jour suivant, les gens l'ont taquiné en disant que c'était la première fois qu'on insistait auprès d'un boxeur pour qu'il aille au tapis avant même que le combat ne commence.

Je sais maintenant qu'il participait à certaines activités, par procuration, à travers moi, son seul fils. Quand je jouais à la balle (médiocrement), il « jouait » aussi. Quand je me suis engagé dans la Marine, il s'est « enrôlé » aussi. Quand je suis revenu à la maison en permission, il a fait en sorte que je visite son bureau, où je me sentais aussi mal à l'aise d'être exhibé que lorsque, enfant, je marchais avec lui dans la rue. En me présentant à ses collègues de travail, il laissait clairement entendre : « C'est mon fils, mais c'est également moi et j'aurais pu faire pareil si les choses avaient été différentes. » Il n'a jamais dit ces mots à haute voix.

Après ce qui s'est avéré une vie bien remplie, il est mort en 1961, d'une maladie qui se soigne très facilement aujourd'hui. Confiné au lit pendant les quelques derniers mois de sa vie, il s'est simplement laissé aller. Il a entrepris son dernier voyage, libéré de ses jambes pour la première fois depuis plus de soixante ans.

Je pense à lui souvent maintenant, pas seulement à la fête des Pères. Je me demande s'il sentait ma réticence à être vu avec lui quand nous marchions, et s'il s'en est aperçu, je regrette de ne lui avoir jamais dit à quel point j'en étais désolé, combien mon comportement était indigne et comment je l'ai regretté. Je pense à lui quand je n'ai pas le cœur généreux, ou quand je me plains pour des bagatelles, ou quand j'envie la chance des autres. Dans ces moments-là, je mets ma main sur *mon* bras pour retrouver *mon* équilibre et je dis : « Tu donnes le rythme. J'essaierai de m'ajuster à ton pas. »

Augustus J. Bullock
Soumis par Ted Kruger

Les leçons que vous avez apprises

Pour chaque pétale détachée d'une marguerite,
vous récoltez une mesure d'amour.
Pour chaque arc-en-ciel à deux extrémités,
je vous souhaite deux étoiles de là-haut.

Pour chaque larme que vous essuyez sur une joue,
je vous promets que la bonté suivra,
où que vous marchiez, sous un arc-en-ciel
ou sous les étoiles, dans les marguerites
ou dans les vallons isolés.

Pour chaque enfant avec qui vous jouez
ou à qui vous parlez,
je vous accorde un cœur plein de rires.
Pour chaque sourire que vous mettez sur un visage,
je vous promets la paix éternelle.

Si vous croyez que « je » vous donne ces cadeaux précieux,
examinez-vous attentivement ainsi que vos actions.
Les présents mérités sont les leçons apprises
alors que vous répondiez aux besoins des autres.

Marlene Gerba

La Règle d'or

Agis envers les autres comme tu aimerais que les autres agissent envers toi.

Nous avons confié la Règle d'or à la mémoire.
Confions-la maintenant à la vie.

Edwin Markham

Ainsi, tout ce que vous voulez que les hommes fassent pour vous, faites-le vous-mêmes pour eux : c'est la Loi et les Prophètes.

Matthieu 7,12

Et comme vous voulez que les hommes agissent envers vous, agissez de même envers eux.

Luc 6,31

On devrait souhaiter pour les autres le bonheur qu'on désire pour soi-même.

Bouddhiste

Ce que tu ne veux pas qu'on te fasse, ne le fais pas aux autres.

Confucius

Que personne d'entre vous ne traite son frère comme lui-même ne voudrait pas être traité !

Musulman

Nous devons nous comporter envers nos amis comme nous voudrions que nos amis se comportent envers nous.

Aristote

La loi gravée dans le cœur de tous les hommes est d'aimer les membres de la société comme eux-mêmes.

Romain

Ce qui est détestable pour toi, ne l'impose pas à ton voisin. Toute la Torah tient dans ces mots.

Rabbi Hillel

Fais ce que tu aimerais qu'on te fasse.

Persan

Fais affaire avec les autres de la façon dont tu voudrais qu'on traite avec toi.

L'hindou Mahabbarata

J'agis envers les autres comme je voudrais qu'ils agissent envers moi.

Platon

Le voyage en train

Il était 21 h 30. J'étais certain de rater mon train, le dernier de la journée. Il avait été très difficile de me rendre à la gare. Et maintenant, tout en me frayant un chemin à travers la foule dense dans l'entrée de la Gare Union de Los Angeles, je me débattais parmi les voyageurs peu pressés, ceux qui étaient arrivés assez tôt pour prendre leur train et qui ne sentaient pas le besoin de se déplacer rapidement.

En tournant le coin vers la plate-forme, j'ai aperçu un autre obstacle. L'escalier était bloqué par un homme qui se déplaçait à grand-peine avec trop de valises à transporter par une seule personne, surtout si, comme c'était le cas, cette personne était handicapée. Son bras gauche pendait inutilement sur le côté et il n'avait qu'un usage partiel de son bras droit. Une de ses jambes était tordue vers l'intérieur. Je le regardais monter chaque valise d'une marche, puis retourner à la suivante. Quand il avait réussi à transférer le tout sur la même marche, il répétait l'exercice. Il en était à la cinquième marche sur vingt.

Il a crié après un porteur qui lui avait offert de l'aider avec ses valises, et il a lancé un regard furieux à un passager qui essayait de l'aider. Tout effort de ma part serait vain. Même si son désir d'indépendance était louable, il n'était pas question qu'il me retarde pour prendre mon train. Je venais de vivre une semaine particulièrement difficile et rentrer à la maison était la chose la plus importante au monde pour moi. À la première occasion, j'ai enjambé ses valises, je me suis rendu au haut de l'escalier et je suis monté dans le train.

J'avais projeté de prendre mes aises et de me détendre, mais j'ai eu tôt fait de me rappeler l'adage : « Faire des plans est utile, mais il ne faut pas trop s'y accrocher. » Les sièges de l'autre côté de l'allée étaient occupés par deux petites filles. Elles étaient très excitées, très animées et très bruyantes. En jetant un regard sur leur père épuisé, j'ai compris que mes deux petites heures d'introspection seraient bientôt remplacées par 120 longues minutes de bavardages et de petits rires nerveux. Alors que je pensais que rien ne pouvait être pire, je n'y étais pas encore. L'homme de l'escalier est monté en boitant dans le train, m'a demandé en grognant d'enlever mes pieds avant de s'écraser sur le siège voisin.

En l'examinant de plus près, j'ai constaté que son mal affectait non seulement ses membres mais aussi son visage, lequel était tordu en un air renfrogné permanent. C'était le genre de visage qui faisait rire les petits enfants, ou qui les faisait fuir s'il s'approchait trop. Sa patience avec les fillettes de l'autre côté de l'allée était moins grande que la mienne. Après deux minutes, il a grogné en leur direction : « Taisez-vous ! »

Mon nouveau compagnon de voyage était moins qu'agréable. Il saisissait chaque occasion de se plaindre aux chefs de train à propos de la température, de l'éclairage, du service lent au comptoir des billets, des petites filles bruyantes (qui n'avaient pas dit un mot depuis qu'il les avait admonestées), des arachides rances qu'il avait achetées au wagon-restaurant, et, oh oui, des petits verres de papier qui ne contenaient pas assez d'eau pour avaler ses médicaments. Tout cela avant même que nous ayons fait plus de quinze minutes de trajet.

Je suis d'un naturel assez gentil, mais le lait de la bonté humaine surissait dans mes veines. Je me concentrais sur ma malchance d'être assis près de cet homme, dont le cœur semblait aussi tordu que son corps. Pendant que je m'apitoyais sur mon sort, ma conscience a décidé de se manifester sans y avoir été invitée. *Peut-être*, ai-je pensé, *si je peux le toucher par un simple mot gentil, je pourrais être le catalyseur qui changerait son comportement, ou même sa vie.*

J'étais fatigué, irritable et pas d'humeur à quitter mon nid douillet de silence et d'apitoiement. J'ai donc lutté contre cette voix qui me disait de faire la bonne action, de devenir ami avec un étranger et d'aider quelqu'un dans le besoin. Plus je me débattais, plus la voix était forte. Bien que je n'aie jamais rencontré cet homme, je savais qu'il souffrait et qu'il avait besoin de parler à quelqu'un. Pendant que je pesais le pour et le contre, quelqu'un de beaucoup moins intéressé a agi.

C'était une voix douce, absolument innocente. « Hé! Monsieur. Qu'est-ce qui ne va pas? » Une des filles de l'autre côté de l'allée s'était interposée comme j'aurais été incapable de le faire. Ce n'était pas la première fois que l'homme se faisait poser la question et il a répondu, comme il l'a probablement fait des centaines de fois dans sa vie, qu'il avait une maladie qui empêchait ses muscles de fonctionner correctement. Insatisfaite de la réponse, elle a secoué la tête : « Ce n'est pas ce que je veux dire. Pourquoi êtes-vous si en colère contre tout le monde? »

L'homme a réfléchi un moment avant de dire d'une voix étouffée : « Je crois que je suis tout simplement en colère contre la vie. Elle ne m'a pas très bien traité. »

La petite fille parut intriguée. « Peut-être que la vie vous traiterait mieux si vous étiez moins dur avec elle. Je veux dire que je sais que vous êtes malade, mais je suis certaine que vous avez beaucoup de choses qui pourraient vous rendre heureux.

L'homme s'est tourné vers la fillette et, bien que je ne vis plus son visage, je savais qu'il ne la regardait pas méchamment. Il a dit : « Tu es terriblement jeune pour croire que tu sais tant de choses sur la vie. »

Ce fut à son tour de réfléchir. « Je crois que j'ai appris beaucoup de choses quand ma maman est partie au ciel. » Elle s'est assise dans son siège et a détourné son regard de l'homme. Elle ne voulait plus rien ajouter. Et c'était bien. Elle en avait assez dit.

Le reste du trajet a été paisible. La fillette s'est finalement laissée gagner par le sommeil et l'homme semblait moins empressé de se plaindre. Je ne saurai jamais quels effets à long terme cette conversation aura eus sur lui, mais j'ai été ému au point de ne pas l'oublier de sitôt. Ces derniers temps, mes problèmes sont un peu moins traumatisants, je souris beaucoup plus aux gens et j'apprécie les nombreux cadeaux que j'ai. Et savez-vous quoi ? La vie semble me traiter un peu mieux chaque jour.

David Murcott

La petite fille de son grand-papa

Raconte-moi une histoire,
dis-je doucement
à grand-papa assis dans son fauteuil préféré.

Il m'a prise de ses mains de charpentier,
m'a assise sur ses genoux,
et même si je l'avais entendue plusieurs fois déjà,
il me l'a répétée.

Viens marcher avec moi, grand-papa,
demandai-je tout excitée,
en glissant ma main dans la sienne.

Il a pris ma main dans sa grosse main calleuse,
et même si nous l'avions fait déjà,
nous sommes allés marcher dans le jardin.

Regarde-moi, grand-papa,
dis-je joyeusement,
en dansant en cercle autour de lui.

Il a interrompu son travail,
et même s'il m'avait déjà vue danser,
il a tapé des mains et sifflé avec moi.

Conseille-moi, grand-papa,
lui ai-je demandé sérieusement,
assise à ses pieds.

Il m'a regardée attentivement,
et même s'il m'avait déjà donné des conseils,
il a partagé sa sagesse avec moi.

Dis-le encore une fois, grand-papa,
ai-je dit avec espoir,
en regardant dans ses yeux qui s'éteignaient.

Il a rassemblé toute la force qui lui restait,
et même si je l'avais entendu souvent auparavant,
il a dit : « Je t'aime, chérie. »

Souviens-toi de moi, grand-papa,
ai-je dit en larmes,
à son chevet.

Sa main hâlée s'est étirée pour prendre la mienne,
et même si nous n'avions jamais connu cette situation,
nous savions que c'était le moment des adieux.

Darlene Harrison

Le vrai pardon

Le caractère avant la richesse.

Amos Lawrence

Quarante-trois années semblent une bien longue période pour se rappeler le nom d'une simple connaissance. J'ai bien oublié le nom d'une vieille dame qui était ma cliente quand je livrais les journaux. En 1954, j'avais douze ans, et nous vivions à Marinette, Wisconsin. Pourtant, il me semble que c'est seulement hier qu'elle m'a enseigné une leçon de pardon que je ne peux que désirer transmettre un jour à quelqu'un d'autre.

Par un beau samedi après-midi, un ami et moi lancions des pierres sur le toit de la maison de la vieille dame, d'un coin retiré dans sa cour. Le but du jeu était d'observer comment les roches se changeaient en missiles quand elles roulaient vers le bord du toit et descendaient tout droit dans la cour comme des comètes tombant du ciel.

J'ai trouvé une roche bien lisse et je l'ai lancée. Elle était cependant trop lisse, si bien qu'elle m'a glissé de la main au moment de la lancer, et elle s'est dirigée droit vers une petite fenêtre sur le porche arrière de la maison de la vieille dame. En entendant le bruit de la vitre cassée, nous avons déguerpi encore plus vite que nos missiles tombaient de son toit.

J'avais trop peur de me faire prendre, le premier soir, pour m'inquiéter de la vieille dame à la vitre du porche brisée. Quelques jours plus tard, par contre, lorsque j'ai été certain de ne pas avoir été découvert, j'ai commencé à me sentir coupable de son malheur. Elle m'accueillait toujours avec le sourire chaque jour quand je lui donnais son journal, mais je n'étais plus à l'aise en sa présence.

J'ai décidé que j'économiserais l'argent gagné à livrer les journaux. En trois semaines, j'avais les sept dollars qui, je l'estimais, couvriraient le remplacement de sa fenêtre. J'ai mis l'argent dans une enveloppe avec une note disant que je regrettais d'avoir cassé sa vitre, et que j'espérais que les sept dollars paieraient le coût de la réparation.

J'ai attendu qu'il fasse noir, je me suis faufilé jusqu'à sa maison et j'ai mis l'enveloppe de mon châtiment dans l'ouverture de la boîte aux lettres de sa porte. J'avais racheté mon âme et j'étais libre. Il me tardait de regarder de nouveau la vieille dame droit dans les yeux.

Le jour suivant, je lui ai remis le journal et j'ai pu lui retourner le chaud sourire dont elle me gratifiait. Elle m'a remercié pour le journal en disant : « J'ai quelque chose pour toi. » C'était un sac de biscuits. Je l'ai remerciée et j'ai commencé à manger les biscuits en continuant ma route.

Après plusieurs biscuits, j'ai senti une enveloppe et je l'ai sortie du sac. En l'ouvrant, j'ai été stupéfait. À l'intérieur, il y avait les sept dollars et une petite note qui disait : « Je suis fière de toi. »

Jerry Harpt

À propos des auteurs

Jack Canfield

Jack Canfield est un auteur à succès et un des plus grands spécialistes américains du développement du potentiel humain. Conférencier dynamique et coloré, il est également un formateur très en demande.

Jack a passé son enfance à Martins Ferry, en Ohio, et à Wheeling, en Virginie occidentale. De son propre aveu, Jack raconte qu'il était un adolescent timide et peu sûr de ses moyens. Grâce à son acharnement, il a pu exceller aussi bien dans les sports qu'à l'école.

Une fois son diplôme universitaire en poche, Jack a enseigné à Chicago et dans l'Iowa. Par la suite, il a travaillé avec des enseignants afin que ceux-ci puissent aider des jeunes à croire en eux-mêmes et à se lancer à la poursuite de leurs rêves. Auteur et narrateur de plusieurs audiocassettes et vidéocassettes, dont *Self-Esteem and Peak Performance*, *How to Build High Self-Esteem* et le programme *GOALS*, Jack participe régulièrement à des émissions de radio et de télévision. Il a aussi publié quatorze livres, tous des best-sellers dans leurs catégories respectives.

Jack donne annuellement une centaine de conférences. Sa liste de clients comprend des écoles, des conseils scolaires, des associations qui œuvrent dans le domaine de l'éducation et des corporations comme *AT&T, Campbell Soup, Clairol, Domino's Pizza, GE, Re / Max, Sunkist, Supercuts* et *Virgin Record*.

Tous les ans, Jack organise un programme de formation de sept jours destiné aux gens qui travaillent dans le domaine de l'estime de soi et de la performance. Ce programme attire des éducateurs, des conseillers, des formateurs auprès des groupes de soutien aux parents, des formateurs en entreprise, des conférenciers professionnels, des ministres du culte.

Mark Victor Hansen

Mark Victor Hansen est né à Waukegan, en Illinois. Fils de Una et Paul Hansen, immigrants originaires du Danemark, il a commencé à travailler dès l'âge de neuf ans comme camelot. À 16 ans, il était devenu superviseur adjoint pour ce journal.

Mark étudiait à l'école secondaire lorsqu'il regarda la première apparition des Beatles à la télévision. Il appela son meilleur ami, Gary Youngberg, et lui annonça : « Formons un groupe rock! » En moins de deux semaines, ils fondèrent un groupe de cinq membres appelé The Messengers. Grâce à ce groupe, Mark put amasser suffisamment d'argent pour payer lui-même ses études.

Mark est ensuite devenu conférencier professionnel. Au cours des 24 dernières années, il a livré plus de 4000 conférences devant plus de deux millions de personnes. Ses conférences portent sur l'excellence et les stratégies dans le domaine de la vente et sur le développement personnel.

Mark consacre encore sa vie à sa mission : apporter des changements profonds et positifs dans la vie des gens. Tout au long de sa carrière, il a su inciter des centaines de milliers de gens à se bâtir un avenir meilleur et à donner un sens à leur vie.

Auteur prolifique, Mark a écrit de nombreux livres, dont *Future Diary*, *How to Achieve Total Prosperity* et *The*

Miracle of Tithing. Il est coauteur de *Dare to Win*, de la série *Bouillon de poulet pour l'âme* et *The Aladdin Factor* (tous en collaboration avec Jack Canfield), et de *The Master Motivator* (avec Joe Batten).

En plus d'écrire et de donner des conférences, Mark a réalisé une collection complète d'audiocassettes et de vidéocassettes sur le développement personnel qui ont permis à une foule de gens de découvrir et d'utiliser toutes leurs ressources dans leur vie personnelle et professionnelle. On a notamment pu le voir sur les réseaux ABC, NBC, CBS, CNN, PBS et HBO.

Mark vit à Costa Mesa, en Californie, avec sa femme, Patty, ses filles, Elizabeth et Melanie, et sa ménagerie d'animaux.

Autorisations

Nous aimerions remercier les éditeurs et les personnes suivantes pour l'autorisation d'utiliser leur matériel.

Le pot de semences. Reproduit avec l'autorisation de Dee Berry. ©1997 Dee Berry.

M. Gillespie. Reproduit avec l'autorisation de Angela Sturgill. ©1997 Angela Sturgill.

Garde de nuit. Reproduit avec l'autorisation de Roy Popkin. ©1994 Roy Popkin.

La petite voiture rouge. Reproduit avec l'autorisation de Bonita L. Anticola. ©1997 Bonita L. Anticola.

John. Reproduit avec l'autorisation de Terry O'Neal. ©1997 Terry O'Neal.

Dieu s'intéresse-t-Il aux chiens perdus ? Reproduit avec l'autorisation de Marion Bond West. ©1997 Marion Bond West.

Rufus. Reproduit avec l'autorisation de Carmen Richardson Rutlen. © 1997 Carmen Richardson Rutlen.

Improvisation et *L'épouvantail*. Reproduit avec l'autorisation de Penny Porter. ©1997 Penny Porter.

Nonny. Reproduit avec l'autorisation de Eva Unga. ©1997 Eva Unga. Tiré de *Woman's World Magazine*.

Il y avait de la lumière; Le bien-aimé; Karen, Le connaissez-vous ?; Le sourire en coin; Rodeo Joe; Ballons de soccer et violons et *Une rencontre arrangée par le ciel*. Reproduit avec l'autorisation de James C. Brown, M.D. ©1997 James C. Brown, M.D.

Meilleures amies pour la vie. Reproduit avec l'autorisation de Louise Ladd. ©1997 Louise Ladd.

Les arbres qui donnent. Reproduit avec l'autorisation de Kathleen Dixon. ©1997 Kathleen Dixon.

Un conte de lutin. Reproduit avec l'autorisation de Tyree Dillingham. ©1997 Tyree Dellingham.

Ben et Virginia. Reproduit avec l'autorisation de Gwyn Williams. ©1997 Gwyn Williams.

N'espérez pas, mon ami... décidez! Reproduit avec l'autorisation de Michael Hargrove. ©1997 Michael Hargrove.

Un amour durable. Reproduit avec l'autorisation de Annette Paxman Bowen. ©1997 Annette Paxman Bowen.

Le journal de la décennie : une histoire d'amour. Reproduit avec l'autorisation de Henry Matthew Ward. ©1997 Henry Matthew Ward.

Un souvenir, tel un cadeau. Reproduit avec l'autorisation de Dorothy DuNard. ©1979 Dorothy DuNard. 1re publication dans le magazine *Unity.*

La rose de Canarsie. Reproduit avec l'autorisation de Mike Lipstock. ©1997 Mike Lipstock.

Le lanceur. Reproduit avec l'autorisation de Beth Mullally. ©1993 Beth Mullally. Première publication dans le *Times Herald-Record,* 1993.

Le casse-tête. Reproduit avec l'autorisation de Jerry Gale. ©1997 Jerry Gale.

Envoyer les enfants à l'école. Reproduit avec l'autorisation de Susan Union. ©1997 Susan Union.

Allons plus souvent à la chasse aux insectes. Reproduit avec l'autorisation de Barbara Chesser, Ph.D. ©1997 Barbara Chesser, Ph.D.

Les mains de mon père. Reproduit avec l'autorisation de David Kettler. ©1997 David Kettler.

Réflexions de la fête des Mères. Reproduit avec l'autorisation de Paula (Bachleda) Koskey. ©1997 Paula (Bachleda) Koskey.

Papa. Reproduit avec l'autorisation de Brenda Gallardo. ©1997 Brenda Gallardo.

La fête des Pères. Reproduit avec l'autorisation de Sherry Miller. ©1997 Sherry Miller.

Une leçon de mon fils. Reproduit avec l'autorisation de Kathleen Beaulieu. ©1997 Kathleen Beaulieu.

Bienheureux les cœurs purs. Reproduit avec l'autorisation de Gwen Belson Taylor. ©1997 Gwen Belson Taylor.

Un fil ténu. Reproduit avec l'autorisation de Karen Cogan. ©1997 Karen Cogan.

Moi non plus. Reproduit avec l'autorisation de Rochelle M. Pennington. ©1997 Rochelle M. Pennington.

Les pendants d'oreilles. Reproduit avec l'autorisation de Nancy Sullivan Geng. Publié dans *Focus on the Family.* ©1996 Nancy Sullivan Geng.

Merci d'avoir changé ma vie. Reproduit avec l'autorisation de Randy Loyd Mills. ©1997 Randy Loyd Mills.

Lorsque les enfants apprennent. Reproduit avec l'autorisation de David L. Weatherford. ©1996 David L. Weatherford.

L'excellence académique débute avec une Studebaker 1951. Reproduit avec l'autorisation de Terry A. Savoie. ©1996 Terry A. Savoie.

Un kilomètre de plus. Reproduit avec l'autorisation de John F. Flanagan Jr. Publié dans *The American Legion.* ©1995 John F. Flanagan Jr.

Disciplez-vous? Reproduit avec l'autorisation de Christine Pisera Naman. ©1997 Christine Pisera Naman.

C'est une maison... C'est une vache... C'est Madame Burk! Reproduit avec l'autorisation de April Burk. ©1994 April Burk. Première publication dans *Mom's Network News.*

De quelle couleur êtes-vous? Reproduit avec l'autorisation de Melissa D. Strong Eastham. ©1997 Melissa D. Strong Eastham.

Les souliers de Tommy. Reproduit avec l'autorisation de Samuel P. Clark. ©1993 Samuel P. Clark. Première publication dans *In My Shoes.*

Journées perdues. Reproduit avec l'autorisation de Mary Beth Danielson. ©1997 Mary Beth Danielson.

Chaque perte est une mini-mort. Reproduit avec l'autorisation de Carol O'Connor. ©1997 Carol O'Connor.

Il est permis de pleurer. Reproduit avec l'autorisation de Kirk Hill. ©1997 Kirk Hill.

Rester en contact. Reproduit avec l'autorisation de Patricia Chasse. ©1997 Patricia Chasse.

Une couverture pour une amie. Reproduit avec l'autorisation de Shauna Dickey et Colleen Keefe. ©1997 Shauna Dickey et Colleen Keefe.

Le papillon-cadeau. Reproduit avec l'autorisation de Wayne Cotton. ©1997 Wayne Cotton.

La rose sans épines. Reproduit avec l'autorisation de Eva Harding. ©1997 Eva Harding.

Une action héroïque. Reproduit avec l'autorisation de Rulon Openshaw. © 1997 Rulon Openshaw.

Qui était cet homme masqué? Reproduit avec l'autorisation de Robert R. Thomas. ©1997 Robert R. Thomas.

Dans une cathédrale de piquets de clôture et de Harley. Reproduit avec l'autorisation du Révérend Neil Parker. ©1997 Révérend Neil Parker. Tiré du *United Church Observer.*

L'ange du grand magasin. Reproduit avec l'autorisation de Priscilla Stenger. ©1997 Priscilla Stenger.

« Hé! Garde... merci » Reproduit avec l'autorisation de Jacqueline Zabresky, R.N. : *Hey Nurse... Thanks, Nursing 93* 23 (8) :49, ©Springhouse Corporation.

La petite boîte noire. Reproduit avec l'autorisation de Deborah Roberto McDonald. ©1997 Deborah Roberto McDonald.

Dîner en ville. Reproduit avec l'autorisation de Duke Raymond. ©1997 Duke Raymond.

La force d'une promesse. Reproduit avec l'autorisation de Dianne Demarcke. ©1997 Dianne Demarcke.

La plus belle des fleurs. Reproduit avec l'autorisation de Cheryl L. Costello-Forshey. ©1997 Cheryl L. Costello-Forshey.

Locaux c. Visiteurs. Reproduit avec l'autorisation de S. Turkaly. ©1997 S. Turkaly.

Il n'y a pas d'excuse qui tienne; La quête d'une mère et *Le métier de père.* Reproduit avec l'autorisation de Sharon Whitley. ©1997 Sharon Whitley.

Le miracle de l'amour. Reproduit avec l'autorisation de Tim Jordan, M.D. ©1996 Tim Jordan, M.D.

Médicalement impossible. Reproduit avec l'autorisation de John M. Briley Jr., M.D. ©1997 John M. Briley Jr., M.D.

Un pas à la fois. Reproduit avec l'autorisation de Jerry Sullivan. ©1997 Jerry Sullivan.

Le but. Reproduit avec l'autorisation de Diana Chapman. ©1997 Diana Chapman.

Un point tournant. Reproduit avec l'autorisation de Adeline Perkins. ©1997 Adeline Perkins.

Amours de chiots. Reproduit avec l'autorisation de Mark Malott. ©1997 Mark Malott.

Un géant dans la foule. Reproduit avec l'autorisation de Jack Schlatter. ©1997 Jack Schlatter.

La plus belle époque de ma vie. Reproduit avec l'autorisation de Joe Kemp. ©1997 Joe Kemp.

Un bon cœur sur qui s'appuyer. Reproduit avec l'autorisation de *The Wall Street Journal.* ©1997 Dow Jones & Company, Inc. Tous droits réservés.

Les leçons que vous avez apprises. Reproduit avec l'autorisation de Marlene Gerba. ©1982 Marlene Gerba.

Le voyage en train. Reproduit avec l'autorisation de David Murcott. ©1997 David Murcott.

La petite fille de son grand-papa. Reproduit avec l'autorisation de Darlene Harrison. ©1997 Darlene Harrison.

Le vrai pardon. Reproduit avec l'autorisation de Jerry Harpt. ©1997 Jerry Harpt.

Déjà parus
dans la collection

BOUILLON DE POULET POUR L'ÂME

UN 1ER BOL
288 PAGES

UN 2E BOL
304 PAGES

UN 3E BOL
304 PAGES

UN 4E BOL
304 PAGES

POUR LA FEMME
288 PAGES

POUR UNE MÈRE
312 PAGES

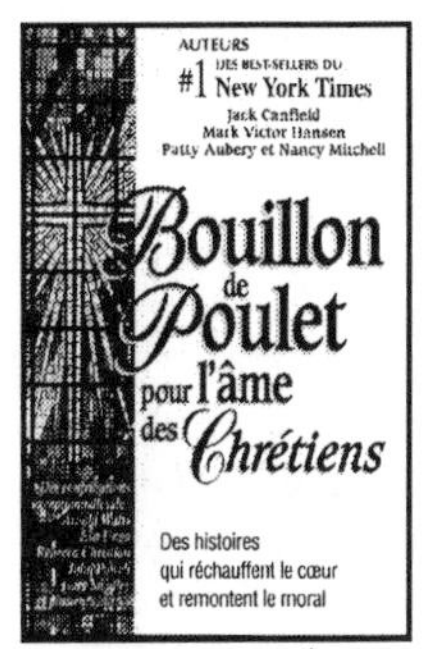

POUR LES CHRÉTIENS
288 PAGES

AU TRAVAIL
288 PAGES

POUR L'AMI DES BÊTES
304 PAGES

POUR LE GOLFEUR
336 PAGES

POUR LES ADOS
288 PAGES

ADOS — JOURNAL
336 PAGES

FORMAT POCHE

UN CONCENTRÉ
216 PAGES

UNE TASSE
192 PAGES

Nouveauté

Les enfants,
vous vouliez votre propre
Bouillon de poulet?
C'est maintenant fait!
Bouillon de poulet
pour l'âme de l'enfant
s'adresse "exclusivement"
à vous, les jeunes
de 9 à 13 ans.

Parfois, tu as sûrement l'impression que la vie n'est qu'un feu roulant d'activités et de jeux avec les copains. À d'autres moments, toutefois, la vie te paraît probablement compliquée : il y a de la violence partout, de plus en plus de parents divorcent, ton meilleur ami déménage, tu sens que tu n'as pas ta place.

Grâce à ce *Bouillon de poulet pour l'âme*, tu trouveras réponses et mots d'encouragement, et tu te rendras compte que tu peux réellement réaliser tes rêves.

Ce livre contient des histoires amusantes sur l'amitié et la famille, mais aussi des histoires plus sérieuses sur le courage et les choix difficiles. Ces histoires te feront rire et pleurer, elles stimuleront ta réflexion et te réconcilieront avec toi-même.

BOUILLON DE POULET POUR L'ÂME DE L'ENFANT
AUTEURS : JACK CANFIELD, MARK VICTOR HANSEN,
PATTY HANSEN ET IRENE DUNLAP
336 PAGES

transcontinental
IMPRESSION
IMPRIMERIE GAGNÉ